CHAOS

LES ENQUÊTES
DU DR KAY SCARPETTA

www.les-deux-terres.com

Patricia Cornwell

CHAOS

Une enquête de Kay Scarpetta

roman

Traduit de l'anglais (États-Unis)
par Andrea H. Japp

Titre original :
Chaos

Éditeur original :
William Morrow, HarperCollins Publishers, New York

© original : Cornwell Entertainment, Inc., 2016
ISBN original : 978-0-06-243668-9

Couverture : © E+ / Getty Images
Conception graphique : Valérie Gautier

ISBN : 978-2-84893-260-6

© 2017, Éditions des Deux Terres, département des Éditions
Jean-Claude Lattès, pour la traduction française.

Pour Staci

– En souvenir de Tram –

Il existe en moi de l'amour
comme vous n'en avez jamais vu.
Il existe en moi une telle rage
qu'elle ne devrait jamais se manifester.

Frankenstein, Mary Shelley

CHAOS

Du grec *χάος* ou *kháos*, du latin *chaos*.

Confusion générale des éléments avant leur
séparation et leur arrangement pour former l'univers.

Au figuré : toute sorte de confusion,
de grave désordre.

Théorie dédiée à l'étude des systèmes dynamiques
dont le futur est en général impossible
à prédire à long terme.

PROLOGUE

Crépuscule
Mercredi 7 septembre

Derrière le mur de brique qui ceint le Harvard Yard, quatre hautes cheminées et un toit d'ardoise grise percé de lucarnes peintes en blanc se distinguent au travers des branches feuillues des arbres.

La vue de l'édifice géorgien, situé à une petite quinzaine de minutes, du moins à vol d'oiseau, est agréable. Cependant, le rejoindre à pied se révèle une mauvaise idée. J'ai vraiment été sotte de refuser qu'on m'y conduise. Une chaleur de four règne, que n'atténuent même pas les zones ombragées. Une véritable chape d'air lourd, saturé d'humidité m'environne.

Je pourrais presque croire que je suis le dernier être humain après une catastrophe apocalyptique si le lointain écho de la circulation, parfois un rare promeneur et les panaches d'avion dans le ciel ne me détrompaient pas. Je n'ai jamais vu le campus d'Harvard aussi désert, hormis peut-être lors d'une alerte à la bombe. D'un autre côté, je n'ai jamais vu non plus des conditions météorologiques aussi extrêmes dans notre coin du monde, et les tempêtes de neige et les masses d'air arctique ne comptent pas.

Les habitants de Nouvelle-Angleterre y sont habitués. Beaucoup moins, en revanche, aux températures qui flirtent avec les 40 °C. Le soleil semble en fusion dans un ciel d'un blanc d'os, son azur englouti par la chaleur, ainsi que je l'ai entendu décrire. *Le réchauffement climatique. L'effet de serre. Une punition divine. Les œuvres du diable. Mercure rétrograde. El Niño. La fin du monde.*

Il s'agit de quelques-unes des explications données à l'une des pires vagues de chaleur qu'ait connues l'État du Massachussetts. La charge de travail a explosé dans mon quartier général, le Centre de sciences légales de Cambridge, ou CFC, c'est le paradoxe de mon métier. Quand les choses vont mal, c'est normal. Lorsqu'elles empirent, c'est bien. Au fond, c'est le revers de la médaille : je ne serai jamais au chômage dans notre monde imparfait. Je coupe en traversant le centre du campus dans la chaleur suffocante, tout en peaufinant mon intervention de demain soir à la Kennedy School of Government.

De l'intelligence, de l'esprit, quelques histoires un peu provocatrices mais authentiques. Peut-être ma sœur Dorothy n'était-elle pas aussi inutile que je l'ai toujours pensé. Elle affirme que je dois me montrer divertissante si je souhaite capter l'attention d'un amphithéâtre bondé d'intellectuels las, issus des universités les plus prestigieuses du pays, et de responsables politiques. Peut-être même se mettront-ils un peu à ma place, pour une fois, si je partage avec eux le côté sombre, ce gouffre effrayant que personne ne veut approcher ni même entrevoir.

En tout cas, je ne me résoudrai jamais à y aller de blagues vaseuses ou glaçantes, celles que j'entends régulièrement dans la bouche de flics, et qui finissent sur un T-shirt ou une tasse à café à la manière de slogans peu ragoûtants. Je leur épargnerai le *nos journées commencent lorsque les vôtres s'achèvent*, même s'il s'agit de la vérité. Néanmoins, je suppose qu'une plaisanterie sur le fait que plus la situation s'aggrave, plus je suis utile n'a rien d'inacceptable. Les catastrophes sont mon métier. Les nouvelles terribles me tirent du lit. La tragédie est mon quotidien et le cycle de la vie et de la mort reste inchangé quel que soit notre QI.

Voici la façon dont ma sœur pense que je devrais aborder mon métier demain soir devant des centaines d'étudiants influents, des membres de l'université, des politiciens, des leaders. Pourtant, selon moi, je ne devrais pas avoir besoin de m'expliquer. Tel n'est pas l'avis de Dorothy, ainsi qu'elle me l'a seriné au téléphone la nuit dernière pendant que ma mère, très âgée, déblatérait bruyamment derrière au sujet de sa femme de ménage sud-américaine, une voleuse, dont le nom est Honesty, et ça n'est pas une blague. Selon ma mère, Honesty la vole, embarquant pléthore de bijoux, d'argent, ses médicaments, engouffrant le contenu de son réfrigérateur et déplaçant ses meubles dans l'espoir qu'elle trébuchera, tombera et se fracturera la hanche.

Honesty est bien sûr innocente, et l'idée d'un acte malveillant ne lui viendrait jamais à l'esprit. Parfois, avoir une mémoire presque photographique ne me rend pas service. Je me souviens du cinéma téléphonique de la nuit dernière, y compris les parties en espagnol, et chaque mot résonne dans mon esprit. Je peux me rejouer toute la logorrhée de Dorothy, débit rapide-voix assurée, qui me conseillait sur la meilleure façon de ne pas barber mon auditoire, puisque, à l'évidence, tel serait le cas si on me laissait faire. Elle a déclaré :

Avance vers l'estrade puis examine l'assemblée avec un visage impassible. Lance : « Bonjour. Je suis le docteur Kay Scarpetta. J'accepte des patients sans rendez-vous et je me rends à leur domicile. N'auriez-vous pas envie de mourir juste pour que je promène mes mains sur votre corps ? Nous pouvons nous arranger. » Et à ce moment-là, tu fais un clin d'œil.

Qui pourrait résister ? Voilà ce que tu dois leur dire, Kay ! Quelque chose d'amusant, de sexy, en évitant le politiquement correct. Ils te mangeront dans la main. Pour une fois dans ta vie, écoute ta petite sœur avec attention. Je n'en suis pas arrivée là sans comprendre une ou deux choses à la publicité et au marketing.

Un des plus gros problèmes avec ces jobs crevants, sans mauvais jeu de mots, comme de travailler aux pompes funèbres ou dans les morgues, c'est que personne n'a la moindre idée de la façon de les promouvoir, ou de vendre quoi que ce soit. Certes, ce n'est vraiment pas nécessaire. Néanmoins, pour être honnête, les pompes funèbres sont bien meilleures que ton centre de recherches médico-légales. Après tout, ça ne fait pas partie de ton descriptif de poste de rendre un cadavre présentable ou de te préoccuper de l'élégance d'un cercueil. En d'autres termes, tu as tous les inconvénients du marché des pompes funèbres mais rien à vendre et personne pour te remercier.

Durant toute ma carrière en tant qu'anatomopathologiste médico-légale mon unique sœur s'est débrouillée pour me réduire à une scientifique de morgue ou, plus simplement, à quelqu'un qui récupère les problèmes que personne d'autre ne veut aborder.

C'est, en quelque sorte, la conclusion logique du fait que je me suis occupée de notre père mourant lorsque j'étais enfant. Je suis devenue la personne vers laquelle on se précipitait lorsque quelque chose se révélait douloureux, répugnant, ou lorsqu'il fallait s'occuper d'une situation, y mettre de l'ordre. Lorsqu'un animal se faisait écraser, qu'un oiseau se faufilait par une fenêtre, ou que notre père saignait à nouveau du nez, ma sœur se ruait vers moi en hurlant. Elle le fait encore dès qu'elle a besoin de quelque chose, sans se préoccuper de mes propres urgences, de l'heure du jour ou de la nuit.

Cependant, à ce stade de ma vie j'en viens à me dire qu'on ne rajeunit pas. J'ai décidé de faire un véritable effort, de rester objective, même si ma sœur est probablement l'être le plus égoïste que j'aie jamais connu. Toutefois, elle est intelligente, bourrée de talent, et je ne suis pas non plus une sainte. Je reconnais l'avoir

dépouillée de sa véritable valeur avec une réelle obstination, et c'était injuste.

En réalité, peut-être a-t-elle raison lorsqu'elle me
conseille de ne pas m'exprimer comme un rapport légal
ou de laboratoire, mais d'adopter des accents d'expert
et de poète. Il me faut mettre en valeur ce que je dis,
accentuer la luminosité, aviver les couleurs. J'ai gardé
cette recommandation à l'esprit alors que je revoyais
mes phrases d'introduction, en n'oubliant pas d'introduire des envolées un peu plus emphatiques... voire
propices au rire.

J'avale une gorgée d'eau de la bouteille, si chaude
qu'on pourrait y faire infuser du thé. Je remonte mes
lunettes de soleil qui ne cessent de glisser le long de
mon nez trempé de sueur. Le soleil m'évoque un for-
geron sans pitié en ces heures crépusculaires. Même
mes cheveux semblent brûlants et les talons plats de
mes chaussures en cuir fauve arrachent des plaintes
aux briques alors que ma destination n'est plus qu'à
dix minutes. Ma conférence défile dans mon esprit :

*Bonsoir à tous, membres de l'université d'Harvard,
étudiants, confrères médecins, scientifiques et tous nos
distingués invités.*

*J'aperçois ce soir dans l'assemblée un prix Pulitzer et
un prix Nobel, des mathématiciens, des astrophysiciens
qui sont également des écrivains, des peintres et des
musiciens.*

*Un parterre des meilleurs et des plus brillants, et nous
sommes très honorés par la présence du gouverneur,
de l'attorney general, et de plusieurs sénateurs et représentants du Congrès en plus de ceux des médias et de
capitaines d'industrie. Je distingue mon très bon ami et
mentor, le général John Briggs, qui se cache au fond de
la salle et tente de se faire tout petit dans son fauteuil,
paniqué à l'idée de me voir sur cette estrade. (Une pause
pour permettre les rires.)*

*Pour ceux qui l'ignoreraient, John Briggs est le médecin-
expert général des forces armées, l'AFMES. En d'autres*

termes, il serait le médecin légiste en chef des États-Unis, si un tel titre existait. Il me rejoindra sous peu lorsque nous en viendrons à la partie du programme dédiée aux questions-réponses sur le désastre de la navette spatiale Columbia en 2003.

Nous partagerons avec vous ce que nous avons appris grâce à la science des matériaux et à l'aéromédecine mais également grâce à l'examen des sept astronautes dont les restes ont été éparpillés au Texas. Une scène d'analyse qui s'étendait sur plus de 80 km.

Il me faut rendre justice à Dorothy.

Elle est haute en couleur et théâtrale, et je suis assez touchée qu'elle ait sauté dans un avion pour assister à ma conférence même si je ne comprends pas trop pourquoi. Elle a affirmé qu'elle ne raterait pour rien au monde mon intervention de demain mais, en réalité, je ne la crois pas. Ma sœur n'a pas mis les pieds à Boston depuis que je dirige le CFC, et cela fait huit ans. Ma mère non plus. À sa décharge, elle n'aime pas voyager et ne bouge plus beaucoup. En revanche, Dorothy n'a jamais fourni de bonne excuse.

Elle n'a jamais manifesté le moindre intérêt pour ce que je fais, jusqu'à aujourd'hui. Quoi qu'il en soit, c'est très embêtant qu'elle ait choisi cette nuit pour débarquer à Boston. Le premier mercredi du mois, sauf urgence, mon mari Benton et moi dînons au club de la Harvard Faculty, dont je ne suis pas membre, contrairement à lui. Ce n'est pas son statut au FBI qui lui a valu ce privilège. Une telle carte de visite ne s'accompagne d'aucune faveur de la part d'Harvard, du Massachusetts Institute of Technology (MIT), ni des autres prestigieuses universités du coin.

Mais Benton est consultant en psychologie médico-légale au McLean Hospital, affilié à Harvard, qui s'élève à Belmont, non loin d'ici. Mon agent d'époux, spécialisé dans l'analyse de l'intelligence criminelle, peut donc profiter des plus remarquables bibliothèques, musées, universitaires et spécialistes du monde entier lorsqu'il le souhaite. Il s'invite au club de la Faculty autant qu'il le veut.

Nous pouvons même réserver une chambre d'invités à l'étage, ce que nous avons fait à plusieurs occasions lorsque nous avions bu un peu trop de whisky ou de vin durant le dîner. Cela n'arrivera pas ce soir puisque Dorothy va atterrir sous peu. Je n'aurais jamais dû accepter de venir la chercher en fin de soirée pour la déposer chez sa fille Lucy. Cela implique que Benton et moi ne rentrerons chez nous qu'après minuit.

J'ignore pourquoi Dorothy m'a demandé ça, sauf si elle souhaite passer un peu de temps en tête-à-tête avec moi. Lorsque je lui ai répondu d'accord, en précisant que Benton m'accompagnerait, sa réponse a été : « Bien sûr. Sans importance. » J'ai alors compris que cela en avait. Sans doute veut-elle discuter avec moi, en privé. Si l'opportunité ne se présente pas cette nuit, nous trouverons un autre moment.

Ma sœur a opté pour un aller-retour *open*. Je ne peux m'empêcher de penser que ce serait magnifique si je découvrais soudain que je me suis toujours trompée à son sujet. Peut-être est-ce la réelle raison de son escapade vers le nord, jusqu'en Nouvelle-Angleterre ? Peut-être ressent-elle les choses comme moi ? Peut-être espère-t-elle finalement que nous deviendrons amies ?

Quel étonnant et précieux retournement de situation ce serait si nous pouvions former un front commun afin de nous occuper de notre mère vieillissante, de Lucy et de sa compagne Janet, ainsi que de leur fils adopté de neuf ans, Desi. Sans oublier le nouveau membre de la famille, Tesla, un chiot bouledogue recueilli sur lequel Benton et moi veillons pour le moment dans notre maison de Cambridge. Quelqu'un doit l'éduquer, et notre lévrier Sock devient vieux et apprécie la compagnie.

1.

Les semelles de mes chaussures chuintent sur l'herbe sèche. La sueur dégouline sous mes vêtements, le long de mon buste, dans mon dos. J'avance, tentant de me faufiler sous l'ombre alors que le soleil décline et que la lumière oblique.

À chaque fois que je tente d'échapper à la fournaise, elle me poursuit. Le centre ceint de murs du campus d'Harvard est un véritable dédale avec ses pelouses, ses bâtiments érigés en quadrilatères et ses cours reliées par des allées piétonnières et d'étroits chemins. Les imposants et élégants bâtiments de brique et de pierre, drapés de vigne vierge, ressemblent à une carte postale. Je me souviens de ce que j'ai ressenti lorsque j'ai visité cet endroit pour la première fois, à quinze ans. Me voici propulsée dans le passé à chaque pas, une sensation douce-amère.

Il s'agissait d'un de mes rares voyages hors de Floride au cours de ma dernière année de lycée, alors que je commençais à sélectionner les universités et m'interrogeais sur ce que je pourrais devenir. Je me souviendrai toujours de ma promenade, exactement à l'endroit où je me tiens en ce moment, de la déferlante d'adrénaline parce que je me sentais à la fois déplacée, intimidée et gênée. Mes souvenirs s'interrompent lorsqu'une vibration me fait presque sursauter. On dirait le vrombissement d'un gros insecte.

Je m'immobilise sur le trottoir brûlant, regarde alentour, et repère un drone qui survole d'assez haut le

Yard. Soudain, je comprends que le bourdonnement n'est autre que celui de mon téléphone, étouffé dans la poche de ma veste de tailleur, à l'abri de la chaleur et du soleil. Je vérifie qui m'appelle. Il s'agit du détective Pete Marino, enquêteur criminel au département de police de Cambridge. Je réponds.

— Y'a quelque chose que je devrais savoir ? lance-t-il tout de go, et la réception est assez mauvaise.

— Je ne vois pas, dis-je, étonnée, en rôtissant sous le soleil.

— Et pourquoi vous vous baladez à pied ? Personne devrait se promener par ces foutues températures. Qu'est-ce qui vous a pris ?

À sa voix cassante, irritée, je me doute instantanément que son appel n'a rien d'amical. Je me sens aussitôt sur mes gardes et je n'aime pas le ton qu'il prend.

— Je fais quelques courses. Ensuite, je dois rejoindre Benton.

— Et vous le rejoignez pour quelle raison ?

La transmission continue de se détériorer, passe de potable à irrégulière, redevient à peu près tolérable puis hachée et ainsi de suite.

— La raison pour laquelle j'ai rendez-vous avec mon mari tient en peu de mots : nous dînons ensemble.

Je lui réponds non sans une trace d'ironie. Je n'ai pas envie d'un nouvel échange tendu aujourd'hui.

— Tout va bien Marino ?

Sa grosse voix éclate soudain dans mon oreille droite, pénible :

— C'est peut-être à vous de me le dire. Comment ça se fait que Bryce vous accompagne pas ?

Mon moulin à paroles de chef du personnel a dû l'informer que j'avais refusé de remonter en voiture à Harvard Square, déblatérant sur *mon dédain du protocole et mon téméraire manque de considération envers les mesures de sécurité.*

Avant même que je puisse répondre, Marino me pousse dans mes retranchements comme si j'étais suspectée d'un crime.

— Vous êtes descendue de bagnole il y a à peu près une heure et demie, et vous avez passé environ une vingtaine de minutes au magasin Coop d'Harvard. Quand vous êtes enfin ressortie de Massachusetts Avenue, où vous êtes-vous rendue ?

Les allées du Yard forment une sorte de toile d'araignée de brique et je ne cesse de me raviser, de tenter de prendre le chemin le plus confortable, le plus rapide et le plus frais. Je réponds :

— J'avais une course à faire dans Arrow Street.

— Quel genre ? me demande-t-il comme si ça le regardait.

— Au Loeb Center, j'ai acheté des places pour *Waitress*, la comédie musicale de Sara Bareilles. J'ai pensé que Dorothy aimerait le spectacle, dis-je avec une politesse contrainte et qui s'effiloche.

— De ce que j'ai compris vous agissiez en vraie louftingue, complètement incohérente.

Je m'immobilise et m'étonne :

— Je vous demande pardon ?

— C'est le témoignage qu'on a.

— De qui émane-t-il ? Bryce ?

— Nan. Le numéro d'urgence a reçu un appel à votre sujet, déclare Marino.

Je reste sans voix.

Il m'informe que le département de police a été contacté aux environs de 16 h 45 par un témoin qui faisait état d'un « jeune type se disputant avec une amie d'âge mûr » dans Harvard Square.

L'homme a été décrit comme âgé d'à peine trente ans, aux cheveux châtain clair, vêtu d'un pantalon corsaire bleu et d'un T-shirt blanc, portant des lunettes de soleil de marque, et un tatouage représentant une feuille de marijuana. La description concorde, à l'exception du tatouage.

Il semble que le citoyen soucieux du bien public qui a appelé la police m'ait reconnue pour m'avoir vue aux informations. Le plus troublant, c'est que sa description de mes vêtements est exacte. En effet, je porte un tailleur-jupe en coton kaki, un corsage blanc et des chaussures en cuir fauve. De plus, manque de chance, il est exact que j'ai filé mon collant. Je le balancerai dès que je serai arrivée. Incrédule, je m'enquiers :

— M'a-t-on nommée, de manière spécifique ?

— Le témoin a précisé que le Dr Kay Scarpetta se disputait avec son fumeur de joints de copain et qu'elle était descendue comme une furie de la voiture.

Encore un affront.

— Non, je ne suis pas sortie du véhicule comme une furie. J'ai ouvert la portière le plus normalement du monde et Bryce est resté derrière le volant. Nous avons continué notre discussion.

— Ah bon ? Il n'est pas descendu pour vous ouvrir ?

— Il ne le fait jamais et je ne l'y inciterais pas. Peut-être est-ce d'ailleurs une attitude que cette personne a mal interprétée, pensant que Bryce était en colère ? Il a baissé la vitre de sa portière pour que nous puissions parler. Voilà tout !

Marino m'apprend ensuite que je serais alors devenue brutale et physiquement violente, giflant Bryce par la vitre ouverte, et lui enfonçant rageusement l'index dans la poitrine, de manière répétée. Il aurait crié, sans doute parce que je lui avais fait mal et qu'il était terrorisé. Bref, pour parler cru, un paquet de conneries. Pourtant, je n'argumente pas. Un certain malaise m'envahit, une pénible sensation de vide, un signal d'alarme habituel.

Marino est d'abord un flic. Peu importe que je l'aie fréquenté durant la plus grande partie de ma vie, Cambridge est son territoire, sa chasse gardée. Il pourrait me casser les pieds s'il le décidait et cette idée est à la fois nouvelle et dérangeante. Certes, il n'a jamais eu aucune raison de m'arrêter. Il ne m'a jamais non plus filé de contravention, ni remonté les bretelles lorsque je ne respectais pas les passages pour piétons. La courtoisie professionnelle marche dans les deux sens. Cependant, elle peut se transformer en impasse si on n'y prend pas garde.

— J'avoue que j'étais peut-être un peu à cran mais je n'ai jamais giflé personne...

Marino m'interrompt :

— Commençons par la première partie de votre déclaration. Ça veut dire quoi, un peu à cran ?

— C'est un interrogatoire ? Vous allez me lire mes droits ? Ai-je besoin d'un avocat ?

— Vous êtes avocate.

— Je n'ai pas envie de rire, Marino.

— Moi non plus. Ça veut dire quoi, *un peu à cran* ? Si je vous pose la question, c'est que le témoin a déclaré que vous hurliez.

— Avant ou après avoir giflé Bryce ?

— Inutile de vous énerver, ça nous aidera pas, Doc.

— Je ne m'énerve pas, et soyons très clairs au sujet de la personne que vous mentionnez. Mieux vaut commencer par là. Vous savez très bien que Bryce exagère.

— Ce que je sais, c'est qu'apparemment vous avez commencé à vous disputer et à faire du foin.

— C'est lui qui a raconté ça ?

— Nan, le témoin de la scène.

— Qui ça ?

— Celui qui a contacté le numéro d'urgence pour se plaindre.

— Avez-vous discuté avec lui ?

— J'ai trouvé personne qui ait vu quoi que ce soit.

— Ce qui signifie que vous avez vérifié ses dires.

— Après l'appel, j'ai sillonné le Square et posé des questions à droite et à gauche. Comme toujours dans ces cas-là, personne n'a rien vu.

— Tout juste. Cette histoire est grotesque.

— Ce qui me préoccupe, c'est si quelqu'un essayait de vous coincer.

Ça n'est pas la première fois, loin s'en faut, que Marino fait allusion à cela, depuis des années.

Il se complaît dans sa conviction pathologique que quelque chose d'affreux va me tomber dessus. Pourtant, son appréhension majeure se résume à lui. Il reproduit le même schéma qu'avec son ex-femme, Doris, qui a d'ailleurs fini par le quitter pour un concessionnaire automobile. Le grand flic ne perçoit pas la différence entre besoin et amour. À ses yeux, les deux sont similaires.

— Si vous avez envie de gaspiller l'argent du contribuable, vous pouvez vérifier les enregistrements des caméras de surveillance aux alentours du Square, et notamment celles installées en face de la Coop. Vous découvrirez que je n'ai giflé ni Bryce ni personne.

— Je me demande si ça n'a pas un lien avec votre conférence de demain soir à la Kennedy School, reprend Marino. On en a pas mal parlé à cause de la polémique. Lorsque vous et le général Briggs avez décidé d'évoquer la navette spatiale qui a explosé, vous auriez peut-être dû vous attendre à ce qu'une brassée de timbrés se manifestent de partout. Y'en a pas mal parmi eux qui pensent qu'un OVNI a descendu *Columbia*. Ce qui expliquerait, à leurs yeux, l'arrêt du programme spatial en question.

— Je ne sais toujours pas le nom de ce prétendu témoin qui a raconté n'importe quoi à votre opérateur.

Je n'ai nulle envie de le laisser discourir sur les conspirateurs de tous poils et le désordre qu'ils pourraient semer lors de cette soirée à la Kennedy School.

— Il a refusé de décliner son identité lorsque l'opérateur a pris l'appel, reprend Marino. Il utilisait probablement un de ces téléphones prépayés qu'on peut acheter dans n'importe quel drugstore. Impossible de tracer le numéro indiqué jusqu'à un abonné. On n'a pas dit notre dernier mot, mais pour l'instant, ça n'a rien donné. Ce genre d'impasses se généralise, ces derniers temps.

J'avance de quelques pas, protégée par l'ombre d'un

immense chêne, aux branches basses, encore bien trop vert et luxuriant pour un mois de septembre. La chaleur de ce début de soirée pèse comme une chape de lave, et semble déterminée à dessécher, à éradiquer toute vie. Je change mon sac de courses d'épaule. Ma sacoche, dans laquelle sont rangés mon ordinateur portable, des dossiers et des effets personnels, paraît encore plus lourde. La large bandoulière me scie la clavicule.

La voix de Marino me parvient par intermittence :

— Où est-ce que vous vous trouvez exactement ?

— J'ai pris un raccourci. Et vous ? Par moments votre voix me parvient très étouffée et à d'autres elle me pulvérise le tympan. Vous conduisez ?

Je n'ai pas l'intention de lui préciser ma localisation.

— Quel raccourci ? Vous êtes passée par la Johnston Gate pour traverser le Yard et rejoindre Quincy Street ?

— Je ne vois pas quel autre itinéraire j'aurais pu prendre.

Je reste assez évasive et suis un peu essoufflée à force de crapahuter sous la chaleur.

— Vous devez donc être à proximité de l'église, reprend-il.

— Pourquoi ? Vous venez m'arrêter ?

— Dès que j'aurai retrouvé mes menottes. Peut-être que vous les avez vues quelque part ?

— Demandez plutôt à la dernière de vos conquêtes.

— Vous allez donc sortir du Yard par la grille juste en face des musées. Vous voyez, au feu situé sur votre gauche de l'autre côté du mur ?

Il semble s'agir d'une instruction plus que d'une question ou même d'une supposition. Mes soupçons augmentent.

— Où êtes-vous, Marino ?

— Le chemin que je viens de suggérer est le plus direct. Juste après l'église et le Radcliffe Quadrangle.

2.

Je franchis la grille en fer forgé noir qui troue le mur du Yard, puis balaie du regard Quincy Street.

De l'autre côté de la rue, tout le pâté de maisons est occupé par le Harvard Art Museum, des bâtiments de brique et de ciment récemment rénovés avec leurs six étages de galeries protégées d'un toit en pyramide de verre. Je patiente non loin d'une file de voitures en stationnement qui luisent dans la lumière rasante du soleil déclinant et consulte l'heure et les conditions météorologiques sur mon Smartphone.

À 18 h 40, nous sommes toujours gratifiés d'un 34 °C, très oppressant. J'ai vraiment agi de façon trop impulsive un peu plus tôt. Mais je ne supportais plus les incessants jacassements de Bryce alors qu'il longeait la Charles River en direction du pont Anderson Memorial, suivant la John F. Kennedy Street pour déboucher dans Massachusetts Avenue.

J'en étais arrivée au point où je ne pouvais pas entendre une phrase de plus, et lui avais ordonné de ne pas m'attendre alors que je descendais du SUV, juste en face de la librairie de l'université : la Coop. Harvard Square – avec ses boutiques et son arrêt de métro de la ligne rouge – bruisse en permanence d'activité, même lorsque les conditions météorologiques sont très dissuasives. Vous y trouverez toujours une légion de badauds, sans oublier les gens qui font la manche avec une belle régularité, vingt-quatre heures sur vingt-quatre et sept jours sur sept.

L'endroit était assez mal choisi, je l'admets. Bryce n'aurait jamais dû descendre sa vitre et se disputer avec moi, avec la fougue du jeune amant d'une patronne assez mature pour virer cougar. Il ne voulait rien entendre ni me laisser là, et commençait à perdre les pédales, au point de friser l'hystérie. Rien d'inhabituel chez lui.

Il voulait absolument que je fasse état de la raison qui m'incitait à me passer de sa compagnie et que je lui explique par le menu s'il avait fait « quelque chose » de nature à me déplaire. Il ne cessait de répéter qu'il savait parfaitement que je lui en voulais de « quelque chose » et refusait d'admettre le contraire, en dépit de mes dénégations.

Des curieux nous scrutaient. Un SDF assis sur le trottoir, protégé du soleil par son petit écriteau en carton, nous fixait d'un regard aussi noir que celui d'une pie. L'endroit, il est vrai, était inapproprié pour garer un véhicule sur les flancs duquel s'étale *Bureaux du médecin-expert en chef*, et dont les portes sont ornées du blason du CFC, des plateaux de la justice et du caducée peints en bleu. Les vitres arrière du SUV noir sont teintées et je comprends l'impact que peut produire un des utilitaires du centre lorsqu'il s'arrête dans une rue.

Après m'être enfin débarrassée de Bryce, j'ai fait des emplettes à la Coop pour y dénicher des cadeaux destinés à ma mère et à ma sœur. En ressortant, alors que je quittais l'agréable air conditionné pour replonger dans une chaleur de four, j'ai jeté un regard inquisiteur alentour. Je souhaitais m'assurer que mon très collant chef du personnel s'était bien volatilisé. J'ai alors emprunté Brattle Street.

J'ai filé jusqu'à l'American Repertory Theater, l'ART, situé au Loeb Center, afin de récupérer les six places pour la pièce *Waitress*. J'avais réservé des fauteuils d'orchestre, les meilleurs possibles. J'ai ensuite rebroussé chemin dans Massachusetts Avenue, coupant par le Yard pour parvenir dans Quincy Street, où je me tiens en ce moment.

Je longe le Carpenter Center d'arts visuels. Je dois avoir l'air d'une folle. Quand je pense à tout le mal que je me suis donné avant d'avoir l'idée saugrenue de partir à pied ! J'ai pris une douche, enfilé ce tailleur maintenant tire-bouchonné et auréolé de transpiration. Je me suis parfumée avec les senteurs préférées de Benton, Amorvero, un parfum qu'il achète en Italie pour me l'offrir à chaque occasion. Il s'agit des effluves précieux, réservés, de l'hôtel Hassler, situé à Rome, là où il m'a demandée en mariage. Et j'ai beau humer mon poignet, je ne sens plus rien. J'attends, plantée à une intersection.

La chaleur forme une sorte de paroi transparente qui monte en ondulant de la chaussée, entraînant avec elle des relents de goudron. La grosse voix de Marino me parvient avant que je le voie.

— Vous savez ce qu'on raconte au sujet de ces Anglais timbrés qui sortent leur chien dans cette foutue canicule ?

Je me retourne. Comme à son habitude, il a dénaturé les rimes de la célèbre chanson de Noël Coward. Il est arrêté au feu et a baissé la vitre côté conducteur de son SUV bleu marine banalisé. Je sais maintenant pourquoi la réception était si médiocre durant notre conversation. Il a ratissé la zone à ma recherche, interrogé les passants qu'il croisait, ainsi que je le soupçonnais. Il allume ses avertisseurs lumineux et fait beugler sa sirène pour slalomer dans le défilé des voitures qui arrivent en sens inverse et parvenir à ma hauteur.

Il se gare en double file, descend de son véhicule. Je songe à nouveau que je ne m'habituerai jamais à le voir en costume-cravate. Les tenues élégantes n'ont pas été dessinées pour des types comme lui. Rien ne lui va aussi bien que sa propre peau.

Il mesure un peu plus d'1,95 mètre et doit peser dans les 110 kilos, à une quinzaine près, en plus ou en moins. Son crâne bronzé et rasé ressemble à une pierre polie et douce, et ses mains m'évoquent des battoirs. Quant à ses pieds en péniche, ils vont avec le reste. Marino a les épaules aussi larges qu'un chambranle de porte et il pourrait faire un développé couché de cinq femmes de mon poids, aime-t-il à se vanter.

Il est beau dans le sens brut du terme avec son visage rougeaud, ses gros sourcils et son nez proéminent. Ses

mâchoires ressemblent à celles d'un homme préhisto-
rique et son sourire dévoile de robustes dents blanches.
On a souvent l'impression qu'il va exploser en déchirant
sa chemise, à la manière de l'*Incroyable Hulk*. Rien d'un
peu habillé, ni même une tenue de prêt-à-porter standard, ne lui convient vraiment. Une partie du problème
tient à ce qu'il ne devrait jamais être seul les rares fois
où il fait du shopping, en général sur un coup de tête.
Il ne serait pas non plus superflu qu'il mette de l'ordre
dans sa penderie et revende les vêtements qu'il ne porte
plus, même si je suis presque certaine que cette idée
ne lui a pas traversé l'esprit.

Alors qu'il grimpe sur le trottoir, je remarque que les
manches de sa veste de costume bleu marine arrivent
au-dessus de ses poignets. Son pantalon en feu de
plancher laisse voir ses chaussettes grises. Il porte
des chaussures de sport en cuir noir dont le laçage
s'interrompt à mi-chemin. Sa cravate presque coordonnée, à rayures noir et rouge, est aussi passée de
mode que le reste et rappelle celles des années 1980,
l'époque des pantalons pattes d'éléphant en polyester,
des chaussures un peu baba très confortables, et des
tenues décontractées.

Marino a toujours de bonnes raisons pour choisir
ses vêtements, et sa cravate est sans doute liée à des
souvenirs particuliers, un projectile esquivé, une excep-
tionnelle partie de bowling, le plus gros poisson qu'il ait
attrapé ou un premier rendez-vous galant particulièrement satisfaisant. Pour rien au monde il ne jetterait
quelque chose qui lui importe. Il traîne dans les friperies,
les magasins d'occasion, les bric-à-brac à la recherche
d'un passé qu'il préfère à notre présent. N'est-ce pas
assez ironique qu'un tel dur à cuire se montre aussi
sentimental ?

Son regard est dissimulé derrière des Ray-Ban d'aviateur
vintage que je lui ai offertes pour son anniversaire
quelques années plus tôt.

— Montez, me lance-t-il. Je vous dépose.

— Franchement, je n'ai pas besoin d'un chauffeur.

L'allée de brique qui mène du trottoir au Faculty Club est à moins d'une minute de marche de là où nous nous trouvons.

Le grand flic n'est pas du genre à tolérer les réponses négatives. Il me pousse tout en levant sa large main pour interrompre la circulation et nous permettre de traverser avant de rejoindre son SUV. Il ne m'a pas vraiment agrippée par le bras. Cependant, je ne suis plus libre de mes mouvements alors qu'il me conduit vers le siège passager de son véhicule de police banalisé. Je me bagarre avec mes sacs et mon collant file du genou au talon.

Je ne peux m'empêcher de pester intérieurement sur le mode, *Et c'est reparti !* Un autre spectacle. Un quelconque passant peut déduire de la scène que je viens d'être interpellée par la police et que l'on m'emmène à un interrogatoire. Je me demande si cette version des faits sera la prochaine à émerger.

— Mais pourquoi sillonnez-vous le quartier à ma recherche ? Non mais, vraiment !

Je vitupère, mes mots se perdent pour lui alors que je claque la portière. Il contourne le véhicule et grimpe derrière le volant. L'habitable est propre comme un sou neuf et équipé de toutes les sirènes, gyrophare, feux de pénétration, boîte à outils et de rangement, sans oublier une mallette de scène de crime avec tous les perfectionnements connus à ce jour. Le vinyle noir sent le produit nettoyant et le revêtement en tapisserie des sièges paraît presque neuf. Les vitres, le pare-brise et le tableau de bord étincellent de propreté. Marino est devenu très méticuleux avec ses véhicules et on croirait que le SUV sort de chez le concessionnaire. En revanche, ce soin méthodique ne s'applique pas à sa maison, à son bureau ou à ses habits.

Sa portière claque dans un bruit sourd. Il se plaint aussitôt :

— J'vous ai déjà dit à quel point je détestais ce foutu téléphone ? Y'a des trucs dont on ne devrait pas discuter avec un appareil sans fil qui peut accéder au moindre foutu détail de nos vies.

— Pourquoi êtes-vous si habillé ?

— Une veillée funèbre, personne de votre connaissance.

— Je vois.

Façon de parler. Le grand flic n'est pas du genre à se préoccuper d'un costume et d'une cravate, même en ce genre de circonstances. Il s'y résoudrait peut-être lors d'obsèques ou d'un mariage. De plus, je ne l'imagine guère accepter d'être engoncé dans ce type de vêtements par cette chaleur, hormis raison bien particulière, une raison qu'il passe sous silence.

— Eh bien, je vous trouve élégant et vous sentez bon. Voyons un peu : agrume, noix de muscade, cèdre, cannelle, avec une touche de bois de santal et de musc. L'eau de Cologne British Sterling me rappelle toujours le lycée.

— Ne changez pas de sujet.

— J'ignorais que nous avions un sujet.

— Je parle d'espionnage. Vous vous souvenez quand notre plus grosse crainte était qu'un gars s'équipe d'un scanner, qu'il tente de pirater le téléphone de votre domicile ? Vous vous souvenez de l'époque où il n'y avait pas de caméras partout pour vous filmer ? Je me suis arrêté dans le Square un peu plus tôt pour voir qui traînait dans les parages. Et un petit connard de morveux, un étudiant du coin, a commencé à me filmer avec son Smartphone.

— Comment savez-vous qu'il s'agissait d'un étudiant ?

— Parce qu'il avait l'air d'un gosse pourri gâté avec ses tongs, son bermuda large et sa Rolex.

— Que faisiez-vous à ce moment-là ?

— Je posais juste quelques questions, genre ce qu'ils avaient vu un peu plus tôt. Vous savez bien, les mêmes individus suspects traînent toujours devant la Coop ou la pharmacie. D'accord, ils sont moins nombreux avec cette chaleur mais ils préfèrent être sans attaches, libres comme l'air à l'extérieur que protégés des éléments dans un refuge sympa. À ce moment-là, le gamin a pointé son téléphone vers moi comme si j'allais buter un individu sans raison. Il pensait sans doute qu'il aurait du bol ce jour-là et pourrait en faire une vidéo. Ajoutez à ça qu'un foutu drone tournoyait en vrombissant au-dessus de ma tête. Je déteste la technologie, ajoute-t-il, bougon.

— Marino, pourriez-vous me préciser la raison pour laquelle je me trouve dans votre voiture puisque, à l'évidence, je n'ai pas besoin d'un taxi ? Je suis presque arrivée à ma destination.

Il me détaille de la tête aux pieds, son regard masqué de Ray-Ban s'attardant un peu trop sur mon collant filé.

— Ben ouais, c'est sûr que vous n'en avez plus besoin, vu que les dégâts sont déjà faits.

— Je doute que vous soyez venu à ma rencontre juste pour me dire ça.

— Nan. J'veux savoir ce qui se trame réellement avec Bryce, s'obstine Marino, ses lunettes semblant me clouer au siège.

— J'ignorais que quelque chose se tramait, si l'on exclut le fait qu'il est encore plus sur les nerfs et agaçant que d'habitude.

— Tout juste. Et pourquoi, hein ? À votre avis ?

— D'accord. Peut-être que c'est à cause de cette vague de chaleur ou du surplus de travail au centre. Comme vous le savez, nous avons reçu un nombre considérable de cas liés à la canicule. Ajoutez à ça qu'Ethan, son compagnon, et lui ont maille à partir avec ce voisin, un emmerdeur... et puis, je crois que la grand-mère de Bryce a subi une intervention chirurgicale la semaine dernière, l'ablation de la vésicule biliaire. Bref, beaucoup de stress. D'un autre côté, qui peut dire avec certitude ce qui se passe dans la tête de Bryce, ou de quiconque, d'ailleurs ?

— Si jamais y'avait une raison de se méfier de lui, c'est le moment de cracher le morceau, Doc.

— Selon moi, nous avons fait le tour du sujet. Je n'ai pas le temps de me balader en votre compagnie ce soir et je dois un peu rectifier ma tenue avant le dîner, dis-je, forçant la voix pour couvrir le souffle bruyant de l'air conditionné, qui me glace jusqu'aux os à cause de mes vêtements humides de sueur.

J'entrouvre ma portière mais il me retient à nouveau par le bras.

3.

— Restez là ! ordonne-t-il du ton qu'il réserve à son berger allemand, Quincy, absent de la cage installée à l'arrière du véhicule.

En plus d'être un chien de cadavres totalement incompétent, il s'avère que le fameux meilleur ami de l'homme ne supporte pas les fortes chaleurs.

Bien qu'ayant reçu le patronyme d'un légendaire héros de série télé, spécialiste en sciences légales, l'animal ne s'aventure sur une scène de crime que lorsque les conditions se montrent clémentes. Je ne serais pas autrement surprise si l'acolyte à quatre pattes de Marino se prélassait en ce moment dans leur tanière, sur son coussin Tempur-Pedic en mousse à mémoire de forme, rafraîchi par la climatisation et distrait par TOUTOUTV.

— Je vous déposerai à un mètre avant l'entrée. Restez assise et profitez d'un peu de confort au frais, décide le grand flic.

Je dégage mon bras de son emprise. Je n'aime pas ce genre de geste, même quand il est motivé par les meilleures intentions. Il enclenche la vitesse et déclare :

— Écoutez-moi. Comme je viens de vous le dire, je ne voulais pas discuter de ça au téléphone. De nos jours, c'est carrément impossible de savoir qui nous espionne. Bon, mais si Bryce est en train de compromettre la sécurité du CFC ou la vôtre, j'veux qu'on le découvre avant la catastrophe.

Je rappelle alors à Marino que nous utilisons des Smartphones ultra-protégés qui disposent d'un cryptage très fiable, de pare-feu, et de toutes sortes d'applications hautement sécurisées. Je doute fort que l'on puisse pirater nos échanges d'e-mails ou nos conversations. Ma nièce Lucy, génie de l'informatique et experte en cybercriminalité au CFC, s'en assure avec un soin pathologique.

— Vous en avez discuté avec Lucy ? Si vous redoutez tant que nous soyons espionnés, peut-être vaudrait-il mieux que vous voyiez ça avec elle. Après tout, c'est son boulot.

Au moment où je prononce ces mots, la sonnerie de mon téléphone résonne. Lucy me demande d'ouvrir sa propre version de FaceTime, ce qui signifie qu'elle souhaite me voir durant notre discussion. Dès que son joli visage apparaît sur l'écran de mon téléphone, je remarque :

— Quel timing ! Nous parlions de toi.

— Je ne dispose que d'une minute, lance-t-elle de son regard vert aussi intense qu'un laser. Trois choses. D'abord, ma mère vient d'appeler : son avion sera un peu retardé. D'accord, je ne devrais pas dire *un peu* même si c'est ce qu'elle m'a annoncé. En réalité, on ignore l'importance du retard. En plus, je n'ai pas de certitude quant aux mobiles du contrôle aérien. Quoi qu'il en soit, ils retiennent tous les départs en ce moment.

— Et qu'est-ce qu'on lui a donné comme explication ?

— *A priori*, ils seraient en train de reprogrammer les zones d'embarquement. Un truc de ce genre. On n'a pas discuté très longtemps mais, d'après elle, l'avion devrait atterrir plutôt aux environs de 22 h 30 ou 23 heures.

Une idée me traverse l'esprit : c'est vraiment sympa

de la part de ma sœur de m'avertir en personne ! Elle se fiche que Benton et moi, en dépit de la lourdeur de nos journées, poireautions à l'aéroport la moitié de la nuit en l'attendant.

— Deuxième chose : voici ce que Serrefile Charlie vient juste de nous faire parvenir.

Le regard de Lucy passe de droite à gauche alors qu'elle me parle et je tente de deviner l'endroit où elle se trouve. Elle reprend :

— Je n'ai pas encore eu le temps de l'écouter. Dès que je me serai dépêtrée de cette connerie d'appel d'urgence, je m'y attellerai.

— Je parie qu'il nous a envoyé un autre clip audio en italien.

Lucy n'est pas à l'aise avec cette langue et ne pourrait traduire l'intégralité du message, ni même y comprendre grand-chose.

Elle renforce ma certitude en expliquant qu'à première vue, la dernière communication de Serrefile Charlie ne diffère guère des huit autres que j'ai reçues depuis le 1er septembre. La menace anonyme a été expédiée à la même heure, sur le même type de fichier, et l'enregistrement est de même longueur.

— Où es-tu ? Dans la voiture de qui ? me demande-t-elle alors.

Elle semble si saisissante par contraste avec l'arrière-plan obscur qui évoque une grotte.

Toutefois, ses cheveux blond cuivré brillent sous la lumière ambiante qui ondule comme si un film était projeté derrière elle. Des ombres jouent sur son visage et je me demande soudain si elle ne se trouve pas dans notre théâtre d'immersion personnelle, ce que, au CFC, nous avons baptisé le TIP.

Je l'informe que je suis en compagnie de Marino et elle en vient à son troisième point, le plus crucial.

— As-tu consulté Twitter ? me demande-t-elle.

— Si tu poses la question, je suis sûre qu'il ne s'agit pas d'une bonne chose.

— Je te le réexpédie à l'instant. Il faut que je file.

Et Lucy se volatilise du petit écran rectangulaire. Marino marmonne, l'air renfrogné :

— Quoi ? Qu'est-ce qu'il y a sur Twitter ?

— Une seconde, dis-je, alors que j'ouvre l'e-mail que Lucy vient de m'envoyer et clique sur le message qu'elle a coupé-collé. Eh bien, comme vous le soupçonniez, une vidéo dans laquelle on vous voit discuter avec vos habituels suspects de Harvard Square vient d'être mise en ligne.

Je la lui montre et perçois sa fierté blessée. Il se détaille, silhouette lointaine avançant lourdement, aboyant ses questions aux sans domicile fixe qui rôdent devant certaines boutiques. Marino tire un des hommes de l'ombre tandis que celui-ci tente d'éluder les questions en faisant de grands gestes. Les paroles indistinctes du grand flic qui s'énerve, hausse la voix, alors que l'homme s'agite, tente de s'éclipser vers la droite puis vers la gauche, ne sont pas du meilleur effet. Le sous-titre est pire que tout : *OccupyScarpetta* précédé d'un hashtag.

— C'est quoi cette merde ? grogne-t-il.

— Selon moi, l'essentiel consiste à souligner que vous êtes plutôt possessif avec moi, raison pour laquelle vous interrogiez des témoins en pleine rue. Je suppose que c'est l'unique justification de la présence de mon nom dans ce tweet.

Son absence de réponse est une confession. Je reprends :

— Cela étant, je ne vois pas en quoi ce serait dommageable, hormis pour votre ego. C'est stupide, rien d'autre. Inutile de s'y attarder.

Il ne m'écoute pas, et je suis pressée.

— J'aimerais vraiment disposer d'une ou deux minutes pour me rafraîchir. Auriez-vous l'amabilité de déverrouiller les portières, s'il vous plaît, et de me libérer ? On discutera de ça demain, ou un peu plus tard.

C'est ma façon de dire à Marino que j'en ai soupé d'être son otage, dans ce véhicule qui suinte le pessimisme, les sombres visions de son propriétaire.

Il démarre, abandonnant sa place de parking parfaitement illégale. Il s'arrête juste devant le Faculty Club, qui s'élève au milieu d'hectares de pelouse, derrière une palissade en lisses.

— Vous devriez prendre ça avec davantage de sérieux, assène-t-il en me dévisageant.

— Quelle partie ?

— Quelqu'un vous surveille et la question c'est, qui et pourquoi ? Ce qui est clair, c'est qu'on suit Bryce à la trace. Sans cela, comment expliquez-vous cette mention du tatouage, la feuille de marijuana ?

— Il n'y a rien à expliquer. Bryce n'a aucun tatouage de ce genre.

— Une feuille de marijuana, comme indiqué dans l'appel au numéro d'urgence, s'obstine Marino.

— Je ne le crois pas un instant ! Il a une telle trouille des aiguilles qu'il ne se fait même pas vacciner contre la grippe.

— Ça prouve juste que vous n'êtes pas au courant. Le tatouage est situé là.

Marino se penche et pointe de son index épais sa cheville gauche, face externe. Je ne vois pas très bien de mon siège et n'ai d'ailleurs pas l'intention de fournir un effort. Il reprend :

— Un tatouage bidon. Je suppose que vous ne saviez pas.

— Il semble que j'ignore pas mal de choses.

— Un tatouage temporaire en feuille de marijuana. Une blague de la nuit dernière alors que Bryce et Ethan recevaient des amis. Tellement typique de lui ! Il était certain de pouvoir l'enlever d'un simple lavage avant d'aller se coucher. Or, ce genre d'impressions persiste souvent plusieurs jours.

— J'en déduis donc que vous avez discuté tous les deux. C'est lui qui vous a contacté ?

Je détaille le visage rougeâtre et luisant du grand flic.

— Je l'ai joint dès qu'on m'a rapporté l'appel au numéro d'urgence. Quand j'ai évoqué le fameux tatouage, il m'en a envoyé une photo.

Je tourne la tête vers le rétroviseur latéral afin de surveiller les voitures qui défilent. J'ignore quel véhicule Benton aura choisi pour ce soir : sa Porsche Cayenne Turbo S ou son Audi RS 7 ? Il pourrait avoir opté pour une voiture du Bureau. Je m'occupais des deux chiens ce matin, Sock et Tesla, lorsque mon mari a quitté la maison à l'aube, et je ne l'ai ni vu ni entendu partir. Marino reprend :

— Ce tatouage pose un problème, Doc. Il offre une certaine crédibilité à l'appel au numéro d'urgence. Ça prouve que la personne qui s'est plainte en affirmant que Bryce et vous faisiez du foin vous a vus, à moins qu'elle ait eu connaissance de la présence du tatouage et des vêtements que vous portiez tous les deux aujourd'hui par un autre moyen.

Je reconnais le ronronnement puissant d'un moteur turbo dont le volume augmente alors que le véhicule se rapproche.

— Vous allez toujours la chercher tout à l'heure ? demande Marino.

— Qui ça ?

Je suis du regard le coupé RS 7 totalement noir à vitres teintées de Benton alors qu'il glisse doucement le long du SUV de Marino, puis rétrograde pour se garer juste devant.

— Dorothy.

— C'est ce qui est prévu.

— Si vous avez besoin d'un coup de main, je peux m'en charger, propose-t-il. Ça fait un moment que je voulais vous dire que si vous avez besoin de quoi que ce soit, vous n'avez qu'à demander. Surtout maintenant qu'elle risque d'atterrir beaucoup plus tard.

Je ne me souviens pas d'avoir annoncé au grand flic l'arrivée de ma sœur, et encore moins que j'allais la récupérer à l'aéroport. De plus, il est évident, à son ton, que ce n'est pas ma récente discussion avec Lucy qui l'a mis au courant. Il le savait déjà.

Les lunettes de soleil de Marino sont rivées sur l'arrière de l'Audi que Benton manœuvre. Les roues sont si proches du trottoir qu'une lame de couteau pourrait à peine se faufiler entre lui et les jantes de titane.

— C'est gentil à vous, lui dis-je.

Le coupé noir mat grogne à la manière d'une panthère qui s'apprête à bondir. Je distingue à peine les contours de la tête de mon mari et la ligne de ses épaules carrées par le pare-brise arrière teinté. Son épaisse chevelure avait déjà blanchi lorsque je l'ai rencontré. Il est assis très droit. Aussi immobile qu'un fauve, toujours chaussé de ses lunettes à verres gris, il nous observe dans son rétroviseur. J'ouvre ma portière et j'ai l'impression de heurter de plein fouet un mur de chaleur. Je remercie Marino pour la promenade, même si je ne la souhaitais pas.

Benton descend de son véhicule. Je détaille son grand corps mince. Mon mari a toujours l'air de sortir de son dressing. Son costume gris perle est aussi impeccable que lorsqu'il l'a enfilé ce matin, le nœud de sa cravate en soie grise et bleue toujours aussi parfait. Ses élégants boutons de manchettes en or blanc gravé, très anciens, étincellent sous les rayons du soleil couchant.

Il pourrait avantageusement poser pour les pages de *Vanity Fair*, avec ses traits bien dessinés et virils, ses cheveux presque platine et ses lunettes à monture en corne. Il est mince, d'une musculature nerveuse. Son calme olympien fait oublier une volonté de fer et la passion qui couve en lui. Personne ne pourrait deviner qui est véritablement Benton Wesley en le regardant, à cet instant, dans son costume sur mesure et cousu main, une habitude pour un homme issu d'une des vieilles familles fortunées de Nouvelle-Angleterre.

— Bonsoir, me lance-t-il en récupérant mon sac d'emplettes.

Je conserve ma sacoche. Il suit du regard le SUV bleu marine de Marino, qui démarre pour rejoindre la circulation. La chaleur qui monte de la chaussée rend l'air si épais qu'on le dirait sale. Consciente de mon allure flétrie, de mes vêtements froissés et de leur contraste avec la perfection vestimentaire de mon mari, je déclare :

— J'espère que ton après-midi a été un peu meilleur que le mien. J'ai l'impression de sortir d'une poubelle.

— Quelle idée aussi de venir à pied ?

— Ne t'y mets pas, je t'en prie. Bryce a-t-il envoyé un message du genre *surveillez l'approche d'une femme un peu cinglée qui rôde sur le campus d'Harvard avec un collant filé* ?

— Franchement Kay, tu n'aurais pas dû. Pour diverses raisons.

— J'en conclus que tu es au courant de l'appel au numéro d'urgence. À croire que c'est devenu l'information la plus importante de la journée.

Il ne répond pas, mais c'est inutile. Il sait. Bryce l'a probablement contacté, parce que je doute que Marino s'y soit résolu.

4.

La sonnette guillerette d'une bicyclette carillonne derrière nous. Nous nous écartons pour laisser le passage à une jeune femme qui roule sur le trottoir.

Elle freine une fois parvenue à notre hauteur, au point que l'idée me traverse que nous nous rendons tous au même endroit. Un sourire de compassion me vient lorsqu'elle descend de vélo, le visage rouge et en sueur partiellement dissimulé derrière ses lunettes de soleil de sport. Elle dégrafe la mentonnière de son casque bleu-vert, l'ôte, et je remarque ses longs cheveux châtains tirés en queue de cheval, son short bleu et son débardeur beige. Aussitôt, une étrange sensation m'envahit.

Du coin de l'œil, j'enregistre son foulard au motif cachemire bleu, ses Converse blanc cassé et ses socquettes à rayures grises et blanches. Elle regarde son téléphone, puis le bâtiment de brique de style géorgien du Faculty Club, comme si elle attendait quelqu'un.

— Salut, lance-t-elle à son interlocuteur. Je suis arrivée.

Je comprends soudain pourquoi son visage me paraît familier : j'ai déjà rencontré cette jeune femme il y a environ une demi-heure.

Elle se trouvait au Loeb Center au moment où j'achetais les billets de théâtre. Je me souviens de l'avoir aperçue alors que je déambulais dans le foyer à la recherche des toilettes. Elle doit avoir une petite vingtaine d'années, tout au plus. Alors qu'elle discutait avec quelques membres du personnel et des acteurs à l'American Repertory Theater, j'avais noté son accent britannique, qui m'avait frappée par son côté un peu théâtral et affecté.

Elle se tenait de l'autre côté de la salle et scotchait aux murs de petites fiches détaillant des recettes de cuisine, parmi une multitude d'autres. Cette mise en scène de *Waitress* invite le public à partager les secrets de confection de leur plat préféré et les tours de main savoureux. Avant de quitter les lieux, je m'étais approchée pour jeter un coup d'œil. J'adore cuisiner et ma sœur éprouve une passion pour les douceurs. J'avais décidé de lui faire plaisir en préparant quelque chose de spécial durant sa visite. J'étais en train de recopier une recette de tarte au beurre de cacahouète lorsque la jeune femme avait interrompu sa tâche, la carte qu'elle s'apprêtait à ajouter sur le mur entre les doigts.

— Je vous préviens, c'est mortel, m'avait-elle lancé.

J'avais alors remarqué sa chaîne de cou dont pendait un crâne en or assez fantaisiste. Il m'avait aussitôt évoqué des pirates.

Je l'avais considérée, incertaine qu'elle s'adressait à moi.

— Je vous demande pardon ?

— La tarte au beurre de cacahouète. C'est encore meilleur si vous la parsemez de copeaux de chocolat. Le vrai truc. Et surtout ne soyez pas tentée de remplacer la croûte en miettes de biscuits par une autre préparation dans l'espoir que ce sera meilleur. Vous seriez déçue, je vous le garantis. Enfin, il faut impérativement utiliser du véritable beurre. Comme vous vous en doutez, je ne suis pas une adepte de l'allégé en graisses.

— Aucune raison dans votre cas, avais-je plaisanté puisqu'elle était d'une minceur musclée et pleine de vigueur.

Et voilà que la même jeune femme se tient devant Benton et moi, plantée sur le trottoir, dans Quincy Street, cramponnée à son iPhone bleu-glace, qu'elle range ensuite dans le support en plastique noir prévu sur le guidon. Ce faisant, elle déplace accidentellement sa bouteille d'eau qui tombe par terre dans un son creux et roule dans notre direction. Benton se penche pour l'intercepter.

— Désolée. Merci.

Elle a chaud et son visage cramoisi dégouline de sueur. Benton lui tend la bouteille et elle la replace dans son compartiment.

— Ce n'est vraiment pas le jour pour s'en passer, commente mon mari.

Un jeune homme trotte vers nous, foulant les pelouses du Faculty Club.

La jeune femme se tourne vers lui, les yeux toujours protégés de ses lunettes de soleil sans monture, puis remonte en selle. Elle assure son équilibre, les pointes de ses tennis plantées sur le trottoir. Il est mince, très brun, vêtu d'un pantalon et d'une chemise classiques. Sans doute quelqu'un qui travaille dans un bureau. En nage, un large sourire aux lèvres, il pile devant la jeune femme et lui tend une enveloppe FedEx non scellée mais dont je parviens à voir qu'elle porte une adresse.

— Merci, déclare-t-il. Tu n'as qu'à glisser les tickets dedans et tu peux l'expédier.

— Je la déposerai en rentrant à la maison. À plus.

Elle dépose un baiser sur les lèvres du jeune homme qui repart en sens inverse, en direction du Faculty Club. Je suppose qu'il y travaille. Elle remet son casque sans se préoccuper de serrer la lanière de cou. Elle se tourne vers moi et lance dans un sourire :

— Vous êtes la dame de la tarte au beurre de cacahouète.

— Une bien aimable façon d'être caractérisée. Bonjour, à nouveau.

Je lui rends son sourire et renonce à lui conseiller d'assurer sa mentonnière.

En effet, je ne la connais pas. Je m'efforce de ne pas paraître autoritaire, surtout après avoir été accusée de m'emporter contre Bryce au point de hurler et d'être coupable de nuisances sonores. Au lieu de cela, je remarque :

— Soyez prudente. L'indice de chaleur devient dangereux.

— Ce qui ne nous tue pas nous rend plus fort !

Elle agrippe le cintre plat de son vélo, et appuie sur les pédales en de puissantes poussées.

— Pas toujours ! jette Benton.

Le mouvement d'air chaud provoqué par son départ m'évente faiblement.

— J'espère que la tarte et la pièce vous plairont, plaisante-t-elle en s'éloignant.

Sa silhouette parfaite, effilée, son intrépidité et son extraordinaire forme me rappellent ma nièce.

Elle pédale avec aisance, jambes nues, les muscles de ses mollets se contractant alors qu'elle gagne en vitesse. Elle traverse la rue et emprunte la même grille que moi un peu plus tôt. Je me souviens de moi au même âge, lorsque le pire ou le meilleur étaient encore à venir. J'aurais voulu tout savoir de mon futur à l'avance, comme s'il était négociable. Avec qui passerais-je ma vie, que deviendrais-je ? Où vivrais-je et parviendrais-je à faire une différence, à compter pour quelqu'un, n'importe qui ? Je spéculais et me contraignais parfois à avancer dans la direction que je jugeais la meilleure. On ne m'y reprendrait plus aujourd'hui.

Je suis du regard la silhouette de la jeune femme qui rapetisse à mesure qu'elle pédale et traverse le Yard, entre les bâtiments de brique des bibliothèques Pusey et Lamont. Je ne comprends plus pour quelle raison quiconque voudrait connaître son futur. Je me demande fugacement si c'est son cas et la réponse la plus prudente serait « probablement ». Cela étant, la plus vraisemblable est sans doute « absolument ». Tel n'est plus mon cas. Benton a posé une main affectionnée et légère contre mon dos alors que nous suivons le trottoir.

— Que voulait Marino ?

Un peu plus loin, sur notre gauche, commence la palissade en lisses. Bien en retrait, s'élève le bâtiment de brique à un étage surmonté de combles de style néo-géorgien, égayé par la peinture blanche des encadrements de fenêtres et surmonté du dôme de verre de son jardin d'hiver. Ses quatre hautes cheminées s'élèvent fièrement dans une parfaite symétrie et les dix lucarnes en chien-assis semblent monter la garde sur le toit d'ardoise assez pentu.

La longue allée de pavés rouge sombre sinue entre les rocailles et les buissons ornementaux. Le soleil a plongé derrière la ligne des immeubles. L'air, toujours oppressant, au point qu'on se croirait dans une étuve, se rafraîchit peu à peu.

Benton a ôté sa veste et l'a pliée avec soin sur son avant-bras. Nous longeons des callistémons d'un rose intense, des arbustes de haricot mescal violet, et des hydrangeas blancs et bleus. Pas un bruissement, les plantes semblent figées dans cet air lourd, et seul l'espacement des feuilles vert foncé laisse apparaître une touche de rouge. Plus la chaleur et le manque d'eau dureront, plus la probabilité que nous jouissions de la palette des couleurs automnales s'amenuise.

Je discute avec mon mari et m'efforce de répondre au mieux à ses questions sur ce que voulait Marino. J'explique qu'il a lourdement insisté sur le fait que je ne devais pas me déplacer seule. Toutefois, je pense qu'il ne s'agissait pas de son unique priorité et j'ai le sentiment que Benton partage mon point de vue. Je poursuis :

— Quoi qu'il en soit, il a traîné dans les parages durant l'intégralité de son appel, me fliquant, pas d'autre terme, bien qu'il affirme le contraire. Ensuite, il m'a fait grimper dans sa voiture pour parcourir les cinq derniers mètres. Puis, tu nous as rejoints.

— Les cinq derniers mètres ? répète Benton.

— C'est ce qu'il a exigé. Je devais me laisser conduire sur cinq mètres. Surtout, les *foutus* cinq derniers.

— Selon moi, il souhaitait surtout une conversation avec toi, en tête-à-tête. Peut-être, en effet, ne tenait-il pas à échanger par téléphone. Ou alors, il s'agit d'un prétexte, ou les deux, résume mon mari comme s'il le savait de source sûre.

D'ailleurs, peut-être est-ce le cas tant il lui est aisé de deviner les intentions de Pete Marino. Benton en revient à ce qui l'intéresse :

— Mais dis-moi pour quelle raison tu as décidé de cette balade solitaire, en tailleur et chargée de lourds sacs ? Tu es la première à mettre en garde contre l'indice de chaleur. D'ailleurs, tu viens de récidiver avec cette jeune femme à vélo.

— Je suppose que c'est l'illustration de l'expression « faites ce que je dis, pas ce que je fais ».

— Je pense que ça n'a rien à voir, en l'occurrence. Il y a un autre motif.

— Je me suis dit qu'une petite promenade me ferait du bien. De plus, je devais récupérer les places de théâtre.

Benton reste silencieux. Je continue en rappelant que je cherchais aussi des cadeaux à la Coop. Le T-shirt, la chemise de nuit et le beau livre n'étaient sans doute pas les présents les plus originaux qui soient mais les plus séduisants parmi ceux que j'avais vus en flânant dans les allées. Benton n'ignore pas combien il est ardu de contenter ma sœur.

— Mais ça ne signifie pas que je ne sais pas ce qu'elle préfère.

Il ne dit toujours rien.

Une comédie musicale à succès, une tarte au beurre de cacahouète, par exemple. De surcroît, Dorothy sera enchantée par le T-shirt ultra-moulant aux armes d'Harvard qu'elle pourra porter avec des leggings ou un jean encore plus ajusté. Le vêtement devrait être rempli à la perfection par son tour de poitrine revu à l'augmentation grâce à la chirurgie. Je ne doute pas que ma sœur inspire ainsi nombre de conversations, pétillantes et de bon goût, dans les bars de South Beach et de Margaritaville.

— Quant au beau livre de photos de Cambridge, elle peut le rapporter à Miami en prétendant qu'il s'agissait de son idée.

Benton m'écoute sans mot dire, et c'est en général le signe que son opinion diverge de la mienne. Je continue :

— Dorothy la jouera exactement comme ça. Elle montrera les photos d'Harvard, du MIT et de la Charles River à Maman comme si tout tournait autour de son nombril. Peu m'importe, si ma mère apprécie son cadeau et comprend qu'on pense à elle.

— Mais si, ça importe, contredit Benton alors que nous foulons les ombres des haies de hauts buis qui s'allongent.

— Certaines choses ne changeront jamais. Autant s'en accommoder.

— Tu ne dois pas permettre à Dorothy de t'atteindre de la sorte, rétorque-t-il en tournant les verres gris de ses lunettes vers moi.

Ma sœur m'a fait perdre assez de temps et je change de sujet :

— Tu es au courant de cet appel au numéro d'urgence, n'est-ce pas ? Marino en détiendrait un enregistrement mais il n'a pas voulu me le passer.

Benton ne répond pas. S'il l'a écouté, il n'en dira rien. En revanche, s'il en a été informé, il pouvait en demander copie au département de police de Cambridge, au prétexte que le FBI veut s'assurer qu'un officiel du gouvernement ne s'est pas conduit de manière inappropriée ou n'a pas été menacé.

Les stratégies ne lui manqueraient pas s'il voulait accéder à l'enregistrement. De plus, il est en excellents termes avec le chef de la police, le maire, à peu près tous les officiels d'importance dans le coin. Il n'avait pas besoin de l'aide de Marino.

— Comme tu le sais peut-être, quelqu'un s'est plaint que je perturbais l'ordre public.

L'histoire paraît encore plus ahurissante alors que je la raconte à un homme dont les journées ont pour lot habituel des tueurs en série ou des terroristes. Nous approchons du fier et beau bâtiment, drapé par ce début de crépuscule, et je lui jette un regard. Son visage est impénétrable.

— Je suppose que Bryce t'a prévenu après que Marino l'a confronté avec les faits. Il voulait connaître les moindres détails de la scène à Harvard Square au moment où Bryce m'a déposée.

— Tu déstabilises Marino, souligne Benton sans que je parvienne à déterminer s'il s'agit d'une affirmation ou d'une question.

— Il n'est jamais très sûr de lui. Mais je trouve qu'il se conduit d'une façon bizarre. Il a presque insisté pour aller chercher Dorothy à l'aéroport. Ça semble vraiment être important pour lui.

— Et comment sait-il qu'elle arrive ? Tu lui as dit ? Parce qu'en tous les cas, ce n'est pas moi.

— Étant donné qu'elle s'est invitée presque à la dernière minute, je n'ai pas eu l'opportunité d'en parler à grand monde. Peut-être Lucy l'a-t-elle prévenu ?

— Ou alors Desi. Lui et Marino sont devenus de grands copains, déclare mon mari.

S'il peut dissimuler ses émotions mieux que quiconque, il ne parviendra pas à me tromper. Je sais quand quelque chose le blesse et c'est, à l'évidence, le cas de la relation qui s'épanouit entre le grand flic et le petit garçon. Je le redoutais puisque Marino passe de plus en plus de temps avec cet enfant plein de vie, débordant de curiosité, dont la génétique reste un grand mystère pour nous. Qu'en attendre ? Il est impossible de prédire de qui il tiendra.

En toute logique, il devrait ressembler à Natalie, la sœur défunte de Janet, puisqu'il est né d'un de ses ovules qu'elle avait congelés alors qu'elle était âgée d'une vingtaine d'années. Bien avant qu'elle se préoccupe de trouver une mère porteuse et un donneur de sperme. Je me souviens lorsqu'elle évoquait le statut de mère célibataire. Rétrospectivement, je me demande si elle n'avait pas eu une prémonition, sentant que ses jours étaient comptés. Ce fut le cas. Sept ans après la naissance de son fils, Desi, elle décédait d'un cancer pancréatique. Quel dommage qu'elle ne soit plus là pour constater comme il change, tel un papillon qui émerge de son cocon.

— Attends, je comprends très bien, poursuit Benton. Je ne suis pas aussi amusant que Marino. Il a déjà emmené Desi pêcher, il lui a appris des tas de choses sur les armes, et il lui a même fait goûter sa première gorgée de bière.

— La pêche d'accord, mais ça ne me plairait pas que Lucy et Janet permettent le reste.

— Ce que je veux dire…

— Ce qui importe, c'est que tu n'as pas à être aussi

marrant, ni comme Marino. En réalité, j'espère surtout que tu seras un excellent exemple pour Desi.

— De quoi ? D'adulte barbant ?

— J'imaginais plutôt le modèle du brillant et sexy agent fédéral qui conduit des voitures de sport et porte de très élégants vêtements. Desi ne te connaît pas encore.

— J'ai bien peur que si. Marino lui a expliqué que j'étais un directeur d'école à la retraite et Desi m'a posé des questions à ce sujet. Je lui ai répondu que ça remontait à un siècle, à l'époque où je venais de terminer l'université et travaillais à mon master.

— Tu lui as dit que lorsque tu as commencé, beaucoup d'agents du FBI avaient une formation universitaire et juridique ? En d'autres termes, que tu as fait le bon choix de carrière ?

Au fur et à mesure que j'argumente, je me rends compte de ma surenchère d'explications, et que le ver est déjà dans le fruit.

— Marino n'avait pas à raconter ça, au risque que je fasse peur à Desi. Ce qui est dommageable, en plus d'une très mauvaise idée, parce qu'il se montre déjà très obstiné. J'ai remarqué qu'il supporte de moins en moins qu'on lui dise quoi faire, souligne-t-il.

— En effet, il n'aime pas qu'on lui donne des ordres. D'un autre côté, c'est le cas de la plupart d'entre nous.

— Le but de Marino est de devenir le Gentil Tonton Pete et de me reléguer dans le rôle du directeur d'école.

La pénombre lourde, chaude, gagne du terrain. Nous venons d'atteindre le large patio de brique semé de tables en bois, de parasols rouges, d'arbustes en pot et de parterres de fleurs. Il ne devrait pas y avoir une seule chaise libre en ce mercredi de septembre. Or, personne n'est installé à l'extérieur du Faculty Club. Nous pourrions nous croire seuls au monde.

5.

L'entrée pourrait être celle d'une demeure privée, ce qu'est devenu le Faculty Club pour Benton. Il n'a pas fait ses classes à Harvard. Il a suivi les cours d'Amherst, à l'instar de son père et de son grand-père avant lui.

Un chez-soi loin de chez soi. Un portail vers un autre univers où la souffrance, la peur et la tragédie ne sont pas admises. Benton peut se ressourcer dans ce refuge néo-géorgien immaculé, planté au cœur du campus, et prétendre pour un bref moment que l'ignorance, l'intolérance, le sectarisme, la politique et les bureaucrates à l'esprit étroit n'existent pas.

Dans ce havre préservé, il peut profiter de ceux qui se réjouissent de partager des idées éclairées et nos différences, et la violence et l'agressivité sont remisées à l'extérieur. Il s'y sent en sécurité. C'est, du reste, un des rares endroits de ce genre à ses yeux. Toutefois, il n'est pas rassuré au point de laisser son arme au vestiaire. Je ne vois pas le pistolet mais suis certaine qu'il en a fourré un dans sa mallette, et qu'il a une seconde arme sur lui. Son Glock 27 ou le Smith & Wesson modèle 19, avec permis de port d'arme dissimulée, sans lesquels il ne quitte jamais notre domicile.

Nous nous sommes arrêtés devant deux pilastres peints en blanc. Une imposte orne le haut de la porte rouge sombre. Je détaille la symétrie parfaite de la façade de brique et mon attention est retenue par les fenêtres en saillie de l'étage, à petits carreaux, des chambres d'invités. Mon époux suit mon regard et comprend aussitôt à quoi je pense.

— Une autre fois, peut-être, déclare-t-il.

— En effet. Nous ne dormirons pas ici cette nuit, grâce à ma sœur. Si j'avais des vêtements de rechange, je louerais quand même une chambre pour prendre une douche.

Je peux presque entendre les craquements du vieil escalier de bois moquetté qui mène au premier.

Je me souviens du son et de la douceur des murs couverts de tissu, de l'élégance confortable et douillette des pièces, et surtout des petits lits étroits dans lesquels Benton et moi dormons fort peu. Notre rituel est bien orchestré. Nous nous y livrons assez régulièrement et n'en parlons à personne. Ce secret nous appartient. Je n'appellerais pas cela un rendez-vous galant et y vois davantage une thérapie lorsque nous dînons ici une fois par mois, si tant est que les étoiles nous soient propices.

Tel n'est pas souvent le cas. Néanmoins, chacune de nos visites se traduit par un rappel bienvenu que la décence et l'humanisme existent toujours. Tout le monde ne ment pas, ne vole pas, ne viole pas, n'abuse pas, ne néglige pas, ne torture pas, ne kidnappe pas, ne tue pas. Tout le monde ne s'acharne pas à notre perte, ou à nous arracher ce qui nous appartient, et nous sommes si chanceux de nous être trouvés.

Benton referme la porte derrière nous. Nous pénétrons dans la fraîcheur paisible sécrétée par les antiquités assez imposantes, environnés de toiles de grande qualité, foulant des tapis persans. Les appliques brillent aux murs recouverts de boiseries d'acajou. Elles éclairent les meubles en sombre cuir tufté et le parquet à larges lattes. Un bouquet de fleurs fraîches trône sur la table de l'entrée. Le menu du soir est présenté sur un pupitre victorien en chêne.

Je repère les différents effluves familiers, les lys et les roses coupés, la patine à la cire d'abeille un peu surannée, des odeurs si rassurantes, souvenirs du charme d'un monde ancien qui me fait penser à des poèmes, des cigares et des livres rares recouverts de cuir. Je reconnaîtrais ce lieu les yeux fermés. L'énergie qu'on y sent est différente. Il existe ici une sorte de gravité, un sérieux, un formalisme auxquels on doit s'attendre dans un endroit qui a reçu des gouvernants et des êtres parmi les plus remarquables du monde.

Je m'immobilise devant un antique miroir ovale, tentant de remettre un peu d'ordre dans mes cheveux blonds qui pendouillent. Je dévisage le bel homme très grand qui se tient derrière moi, dans son costume gris pâle. Il semble flotter au-dessus de moi à la manière d'une saisissante apparition. Je demande à Benton sans me retourner :

— Est-ce que nous nous connaissons ?

— Je ne pense pas. Vous attendez quelqu'un ?

— En effet.

— Quelle coïncidence, moi aussi. D'ailleurs, j'ai attendu quelqu'un toute ma vie.

— Moi de même.

— Enfin, pas n'importe qui. La bonne personne.

Il me regarde dans le miroir piqueté.

— Pensez-vous qu'il existe une seule bonne personne pour chacun d'entre nous ? dis-je en m'adressant au miroir suspendu.

— Je ne peux parler qu'à titre personnel.

Notre petit jeu n'a pas de nom, et personne n'est au courant de cette délicieuse chorégraphie durant laquelle nous prétendons redevenir de parfaits étrangers. C'est rafraîchissant, tout en donnant à réfléchir. C'est également assez subtil d'un point de vue psychologique, du moins si l'on peut supporter la vérité. Que se passerait-il si nous nous rencontrions véritablement pour la première fois dans l'entrée du Faculty Club de Harvard ?

Nous remarquerions-nous ? Benton me trouverait-il toujours aussi séduisante que la première fois ? Il arrive que les choses changent pour les hommes lorsque leurs épouses vieillissent. Certains d'entre eux affirment qu'ils sont toujours amoureux même s'il s'agit d'un mensonge. C'est assez courageux de poser ce genre de questions et d'accueillir la vérité sans se défiler. Que ressentirions-nous si nous devions nous croiser aujourd'hui plutôt que plusieurs décennies auparavant, lorsque Benton était marié, moi divorcée, et que nous travaillions ensemble sur notre première affaire ?

Il n'existe aucune méthode scientifique pour apporter des réponses dans ce domaine, mais je n'en ai guère besoin. Je ne doute pas un instant que nous retomberions amoureux l'un de l'autre. Je suis certaine que j'aurais une liaison avec lui qui me vaudrait encore de me faire qualifier de briseuse de ménage. Peu m'importerait, à nouveau, parce que cela en valait la peine.

Benton pose ses mains tièdes et élégantes sur mes épaules et son menton sur mon crâne. Je perçois l'odeur d'humus de son eau de Cologne alors que nous contemplons nos reflets dans le miroir convexe, nos visages évoquant des abstractions à la Picasso dans les coins où le tain est abîmé.

— Et si nous dînions ? murmure-t-il contre mes cheveux.

— Accorde-moi juste un instant.

Je fourre mon sac d'emplettes dans le vestiaire avant de pénétrer dans les toilettes tapissées d'un papier peint très classique, égayé de posters de théâtre de l'époque victorienne. Je dépose ma sacoche en cuir sur le comptoir de granit noir et y repêche une trousse de maquillage. Je détaille dans le miroir scellé au-dessus du lavabo la femme en tailleur, à l'allure assez échevelée et débraillée.

Au demeurant, l'adverbe *assez* paraît très optimiste. J'ai l'air d'une folle. J'ôte ma veste et la dépose sur une chaise. Mon soutien-gorge est trempé sous mon corsage blanc. J'allume le sèche-mains et ventile l'air chaud par l'ouverture de mon col, faisant mon possible de sorte à ne pas m'asseoir dans des sous-vêtements mouillés. Je tire ensuite mon poudrier, mon rouge à lèvres et une brosse à dents. Je me contemple, cherchant ce que je pourrais encore tenter afin d'améliorer mon apparence. Pas grand-chose.

Comment inverser les effets du mauvais sommeil, de mon obstination à marcher en pleine canicule ? Je me sens étourdie. Je suis lasse et collante de partout. J'ai besoin de manger et de boire un verre. Surtout, j'aimerais tant prendre une douche. Je retire mon collant filé et le jette dans la corbeille. J'humidifie d'eau froide une serviette à main, me débarbouille à la va-vite. Cependant, aucune astuce ne me débarrassera à si peu de frais de mon allure chiffonnée et moite.

J'ai presque l'impression que je sors du tambour d'un lave-linge et constate que j'ai un peu maigri au cours des dernières semaines. C'est en général ce qui arrive lorsque je néglige de faire du sport. J'ai abandonné mon jogging en raison de la vague de chaleur. Je n'ai plus approché mes bandes TRX, et Lucy s'est évertuée en vain à me convaincre de l'accompagner à la salle de sport.

Les ombres environnantes, qui résistent à la lumière tamisée projetée par un lustre de cristal, accentuent les méplats de mon visage, mes pommettes saillantes, mon nez, la ligne marquée de ma mâchoire. Me revient en mémoire ce que les journalistes déclarent à mon sujet, en général de façon abusive et en tous les cas peu charitable. Je suis *masculine, peu engageante.* Sans oublier cette description assez acerbe, ma préférée, qui a été amplement recyclée dans des articles : *l'allure du Dr Kay Scarpetta est saisissante avec un visage impassible, qui traduit l'inaccessibilité comme l'autorité.*

Je me mouille les doigts et tente de rectifier ma coiffure avant de parachever mon œuvre d'un jet de spray volumateur. Je me brosse les dents et applique sur le front et les joues une poudre minérale qui bloque les ultraviolets, afin de réduire leur nocivité cancérogène. Peu importe que l'obscurité soit maintenant pleine audehors. Il s'agit d'une habitude. Je me passe ensuite du baume à lèvres à base d'huile d'olive. Je retrouve mes gouttes ophtalmiques Visine, qui soulagent mes irritations oculaires, et un petit tube de beurre de karité.

L'amélioration est perceptible. Toutefois, alors que mon regard glisse sur mon tailleur et mon corsage froissés, la voix de Dorothy résonne dans ma tête avec autant de netteté que si elle se trouvait à mes côtés dans les toilettes. Elle assénerait le même commentaire, celui qu'elle me servira sans doute quand Benton et moi irons la chercher dans quelques heures à l'aéroport. Mon style vestimentaire est épouvantable. Je suis terne et négligée. Je me salis et m'habille avec des vêtements guindés, vieux jeu. Bref, je suis mal fagotée et je ressemble à un homme. Elle ne parvient pas à comprendre pourquoi je ne porte pas d'escarpins à très hauts talons, un maquillage appuyé, ou des faux ongles recouverts d'un vernis tape-à-l'œil.

Que je ne souligne pas ce qu'elle nomme « mes atouts », lui échappe, « d'autant que nous avons toutes deux été dotées d'une paire de gros nichons ». Elle aime se vanter de ce détail, crucial à ses yeux. Je ne m'habille ni ne me conduis comme ma sœur. Ça n'a jamais été le cas et j'en serais incapable.

D'aussi loin que je me souvienne, les uniformes de femme fragile et les attitudes décervelées se sont révélées incompatibles avec ce que j'étais. En bref, nous ne nous entendons pas.

Benton m'attend et papote avec notre hôtesse, Mrs. P, installée derrière son bureau.

Il tient sa mallette de cuir noir d'une main et de l'autre son téléphone sur lequel il tape à l'aide de son pouce. Il le laisse glisser dans une de ses poches dès qu'il m'aperçoit, et je comprends à nouveau ce que signifie l'expression avoir le cœur qui s'emballe. Comme toujours, contempler mon mari accentue ses battements joyeux.

— Nette amélioration ? Hum... (Il ôte ses lunettes à verres teintés, et fait tout un plat, exagérant son examen, une lueur d'amusement dans le regard.) Êtes-vous d'accord, Mrs. P ? lui demande-t-il en m'adressant un clin d'œil.

La dame en question est une jeune octogénaire. Ses fins cheveux gris blanc forment un halo autour de son crâne. Elle porte des lunettes rondes à monture métallique, caricature d'une ancienne mère de famille collet monté de Nouvelle-Angleterre. Son visage pâle, un peu

flasque, est aussi ridé qu'une pomme déshydratée. Le
motif en treillis, dans les verts et les rouges, de sa robe
et de sa veste en jacquard coordonnées, m'évoque un
tissu ou un papier peint signé William Morris.

Mrs. P a tendance à me regarder non sans une certaine curiosité, même lorsque je n'ai pas l'air de sortir
d'une Cocotte-Minute. Elle doit se poser nombre de
questions à mon sujet, mais ne les verbalisera jamais.
Son regard est descendu vers mes jambes nues à plusieurs reprises et est aussitôt remonté comme si elle
avait découvert quelque chose d'inconvenant.

— Qu'en pensez-vous ? lui demande Benton.

— Eh bien, je ne suis pas sûre.

Ses verres de lunettes étincellent alors qu'elle nous
détaille l'un puis l'autre, comme lors d'un match de
tennis, appréciant notre numéro à chacun.

— Vous ne devriez pas me mettre dans une position
embarrassante, le réprimande-t-elle avec affection.

Le nom de Mrs. P est Peabody, que l'on prononce
en accentuant la première syllabe en *PIII* pour avaler le reste. Je ne l'ai jamais appelée par son prénom,
Maureen, et ignore si un proche la nomme ainsi, ou
pire, par le diminutif Mo. Durant toutes les années où
nous avons fréquenté cet endroit, elle a toujours été
Mrs. P et Benton M. Wesley. Elle s'adresse à moi en
me donnant du Mrs. Wesley bien qu'au courant de mon
autre vie, celle dans laquelle tout le monde m'appelle
Dr Scarpetta ou Chef.

Il s'agit d'un triste secret que je partage avec Mrs. P :
elle sait qui je suis et ce que je fais, quoiqu'elle prétende
le contraire par courtoisie. Peu après que Benton et moi
avons décidé d'emménager à Cambridge, son mari a
été tué par une voiture, presque en face de chez eux. Je
me suis occupée de la dépouille. Aujourd'hui, on dirait
que cette tragédie ne s'est jamais produite. Ce qui m'a
le plus marquée au sujet de ce dossier, c'est le refus
de la veuve, Mrs. P, de discuter avec moi. Elle a exigé
de passer en revue le rapport d'autopsie de son défunt
époux avec un de mes assistants-chefs, un homme.

D'un autre côté, Mrs. P a été engagée au Faculty Club à une époque où les choses étaient très différentes pour les femmes. Vous pouviez être étudiante à Harvard et vous trouver reléguée dans la salle à manger réservée aux dames, ou découvrir qu'il n'y avait pas de place pour une femme dans les chambres et que vous n'étiez pas la bienvenue dans les mêmes bibliothèques ou logements d'étudiants que vos petits camarades masculins. Lorsque l'un des plus prestigieux esprits au service de la loi, Ruth Bader Ginsburg, membre de la Cour suprême des États-Unis, a débarqué en première année à la Harvard Law School, on lui a demandé de justifier le fait qu'elle occupait une place sur les gradins qui aurait pu revenir à un homme.

— Selon moi, vous devriez consulter un psychiatre si vous vous promenez par ce genre de chaleur, déclare Mrs. P à Benton.

Son regard s'élargit et il la dévisage avec une feinte déception. Elle poursuit :

— Il y a de quoi fondre comme neige au soleil.

C'est exactement ce qu'elle pense de moi en ce moment. Benton hausse les épaules et me lance :

— Eh bien, en ce qui concerne la nette amélioration, j'ai l'impression que c'est raté. Désolé, Kay. Mrs. P pense toujours que tu ressembles à un vague truc que le chat aurait rapporté.

— Oh, jamais je ne dirais une chose pareille !

Mrs. P a un petit rire gêné, pose trois doigts sur ses lèvres roses et secoue la tête comme si mon mari se révélait le pire garnement de la planète.

Elle l'apprécie beaucoup et, bien sûr, il nous taquine toutes les deux. Si on ne le connaît pas, il est assez difficile de le comprendre. Il manie un humour très subtil, assez insaisissable. Certes, il est bien conscient que mon apparence ne s'est pas considérablement arrangée depuis mon passage aux toilettes. Je ne porte plus de collant et les semelles de mes chaussures éraflées et informes collent à la plante de mes pieds à la manière d'une chose peu ragoûtante.

Mrs. P réunit deux menus sans oublier un épais carnet noir, une carte des vins très fournie.

— Inutile de remuer le couteau dans la plaie, dis-je
à l'adresse de mon mari. J'ai bien conscience que tu
n'avais pas l'intention de dîner ce soir avec un truc
qu'aurait apporté le chat.

— Tout dépend du chat, plaisante-t-il en ouvrant sa
mallette dans le claquement sec de ses fermoirs.

Il remplace ses verres teintés par des lunettes bifocales,
le genre que l'on achète en pharmacie. Je me charge à
nouveau de ma sacoche et nous suivons Mrs. P dans la
salle à manger nord, avec ses hautes fenêtres cintrées.
La salle donne sur la pelouse, plongée dans l'obscurité,
qui s'étend en façade.

L'écho de nos pas est étouffé par l'épaisse moquette
d'un rouge profond. Des poutres de bois sombre sou-
tiennent le plafond de plâtre blanc. La salle est semée
de tables recouvertes de nappes blanches, éclairées par
des lustres en cuivre dont les ampoules flamme sont
surmontées de petits abat-jour rouges. Nous sommes
les deux premiers arrivés. Benton et Mrs. P papotent
pendant qu'elle nous conduit vers notre coin habituel.

— Oh, ça ne devrait pas s'animer avant 20 heures,
explique-t-elle à mon mari. Nous organisons deux
dîners privés à l'étage, mais le rez-de-chaussée devrait
rester calme. Il fait trop chaud, voyez-vous.

— D'autres coupures d'électricité ? s'enquiert Benton.

— Ce que c'est embêtant quand ça arrive ! Tout
saute, et ça dure. Vous ne pouvez ni rester à l'intérieur ni sortir. Croisons les doigts pour que cela ne se
produise plus, surtout alors que vous souhaitez juste
profiter d'un bon repas au calme.

Mrs. P nous offre alors le bilan de santé de Félix-
le-chat. Il s'agit de son nom mais elle le raccourcit en
Félix. À l'évidence, le matou n'a pas apprécié la vague
de chaleur.

— Cela s'est révélé très difficile pour lui, lors de la
dernière coupure, hier à midi. C'est du moins ce que

j'ai appris plus tard puisque je travaillais ici. J'habite un des pires endroits pour ce qui est du réseau électrique, de ce que j'ai compris, nous explique-t-elle. Et, vous savez bien que Félix est vieux, avec tous les problèmes qui vont avec. Je ne suis pas toujours informée lorsqu'une coupure survient. Parfois, je suis bien tranquille ici alors que le pauvre Félix souffre parce que la climatisation est en plan chez moi.

— Peut-être quelqu'un, un voisin, pourrait-il veiller sur lui dans ce genre d'occasions ? dis-je.

— Mes voisins se retrouvent dans le même bateau en pareil cas. Mes enfants vivent loin. Certes, mon petit-fils travaille ici à mi-temps. Il veut devenir musicien. Il m'aide quand il peut mais il a vingt-trois ans et il est allergique aux chats.

— Vous pourriez peut-être emmener le chat avec vous, propose Benton, provoquant un rire de la vieille dame.

Mais mon mari est sérieux et répète :

— Pourquoi pas ?

— Oh non, je ne le peux pas.

Elle jette un regard circulaire afin de s'assurer que personne d'autre n'est entré.

6.

Notre table de coin est dressée à droite de la vaste cheminée, dont le manteau en loupe monte du sol au plafond. Le mur perpendiculaire est tendu d'un damassé doré qui met en valeur de belles huiles anglaises, hollandaises et italiennes qui n'y étaient pas suspendues le mois dernier.

Cette nouvelle exposition permet de découvrir une marine, une allégorie religieuse, et une vanité en plus des portraits sévères d'hommes de l'époque coloniale ou de ceux de femmes aux visages poudrés, si serrées dans leurs corsets qu'on se demande comment la chose était anatomiquement possible sans leur fêler des côtes. C'est à chaque visite une surprise : nous ne savons jamais ce qu'il nous sera donné d'admirer parce que la plupart des collections présentées sont prêtées par les musées de Harvard, qui possèdent un trésor artistique parmi les plus réputés.

Les œuvres changent d'un mois sur l'autre. Benton y est particulièrement sensible parce que ça lui rappelle sa jeunesse. Son père, très fortuné, a investi dans l'art et les tableaux de grand prix entraient et sortaient de la demeure des Wesley en grès rouge, guère différente du Faculty Club.

Qu'il doit être grisant de sélectionner un Pieter Claesz une semaine, puis un J. M. W. Turner ou un Jan Both la suivante. Et pourquoi pas un Johannes Vermeer ou un Frans Hals ? Je me réjouis à cette pensée alors que je détaille les œuvres aux cadres dorés, illuminées par des appliques.

Il m'est difficile d'imaginer l'enfance de mon mari lorsque je la compare avec la mienne à Miami, laquelle n'avait rien de luxueux ni de séduisant. Il est issu d'une des plus vieilles et prestigieuses familles de la Nouvelle-Angleterre, celles qui ont fréquenté les meilleures écoles du pays, alors que je suis la seule de la deuxième géné-ration d'immigrés italiens de ma famille à avoir fait des études supérieures. Certes, disposer de si peu dans tous les domaines s'est révélé ardu. Pourtant, je suis reconnaissante à la vie qui m'a épargné d'obtenir ce que je pensais vouloir dans ma jeunesse.

Benton a aussi souffert de privations, même si elles étaient différentes. Il a obtenu ce que voulaient ses parents. Il a réalisé leurs rêves et, de bien des façons, en est ressorti solitaire et peu gratifié. Enfant, je me suis sans doute aussi sentie seule et isolée. Cependant, mon souvenir le plus vif reste la détermination qui m'habitait, la certitude que je n'avais pas d'autre option que de faire avec, qu'il se soit agi de vêtements, du flacon de shampoing que je pouvais me permettre, ou des astuces pour tenter de faire durer ce que je possédais.

J'ai découvert le monde avec voracité au travers des livres, des photos ou des films. Vacances ou même voyages étaient exclus, du moins jusqu'à ce que je commence à visiter les universités durant les congés scolaires. De son côté, Benton n'a jamais manqué de rien, hormis d'attention et d'une vie de petit garçon normal. Il m'a avoué ne s'être jamais senti riche avant que nous nous rencontrions. Le plus joli compliment qu'on m'ait jamais fait.

Il déplace légèrement la table, l'orientant à son souhait. On dirait que la salle à manger lui appartient. Il observe :

— Je ne voudrais pas que tu prennes froid.

— Jusque-là, tout va bien, à l'exception de mon allure.

— Belle. Tu es sans doute la plus belle femme que j'aie rencontrée, sourit-il en tirant une chaise pour que je m'assoie.

— Une hallucination due à la canicule, peut-être ?

Je me rapproche de la table et fourre ma sacoche entre mes pieds. Nous ne nous asseyons jamais dos tourné aux portes ou autres issues. Nous n'optons jamais pour une table poussée devant une large baie qui nous rendrait visibles comme le nez au milieu de la figure.

En réalité, on ne nous conduit pas à notre table. Nous nous déployons pour l'atteindre. Benton et moi nous positionnons de manière à surveiller notre environnement, nous assurer que rien ne peut nous surprendre, qu'il s'agisse d'une issue ou d'une fenêtre. En d'autres termes, nous dînons comme si nous étions deux flics, même dans le havre de mon mari.

Nous ne parviendrions pas à nous détendre sans ces précautions. Les petites habitudes permettent de réfléchir. Impossible de ne pas se souvenir que nous appartenons à une tribu, réduite mais spéciale. Celle des serviteurs traumatisés de l'État.

— Tu es sûre que la climatisation ne va pas t'incommoder ? s'inquiète Benton alors qu'un serveur se dirige vers nous, un homme âgé qui doit être nouveau. Veux-tu ma veste ? poursuit mon mari en entreprenant de l'ôter.

Je hoche la tête en signe de refus et souligne :

— Tout va bien. Je me débrouillerai. Vraiment, je suis navrée d'avoir gâché ce qui restait de notre sortie.

Il déplie sa serviette blanche et la pose sur ses cuisses en rétorquant :

— Je ne vois pas de quoi tu parles. Tu n'as rien gâché, ou peut-être ton collant. D'ailleurs, comment l'as-tu filé ?

— Ah, mon Dieu ! Je pense que j'aurai eu droit à toutes les questions imaginables aujourd'hui.

Une soudaine envie de rire chahute dans ma gorge et mon mari me jette un regard interrogateur.

— Est-ce que je serais passé à côté de quelque chose ? me demande-t-il, mais notre serveur patiente à côté de la table.

Vêtu d'une veste blanche amidonnée et boutonnée jusqu'au col, il a le visage hâve et la peau distendue d'un homme jadis beau mais qui a perdu beaucoup de poids. Il dévisage Benton, son stylo reposant sur son carnet de commandes.

Mon mari précise que nous voudrions avant tout de l'eau. Je me souviens soudain de mon collant jeté dans la corbeille des toilettes et l'hilarité me gagne à nouveau, au point que je me tamponne les paupières de ma serviette.

— Désolée… Parfois, l'absurdité des choses me rattrape. Pour répondre à ta question, je parie que j'ai filé mon collant comme n'importe quelle femme.

Il surveille notre serveur qui discute avec le jeune homme que nous avons vu un peu plus tôt. Tous deux passent en revue une grande table dressée, déplacent les arrangements floraux, vérifient l'alignement des couverts.

— J'en doute. En général, tes mésaventures impliquent des armes blanches, des fluides corporels ou des mouches à viande.

— D'accord, le collant a rendu l'âme à cause d'un chariot à cadavre, un de ceux qui sont équipés d'une manivelle pour permettre de le rehausser, ou l'inverse. J'aidais l'équipe à dégager un corps et je me suis accrochée, sans doute à l'une des roulettes.

— Et ensuite ? Pourquoi n'as-tu pas changé de collant ? Hum ?

Et soudain, je comprends qu'il ne s'agit pas d'une interrogation gratuite. Ce n'est jamais le cas avec mon mari, même quand il plaisante.

Bryce est, entre autres, chargé de conserver une petite provision d'indispensables dans mon quartier général : du café, des biscuits, des articles de toilette classiques... et plusieurs paires de collants de rechange.

S'il ne s'en acquitte pas, il est assez peu probable que j'y pense parce que jupes et collants me passent très au-dessus de la tête, contrairement à ce que je prétends. Si j'en avais la possibilité, je ne quitterais pas mes vêtements de terrain, des pantalons de treillis ignifugés et très résistants contre les insectes, dotés d'un maximum de poches, et mes chemises tactiques brodées aux armes du CFC.

N'oublions pas les chaussettes en coton robuste et des boots sans chichis. J'avoue aussi une grosse faiblesse pour les parkas, les coupe-vent repliables, compressibles sous un faible volume, les casquettes de base-ball. Selon moi, mes goûts remontent à mes années d'études médicales et légales, sans oublier mon passage à l'Air Force, lorsque j'étais encore bien peu assurée. À mes débuts, je passais ma vie en vêtements de morgue et en tenue de combat. Ce serait encore le cas si je le pouvais.

Or, je suis souvent convoquée devant le tribunal ou

des législateurs, afin de témoigner lors de dépositions. Il me faut donc garder sous la main une tenue plus appropriée pour une anatomopathologiste, médecin-expert en chef, qui peut influer sur le choix des armures de protection pour nos soldats ou peser sur l'incarcération d'un accusé.

— Je bousille plusieurs paires de collants par semaine. Sans doute Bryce a-t-il réduit son shopping avec cette chaleur. Ou alors, il est tellement préoccupé par ses histoires personnelles qu'il a oublié de commander le nécessaire en ligne. Donc je l'admets, j'étais mécontente lorsque j'ai découvert que je ne pouvais pas me changer après avoir filé mon collant. D'un autre côté, pourquoi n'ai-je pas pensé à m'arrêter au drugstore de Harvard Square pour en acheter une paire ? Ça m'aurait évité de me retrouver ici les jambes nues. Encore un mauvais calcul de ma part.

— En d'autres termes, tu laisses entendre que Bryce t'a fait faux bond et que tu étais déjà contrariée avant même qu'il te conduise jusqu'au Square. Le fait de ne pas trouver de collant de rechange s'est transformé en catalyseur. (Benton extrait ses lunettes de lecture de leur étui.) Mais le combustible était déjà là.

— De quel combustible parles-tu ?

Je lisse ma serviette sur ma jupe, autre rappel du fait que je n'ai qu'une hâte : me débarrasser de ces vêtements.

— Je crois que tu sais.

Une allusion à ma famille, notamment à ma réaction vis-à-vis de l'arrivée de ma sœur, qui débarque sans invitation. Je jette un regard à ma montre. J'aurais dû partir pour Logan Airport vers 21 h 30, mais à présent je ne sais plus trop quoi faire. Lucy m'a prévenue que Dorothy serait en retard.

— Bryce a frappé à mon bureau aux environs de 16 h 30 pour m'accompagner jusqu'à la Coop, afin que je fasse quelques courses, puis pour me déposer ensuite ici. (Je commence à raconter ce qui s'est produit durant l'après-midi.) Tout allait bien, sauf qu'il était impossible de l'empêcher de parler. Franchement, je n'avais pas la force.

— Il parlait de quoi ?

— Ce n'est pas évident de retrouver le fil avec Bryce. Il semble convaincu que je n'éprouve plus les mêmes sentiments à son égard, que je ne l'aime plus, ni ne le souhaite dans mon entourage et que cela serait antérieur à l'incident du collant. J'ai eu récemment l'impression qu'il s'était mis en tête que je m'étais éloignée de lui et que je songeais à le virer ou je ne sais quoi d'autre.

Benton chausse ses lunettes de vue, perchées bas sur son nez droit et mince, son regard passant par-dessus les montures pour me détailler. Il demande :

— Sur quoi te bases-tu ?

— Sur ses questions répétitives. Il veut absolument que je lui dise ce qu'il a fait de travers. Il ne cessait d'exiger que je le lui dise lorsque nous nous sommes un peu disputés devant la Coop.

— Tu es à l'origine de la dispute ou l'inverse ?

— Il faut toujours être deux dans ce type de situations, non ?

Benton rit et déclare :

— Pas dès que Bryce est concerné. Il se débrouille très bien et joue des deux côtés du filet.

— Je n'ai pas cherché à discuter. Je me suis contentée de résister et de nier, en lui disant que j'avais autre chose en tête. Il était totalement paniqué en raison de la chaleur écrasante et ne voulait pas me laisser toute seule dans la fournaise.

— En d'autres termes, il réagit dès que tu agis.

Benton récupère l'épaisse carte des vins posée sur son menu.

— Comme toujours, mais cela m'a semblé encore plus excessif.

Il tourne les belles pages champagne, les parcourt du regard et souligne :

— Ça prend la tournure d'une de ces fâcheuses situations qui doivent tout à un mauvais timing. J'espère me tromper. Cela étant, le moment n'était pas opportun pour être de mauvaise humeur alors qu'une personne malveillante, peut-être un obsédé qui te piste, était témoin de la scène. En temps normal, nous laisserions filer, nous considérerions qu'il s'agit des divagations d'un déséquilibré. Mais le tatouage en feuille de marijuana constitue un problème. Sans lui, je n'accorderais aucune crédibilité à cet appel, rien de plus qu'une plainte déplacée et sans objet. D'ailleurs, je n'écouterais même pas son enregistrement.

— Pardon ? Comment es-tu au courant du tatouage ?

Benton tourne une autre page de la carte des vins sans répondre.

— Suggérerais-tu que tu as écouté l'enregistrement au numéro d'urgence ? C'est bien ça ?

7.

Le serveur est de retour avec une bouteille d'eau minérale plate et nous demeurons silencieux pendant qu'il remplit nos verres.

Nous nous contentons de banalités au sujet des hors-d'œuvre, de notre plaisir à disposer de la salle à manger pour nous seuls, du moins pour un temps. Benton choisit toujours les cakes de crabe aux oignons grillés accompagnés de piment-banane au vinaigre, et je me laisse en général tenter par la bisque de homard avec son beurre-noisette citronné.

Mais par cette chaleur ce genre de plat n'est pas indiqué, et nous nous rabattons sur la salade méditerranéenne aux tomates anciennes et aux copeaux de feta. Je demande si les oignons rouges peuvent être substitués par des oignons doux et que l'on m'apporte un surplus de vinaigrette saupoudrée d'un peu de poivre rouge moulu, afin de la relever. Je commande une autre bouteille d'eau, pétillante cette fois, accompagnée d'une soucoupe de rondelles de citron vert. Le serveur s'éloigne et j'en reviens à notre discussion.

— Qu'est-ce que tu veux dire ? Ta femme est nommément citée dans une plainte à la police et ça ne te préoccuperait même pas ? Même si c'est du flan ?

— Ce ne serait pas la première fois qu'un déséquilibré forme une obsession à ton sujet, te traque et appelle la police ou les médias, argumente Benton.

Il étudie une autre page de la carte des vins. La lumière joue avec sa chevalière en or gravée aux armes de sa famille.

— Tu es très reconnaissable, Kay, et les gens t'associent à des crimes médiatiques ou à des catastrophes. Je pourrais prétendre le contraire mais ce serait mentir. Alors, oui. (Il lève le regard vers moi.) Peut-être ne m'en serais-je pas préoccupé, du moins pas assez. Une erreur.

Je n'ai pas l'intention de lui permettre d'éluder la question et j'insiste :

— Donc, tu as pris connaissance de l'enregistrement. Je vais continuer à te harceler à ce sujet.

Il examine en silence la carte des vins, la page consacrée aux bourgognes blancs. C'est assez étrange parce qu'il ne pourra pas boire plus d'un verre. Il prend le volant et je repense à ma sœur, ce qui ajoute encore à ma résolution vis-à-vis de mon mari. Je ne parviens pas à me maîtriser.

— Je veux l'écouter. Tu en as une copie ? Une transcription ne fera pas l'affaire. Je veux entendre ce connard mentir à mon sujet.

— En théorie, c'est le rôle de Marino, déclare Benton en tournant une page pour revenir en arrière et passer en revue les différents crus. Je suppose qu'il est chargé de l'enquête sur les effroyables nuisances à l'ordre public dont tu t'es rendue responsable, ce que ferait d'ailleurs n'importe quel célèbre détective chevronné du département de police, qui n'a que cela à traiter.

— Ainsi que je te l'ai raconté, il a à peine daigné me révéler une ou deux choses au sujet de cette plainte. Il n'a pas voulu en discuter en détail et, d'un strict point de vue légal, je ne peux pas l'y contraindre, Benton. En revanche, j'ai le droit d'être confrontée à la personne qui m'accuse. Dans ce cas, celle qui raconte des bobards à mon sujet sur l'enregistrement. Je veux donc l'écouter moi-même. En termes de droit, il n'y a aucune raison de refuser de me communiquer cette preuve, sauf si tu penses que je suis impliquée dans un crime fédéral. Or, la dernière fois que j'ai vérifié, les prétendus troubles à l'ordre public n'en faisaient pas partie.

C'est exactement ce que Benton attend de moi : que je le menace, le pousse dans ses retranchements d'un ton blessé qui ne reflète pas mes véritables sentiments. Il ne faut surtout pas que je le traite comme s'il s'agissait de mon conjoint. Pourtant, non sans ironie, il n'aurait pas eu connaissance de la plainte si nous n'avions pas été mariés. En cet instant précis, il doit redevenir l'agent spécial Benton Wesley et moi le médecin-expert en chef, une sorte de simulacre que nous avons maintes fois adopté.

Il tourne une nouvelle page de la carte et suggère :

— Je prendrais bien du vin blanc. Tout dépend de ce que tu commanderas. On n'en dégustera que quelques gorgées et on emportera le reste pour le finir une fois de retour à la maison.

— Je pourrais le requérir grâce à la loi pour la Liberté d'information. Mais c'est idiot de me pousser à ce genre de démarches ! J'aimerais bien du poisson, un truc léger.

J'ouvre le menu posé sur la table alors que Benton se penche vers sa mallette appuyée contre un pied de chaise et la dépose sur ses genoux. J'entends le claquement sec des fermetures. Il tire le casque sans fil niché dans une pochette à fermeture Éclair et murmure :

— Tu te souviens de ce que m'avait un jour déclaré mon prof de quatrième ? Ce bon vieux M. Broadmoor...

Je complète l'anecdote que Benton me répète à chaque fois qu'il est certain qu'elle s'applique à moi :

— Qu'un jour tu obtiendrais ce que tu désirais et que tu t'en mordrais les doigts.

— Ça ne va pas être agréable et j'aurais préféré te l'épargner, poursuit-il en ouvrant l'étui noir. Mais comme tu l'as dit, les lois de l'État du Massachusetts au sujet des enregistrements au numéro d'urgence sont assez troubles. Aucun règlement ne me contraint à te refuser cette écoute. Tu as raison.

Il me tend le casque et je le passe sur mon crâne. Il dépose ensuite son téléphone au milieu de la table puis effleure plusieurs invites de commandes sur l'écran. D'abord des parasites, des cliquetis en stéréo. Puis :

— 9-1-1, la nature de votre urgence ?

Le répartiteur est une femme et je reconnais sa voix, puisque l'écoute des fréquences de police est devenue chronique dans ma vie.

— Bonjour, il ne s'agit pas vraiment d'une urgence. Cependant, je pense que la police devrait être informée qu'un de nos respectés serviteurs de l'État fait une scène devant tout le monde à Harvard Square.

L'appelant possède une voix mélodieuse, douce, un débit lent et rythmé, sans aspérité. On dirait que cette personne est défoncée ou qu'elle s'efforce de maîtriser sa voix de façon très artificielle. Marino a déclaré qu'il était dans l'incapacité de préciser s'il s'agissait d'un homme ou d'une femme. Je suis comme lui.

— L'adresse de l'urgence ? demande la dispatcheuse.

— Je ne la connais pas au juste. Je dirais qu'un bon moyen de décrire le Square, c'est que c'est non loin de la station de métro.

— Pourriez-vous m'indiquer le nom d'un commerce, d'une banque afin de préciser l'endroit.

— Non.

La personne tousse à plusieurs reprises.

— Le numéro du téléphone depuis lequel vous appelez ?

— Il s'agit de mon portable et ça ne vous dira pas où je me trouve. Vous ne parviendrez pas à découvrir quoi que ce soit à mon sujet par ce moyen...

À cet instant de la discussion, la personne devient agressive, presque grossière, toujours de cette voix un peu molle, et je ne peux m'empêcher de penser qu'il s'agit d'un homme. Simple hypothèse tant il parle de façon lente, assez rauque, dans un registre agréable, entre baryton et ténor.

Alors que je l'entends décrire ce qu'il aurait vu, je déduis que ma prétendue « scène de merde » avec mon « petit ami » ne s'est pas déroulée pendant que le menteur patenté discutait avec la répartitrice. Son petit discours a été répété et ne peut pas être concomitant de ma discussion avec Bryce. Je soupçonne aussitôt qu'il n'a appelé le numéro d'urgence qu'après les faits.

— Savez-vous où se trouve cette femme maintenant ? demande la dispatcheuse en parlant de moi.

Le regard rivé sur la nappe blanche, j'écoute l'échange avec attention.

— Non, mais c'est une conne de compétition. Je ne voudrais surtout pas qu'elle débarque chez moi, si quelqu'un avait claqué. Faut voir comme elle enfonçait son index dans le torse de cette pauvre mauviette, qui ressemble à un vrai raté, avant de lui balancer une gifle. Je n'ose même pas imaginer comment une garce de ce calibre se comporte avec les malades...

— Où vous trouvez-vous ? répète la dispatcheuse. (La personne tousse à nouveau avant de s'éclaircir la gorge.) À l'extérieur ?

— Oui, avec les petits oiseaux et les abeilles qui s'envoient en l'air. Bien sûr que je suis à l'extérieur ! Sans cela comment pourrais-je témoigner d'un truc qui se déroule dehors, à quelques pas de moi ?

La conversation continue jusqu'à ce qu'elle l'informe que la police arrive, avant de lui demander son nom.

— Vous n'avez pas à le connaître. La seule chose qui

importe c'est que vous fassiez attention à leurs noms à eux. Compris ?

— Il me faut le vôtre pour que les policiers puissent vous localiser...

— N'essayez pas ce genre de conneries avec moi. Je sais très bien ce que vous tentez de faire. Vous allez étouffer l'affaire, comme tout ce qui concerne ce foutu gouvernement. L'intolérance et le fascisme doivent cesser...

Les vilenies se poursuivent durant presque une minute en tout. Difficile d'entendre des choses aussi affreuses sur moi. La colère m'envahit. J'ôte le casque et le rends à mon mari. Je suis à la fois choquée et hors de moi. Tout ce que je parviens à formuler se résume à :

— On dirait que cette personne a un gros contentieux avec moi, pour une raison ou une autre.

— La voix te semble familière ? s'enquiert Benton sans me lâcher des yeux.

— Non. L'appel remonte à quand ?

— Il a été passé à 18 h 12, 6 h 12 si tu préfères...

Son regard ne laisse rien transparaître alors que je comprends soudain.

Juin, douzième jour du mois, 6-12, ma date anniversaire. En temps normal, je déciderais qu'il s'agit d'une simple coïncidence. Cependant, il existe un détail qui n'a plus rien de mineur. Six heures douze de l'après-midi, c'est aussi le moment précis qu'a choisi Serrefile Charlie depuis le 1er septembre pour m'expédier par e-mail ses menaces enregistrées.

— L'appel au numéro d'urgence est arrivé presque une heure et demie après que j'ai quitté Bryce. Il était aux environs de 16 h 45 lorsque nous avons discuté devant la Coop. Tu es sûr qu'on n'aurait pas pu altérer l'heure de la communication ?

— Je ne vois pas comment, Kay. L'horodatage provient du central des urgences de la police.

— En ce cas, plus de doute, l'appel a été passé après que j'ai quitté le Square. J'en suis certaine : je traversais le Yard à 18 h 12. D'ailleurs, Marino m'a jointe par téléphone à peu près à ce moment-là.

— Tu pourrais vérifier ? suggère Benton en désignant mon téléphone posé sur la table.

Je le récupère et consulte la liste des appels reçus.

— Il m'a appelée une première fois à 18 h 18. Je me souviens de l'immeuble que je longeais au moment où mon appareil a vibré.

— Ça suggère que Marino a été prévenu dès que la police a reçu la plainte te concernant.

Je ne parviens pas à déterminer s'il s'agit d'une interrogation ou d'une affirmation. Je précise :

— N'oublions pas que Rosie a toujours eu un petit béguin pour lui. Ils sont sortis ensemble. Elle a dû l'appeler aussitôt.

— Rosie ?

— La répartitrice. J'ai reconnu sa voix. En réalité, elle se prénomme Rosemary mais Marino lui donne du Rosie.

— J'en reviens donc à ma question. Quelque chose, n'importe quoi, t'a-t-il paru familier dans ce message au numéro d'urgence, la voix… ? Un détail qui t'aurait frappée ? demande Benton.

Il observe son téléphone. L'écran est en veille, juste un rectangle d'un noir terne. Il le déverrouille et le fichier réapparaît, accompagné de sa flèche « *play* » figée. Je réfléchis.

— En dehors de l'arrogance et de la haine perceptibles de cette personne ? Non, rien, vraiment.

— Je perçois un doute dans ta voix.

Je lève le regard vers le plafond de plâtre. L'enregistrement défile dans mon esprit.

— Non, je t'assure, rien de familier. Juste une voix assez agréable, normale. Je ne vois pas grand-chose d'autre à ajouter.

— À nouveau, je te trouve un peu ambiguë.

Il ne s'étendra pourtant pas sur son impression.

Benton n'a pas l'habitude d'orienter un témoignage, même lorsque le témoin est son épouse. J'avale une nouvelle gorgée d'eau et m'interroge. Il a raison. Il demeure en moi une incertitude et soudain, je parviens à la caractériser :

— Le discours est trop uniforme, trop homogène. Ça m'a inconsciemment frappée. Aucune des altérations de voix ou de débit auxquelles on pourrait s'attendre. Il y a un truc figé, pas très naturel.

— En d'autres termes, c'est artificiel ou préenregistré. Bidon, pour être clair. (Je me demande alors si Lucy est à l'origine de cette information.) Impossible de déterminer s'il s'agit d'une voix synthétique, mais Lucy juge aussi que la constance d'une phrase à l'autre est surprenante. Elle affirme que si la voix a été modifiée ou améliorée...

Il vient de répondre à la question que je me posais et je l'interromps :

— Attends... Si tu as obtenu l'enregistrement de la police, comment aurait-il pu être altéré ?

— Toujours selon Lucy, un *voice changer*, un modificateur de voix comme celui qu'utilisent les *gamers*, aurait pu parvenir à ce résultat. Il existe plein d'applis disponibles de ce genre, mais pas de la qualité de celle dont s'est servie cette personne. En général, l'inauthenticité des voix ainsi transformées est manifeste, une sorte de piètre imitation. Il n'est pas exclu que la personne qui nous occupe dispose d'un logiciel très sophistiqué, qui ne se trouve pas sur le marché, capable de modifier la voix au fur et à mesure qu'on parle...

Je complète sa phrase, certaine de ce qui va suivre.

— Et ta voix est alors différente mais paraît naturelle à ceux qui t'entendent.

Benton me demande si Serrefile Charlie, l'individu qui me poursuit par Internet interposé, ne pourrait pas être aussi l'auteur de l'appel mensonger au 911.

— Ça indiquerait qu'il ou elle est dans la surenchère, ajoute mon mari. Son jeu, quel qu'il soit, prend de l'ampleur. Or nous savons, sans hésitation possible, que Serrefile Charlie est très au fait de la technologie.

— J'espère juste que ce n'est pas lui qui a porté plainte aujourd'hui, parce que ça impliquerait qu'il se trouvait non loin de moi. D'autant que je tentais de me rassurer en songeant que mon cyber-tortionnaire ne vivait pas à Cambridge mais à l'autre bout de la planète.

— La coïncidence me paraît grosse, poursuit mon mari. Cela fait une petite semaine que tu reçois ces menaces par e-mails, des clips audio bidouillés. Et maintenant ça ?

Je presse ma jambe contre la sienne. Le tissu de son pantalon est si doux et frais contre ma peau nue.

— Dis-moi, monsieur le profileur, que penses-tu de quelqu'un qui appelle le numéro d'urgence de la police pour signaler que ta femme est une conne ?

8.

— Sexe masculin et pas très vieux. Pas jeune non plus, dit Benton. Selon moi, il ne s'agit pas d'un étudiant, ou alors de quelqu'un de très mature.

— Déjà diplômé ?

— Je l'ignore, la quarantaine, au moins. Plus tout jeune, mais pas assez vieux pour ne pas pouvoir se déplacer à sa guise par n'importe quel temps. Je verrais bien un des SDF qui gravitent autour du Square, ce qui ne signifie pas que j'ai raison. Il est éduqué, mais peut-être autodidacte. Parmi les probabilités : il vit seul, un dossier psychiatrique le suit. Il est intelligent, bien plus que la moyenne. Il est anti-gouvernemental, c'est-à-dire en bagarre contre l'autorité et, de fait, je perçois sa véritable hostilité à ton égard. Il appartient à la catégorie qui sur-idéalise les relations, jusqu'à les inventer.

Benton a coché les cases comme s'il s'agissait d'une liste de courses chez l'épicier du coin. Sans même y réfléchir.

— Quelqu'un que je connais ?

— Peut-être, mais j'en doute. Il est probable que vous ne vous êtes jamais croisés.

— Marino pense qu'il s'est servi d'un téléphone prépayé, du genre intraçable. Assez logique quand on mène une vie plutôt irrégulière, ça évite les factures de téléphone mensuelles, entre autres. En revanche, ça ne colle pas avec l'idée d'un individu qui utilise des logiciels de modification de voix à installer.

— Il n'est sans doute pas impossible d'installer le logiciel sur n'importe quel type de Smartphone, tout en l'utilisant avec des cartes prépayées.

— En effet. On associe cela avec les SDF, mais je suis certaine que tu as considéré un autre aspect...

Je m'interromps lorsque le serveur revient avec notre eau gazeuse et la soucoupe de rondelles de citron vert.

Benton indique d'un signe de la main que nous remplirons nous-mêmes nos verres. L'homme disparaît et je mentionne l'Obama-Phone, une appellation assez irrévérencieuse pour le programme gouvernemental. Son objet était d'offrir aux démunis un téléphone mobile, avec minutes illimitées, SMS et le reste. Je poursuis mon explication :

— C'est typiquement le genre d'appareils qui équipe la population de sans domicile fixe des refuges de cette zone de Cambridge, voire ceux des rues avec leurs écriteaux en carton. Cependant, il faut demander l'Obama-Phone, faute d'un meilleur terme, et s'inscrire. Dans l'éventualité où l'individu qui a formulé cette plainte bidon contre moi utilisait un tel système, je suppose qu'on pourrait tracer l'appel et le numéro jusqu'à l'opérateur.

— SafeLink, lâche Benton, preuve qu'il a tenu le même raisonnement. Un des plus appréciés et importants services de téléphonie mobile sans contrat.

— Oui, mais si le téléphone en question a été obtenu par le programme du gouvernement ?

— Ça ferait toute la différence. Il faut s'enregistrer. Ensuite, un compte personnel est créé au nom de la personne.

Il remplit nos verres d'eau et je hoche la tête en renchérissant :

— Exactement là où je voulais en venir. Du coup, Lucy aurait parfaitement pu remonter à la source du numéro d'où a été émise la plainte. Du moins, si l'appelant faisait bien partie du programme Obama-Phone.

— Tout à fait.

— En conclusion, le fameux témoin, un de mes grands fans, n'utilisait pas un de ces appareils.

Benton se contente de me dévisager.

Il est conscient que je préférerais que le tordu qui me harcèle utilise un Obama-Phone, et c'est le point essentiel. J'aimerais mieux me confronter avec un de ceux qui traînent en permanence au Square, peut-être un de ces êtres sortis du système, désagréable, instable mais pas véritablement méchant. En revanche, je détesterai apparaître sur le radar d'un criminel expérimenté. Notamment s'il est assez compétent pour créer un logiciel qui nous lance tous sur une fausse piste.

Lorsqu'il devient impossible de reconnaître le mal, comment affirmer qu'il ne niche pas parmi nous ? Celui ou celle qui a passé cet appel, ou qui se terre derrière le nom de Serrefile Charlie, même s'il s'agit de la même personne ? Ce dégénéré pourrait se cacher juste à côté de nous. Rien n'est plus effrayant que cette pensée. Je serais dévastée si j'apprenais que je connais celui qui a menti à mon sujet à la police. Quel cauchemar si l'individu qui m'expédie des menaces de mort en italien se révélait être quelqu'un que j'apprécie, en qui j'ai confiance.

— Qui t'a prévenu de l'appel au numéro d'urgence ? Comment t'es-tu retrouvé mêlé à cela ? je demande à Benton.

— Eh bien, commençons par le commencement : nous sommes mariés. Bryce m'a téléphoné alors que ma réunion se terminait et que j'allais quitter le bureau. L'agneau ou le flétan ? À toi de décider. Je prendrai la même chose.

— Je crois que je vais opter pour le flétan. Comment as-tu obtenu une copie de l'enregistrement ? Je doute fort que le département de police de Cambridge l'ait remis à Bryce.

— Tout juste. Je penche pour un bourgogne. Un chablis premier cru.

— Le Montée de Tonnerre, 2009.

Nous l'avons déjà goûté. Un vin rafraîchissant, équilibré, qui possède une belle et délicate longueur en bouche.

— Parfait, acquiesce mon mari.

S'il s'est procuré l'enregistrement audio grâce à son ami le chef de la police, il ne l'admettra pas. Cela étant, je n'ai pas envie de le pousser dans ses retranchements. Je ne suis pas certaine de vouloir connaître la réponse.

Le serveur est de retour avec nos salades. Nous avons tous deux commandé le flétan saisi à la poêle et ses choux de Bruxelles en plat principal.

Je demande un accompagnement supplémentaire : des spaghettini de légumes et des champignons sauvages. Nous passons commande pour le chablis. Puis, nous patientons en silence jusqu'à ce que l'homme s'éloigne afin qu'il ne puisse surprendre des bribes de notre conversation. J'ai l'étrange sensation qu'il s'attarde plus que de nécessaire. Toutefois, les clients arrivent au compte-gouttes et il doit s'ennuyer.

— À propos, au cas où tu n'en serais pas informée, nous avons lancé, il y a quelques heures, une nouvelle mise en garde dans le cadre du terrorisme, enfin le FBI, poursuit Benton.

— Ça devient difficile de toutes les suivre. Je pars maintenant du principe que nous sommes en permanence en alerte. Un truc spécifique ?

— Ça peut s'avérer de grande importance et nous avons des raisons de soupçonner que la côte est serait concernée. J'espère que Boston sera épargnée, mais des rumeurs circulent et citent la ville et Washington D.C.

— Merci de me mettre au courant. Quelque chose d'autre ? (Je lève les yeux. Je sens qu'il me scrute.) On dirait que tu retiens une information. Je peux presque voir la bulle de dialogue au-dessus de ta tête.

— Je devrais peut-être me taire.

— Pas après un sous-entendu aussi lourd d'implications que celui-ci.

— D'accord. Je me demande si l'attitude assez peu rigoureuse de Bryce en ce moment n'est pas la conséquence de la tienne.

— J'agis de façon peu rigoureuse ? Je crois bien que c'est la première fois de ma vie que j'ai droit à un tel commentaire. On m'a balancé pas mal de choses, parfois très vulgaires, mais ça, jamais !

— Je peux te poser une question importante ? Si Dorothy ne déboulait pas, presque à l'improviste, penses-tu que l'incident à Harvard Square aurait eu lieu ?

— Bien sûr que non. Dans ce cas, je ne me serais pas cassé la tête avec des cadeaux ou des places de théâtre.

— Ce n'est pas l'unique raison, Kay. Elle arrive. Elle n'a pas vérifié si cela nous convenait. Elle a décidé seule. Comme d'habitude, tu t'es pliée à son désir. Tu lui as offert son billet d'avion et même proposé de loger chez nous.

— Mais, fort heureusement, elle a décliné puisqu'elle préfère séjourner chez Lucy.

Je sens la colère monter en moi, d'un recoin très enfoui de mon esprit que je n'aime pas, que je déteste presque.

— J'ai l'impression qu'elle préférerait rester avec Marino. Enfin, du moins, s'il vivait dans un penthouse, suggère Benton.

Je repose mon verre avec une telle brutalité que de l'eau s'en échappe. Je regarde la nappe blanche virer au gris au fur et à mesure qu'elle s'infiltre. Benton tapote la zone humide de sa serviette pour atténuer les dégâts, pendant que je le fixe, en pleine incrédulité.

Mrs. P allume des bougies à l'aide d'une allumette électrique à quelques tables de nous et je tente de garder un visage impassible lorsque je murmure :

— De quoi parles-tu ?

Je ne veux pas que l'on puisse penser que je me dispute une nouvelle fois avec quelqu'un. J'ai décidément l'épiderme à vif, ce soir.

— Je l'ai évoqué la dernière fois que nous étions tous à Miami, rappelle Benton alors que notre serveur revient vers nous, chargé de deux verres et de la bouteille de vin.

Je plonge dans mes souvenirs de ce court séjour, en juin dernier. Dorothy et Marino étaient partis ensemble pour récupérer nos plats à emporter. Il avait loué une Harley et Dorothy l'avait accompagné en balade. En effet, Benton y était allé d'une remarque. Toutefois, lorsque je me retrouve au milieu de toute ma famille à Miami, avec Lucy, Janet et Desi, il m'arrive d'être très distraite. D'un autre côté, ce à quoi Benton fait allusion est typiquement le genre de choses que je n'aimerais pas voir. Je n'ai pas envie que ce soit vrai. J'ai du mal à imaginer ce qui pourrait être plus inquiétant qu'une liaison entre le grand flic et ma sœur.

Le serveur ouvre la bouteille. Le bouchon cède dans un petit bruit sec et il le tend à Benton qui le hume. L'homme sert ensuite un fond de vin à mon mari qui me le propose.

— À toi de goûter.

Les arômes nets, frais, caractéristiques me font monter la salive à la bouche. Benton donne le feu vert au serveur d'un signe de tête. Nos verres se remplissent.

— Une excellente soirée de mercredi à nous, sourit Benton en trinquant.

Et pour la seconde fois de la journée, j'ai le sentiment qu'un insecte s'agite sous mes vêtements. Mon téléphone vibre dans la poche de ma veste.

— Quoi encore ?

Je repose mon verre et vérifie l'identité de l'appelant.

— Quand on parle du... Marino à nouveau.

Après ce qui s'est passé, il n'interromprait pas mon dîner s'il n'avait pas une bonne raison. Et c'est au tour du Smartphone de Benton de bourdonner.

J'aperçois l'indicatif 202 avant qu'il ne déclare :

— Il faut que je réponde... Wesley, à l'appareil.

Je ne prends même pas la peine de saluer Marino et lance :

— Une seconde. Vous savez où je me trouve, j'en conclus donc que c'est important. Je suppose qu'il faut que je me déplace vers un endroit discret ?

Benton et moi nous levons de table en même temps.

— Ouais, tout de suite, renchérit Marino d'une voix dure.

Nous récupérons nos sacoches respectives et j'ajoute :

— Un instant, j'y vais.

Nous déposons nos serviettes de table à côté de nos salades et de nos verres à peine entamés, comme si nous n'allions pas revenir.

9.

Nous traversons la salle à manger avec détermination, calme et sans rien laisser transparaître, ignorant les regards curieux que nous jettent les couples que l'on installe.

Benton n'est pas loin de moi et pourtant, nous sommes maintenant séparés, nos téléphones collés à l'oreille. À nous voir, personne ne penserait que quelque chose d'inhabituel se trame. Nous pourrions aussi bien discuter avec nos agents immobiliers, nos banquiers, nos conseillers patrimoniaux ou les gens qui s'occupent de nos animaux durant notre absence.

Nous passerions aisément pour l'un de ces couples aisés, en conversation téléphonique avec leurs enfants aimants et Benton deviendrait un très élégant et riche chef de famille. Par comparaison, je serais alors la femme qui se démène au boulot, un peu décalée et qui paraît toujours débraillée et à côté de ses pompes. Les yeux baissés, nous slalomons entre les tables et je reconnais son regard fixe, la crispation de ses mâchoires et la tension de ses mains.

Ces signes me sont familiers. Ils indiquent toujours qu'une situation est grave. Sans doute s'entretient-il avec son employeur, le ministère de la Justice. Non pas sa division habituelle, mais carrément Washington D.C., peut-être une huile du FBI, ou le directeur en personne. Un appel direct de la Maison-Blanche n'est pas non plus exclu. En tout cas, il ne peut s'agir de Quantico où mon mari a débuté sa carrière et a longtemps travaillé. Cela ne correspond pas à l'indicatif que j'ai vu s'afficher sur son écran de téléphone.

Le talent spécifique de mon mari est sa capacité à pénétrer dans la tête des criminels. Il découvre le pour-quoi et le comment, déterre les traumatismes sous-jacents et les connexions neuronales fautives capables de libérer un monstre au milieu d'innocents. Sa proie peut se résumer à un individu. Ou alors à un groupe de malfaisants. Il les prend en chasse et doit s'efforcer à la compréhension, voire à l'empathie. Il doit penser, anticiper et même ressentir à la manière de ceux qu'il traque afin de les arrêter. Cette capacité ne vient pas sans contreparties.

— Oui, c'est moi, dit Benton alors qu'il écoute avec attention. (Puis :) Je comprends. Non, je n'étais pas au courant. (Il me jette un regard.) Jamais entendu parler auparavant. (Il fixe ensuite la moquette d'un rouge profond et poursuit :) Expliquez-moi. Je vous écoute.

— Je sors, dis-je à voix basse à Marino.

Quelque chose vient de survenir et mon imagination galope, laminant ma raison. Je ressens une présence suffocante, épaisse et sombre. Elle devient presque palpable, comme le calme surnaturel qui précède un terrible orage. Je la perçois de toutes mes fibres.

— Que voulez-vous que je fasse, au juste ? interroge Benton en tournant la tête afin d'éviter les regards des convives.

La voix hachée de Marino me parvient dans mon écouteur. Une autre communication exécrable. Tous les événements bizarroïdes qui se sont déroulés au cours des dernières heures semblent soudain se masser au-dessus de moi.

— Je serai là dans... disons trois minutes. Personne n'a rien vu... du moins à notre connaissance. Mais deux filles, deux jumelles, l'ont découverte... résume-t-il et je m'efforce de comprendre.

J'ai presque l'impression de m'être égarée au beau milieu d'une tornade. Tout semble sens dessus dessous.

— Ne quittez pas un instant.

Je n'ai pas l'intention de discuter d'une affaire tant que je redoute qu'un tiers puisse saisir ma conversation.

— Je viens de quitter Kennedy Avenue... je longe maintenant Harvard Street, explique-t-il, assez agité.

— Accordez-moi quelques secondes. J'essaye de trouver un endroit paisible, dis-je alors que j'entends le grondement de son moteur et les sirènes qui beuglent en arrière-plan.

Benton dépasse le bureau de Mrs. P et oblique à droite à hauteur de la table ronde de l'entrée, ornée de son somptueux et odorant arrangement de lys et de roses coupés. Je ne cesse de repenser à ce qu'il a lâché quelques instants plus tôt à propos d'une crainte d'attaques terroristes sur la côte est, peut-être à Boston ou à proximité. Quoi qu'il en soit, quelque chose a dû arriver ici, à Cambridge, et il est au téléphone avec Washington D.C. alors même que l'alerte reste assez confidentielle. Je déteste le sentiment qui m'envahit.

Je n'aime pas la façon dont Benton m'a regardée lorsqu'il déclara au téléphone qu'il n'était pas au courant, qu'il n'avait pas été informé. Que se passe-t-il ici et maintenant pour qu'il doive être mis au courant, moi aussi d'ailleurs ? Quoi que cela soit, il ne s'agit pas simplement d'un problème local et alors même que cette idée me trotte dans l'esprit, je sais aussi que je suis en train d'établir des connexions hasardeuses. Ce n'est pas parce que nous recevons tous deux, de façon simultanée, des appels urgents qu'ils sont liés. Une simple coïncidence n'est pas exclue.

Je ne parviens pas à relativiser les signaux inquiétants qui me parviennent. J'ai l'intuition que je ne tarderai pas à découvrir que Benton et moi allons nous retrouver avec le même problème sur les bras sans pouvoir en discuter, ou alors à la marge. Nos professions respectives impliquent que nous ne considérions pas les problèmes de la même façon. Il se peut même que nous nous retrouvions en opposition. Ce ne serait pas la première fois et certainement pas la dernière.

— Doc... ? Vous avez compris ce que je vous disais au sujet de... ? L'appel d'Interpol... ? débite Marino, et je pense ne pas avoir saisi.

— Non, pas vraiment. (Je réponds dans un murmure pressant.) Je ne peux pas parler. Patientez une seconde.

Benton se dirige vers le salon de réception et j'espère que les doubles rideaux ont été tirés sur les hautes et larges baies vitrées. Une obscurité complète nous environne maintenant et seuls nous parviennent les halos lumineux des lampadaires distants qui tentent de trouer les ténèbres. Je suis toujours très consciente de la nuit, de ce qu'elle peut renfermer, peut-être juste à côté de nous, peut-être nous épiant, sous notre nez, alors que nous n'en sommes pas conscients. J'ai maintenant la certitude d'une chose très sombre, quelqu'un qui s'est amusé à nous mener en bateau toute la journée et peut-être depuis plus longtemps que cela.

J'avance dans l'entrée et évite de regarder le vieux miroir piqué suspendu au mur. Je m'immobilise, tête baissée, devant la porte, sans véritablement voir quoi que ce soit, tout en écoutant Marino.

J'ai beaucoup de mal à suivre son monologue. Notre connexion est au mieux médiocre, et je commence à m'énerver. Je ne sais pas qui fait quoi, qui espionne qui. Néanmoins, si je considère les récents événements, il est difficile de ne pas se sentir traquée, désorientée.

Je me rencogne non loin d'un porte-parapluies en fer forgé et j'aimerais me réveiller pour découvrir que tout cela n'était qu'un mauvais rêve.

— D'accord, un instant. Répétez, s'il vous plaît, mais plus lentement. Que voulez-vous dire par « elle est déjà raide » ?

— C'est le compte-rendu du premier gars qui a vérifié les paramètres vitaux, réplique Marino et, brusquement, la communication devient presque parfaite.

— Vous l'avez constaté vous-même ou c'est simplement ce qu'on vous a dit ?

Je m'obstine, parce que ce qu'il m'annonce semble totalement insensé.

— C'est ce qu'on m'a dit.

— Et on a tenté de la réanimer ?

— Ben, elle avait l'air très morte, répond Marino de façon très nette.

— Encore une fois, c'est ce qu'on vous a rapporté.

— Ouais.

— Et qu'est-ce qui a permis de conclure cela ?

— Déjà, elle était raide. L'équipe l'a pas touchée.

— Alors comment ont-ils pu vérifier la *rigor mortis* ?

— Pas la moindre idée, mais c'est apparemment le cas.

Marino me rappelle à nouveau qu'il n'a pas mis un pied sur la scène.

— De ce que nous savons, le premier policier qui est arrivé sur les lieux serait le seul à l'avoir palpée ?

— Je vous répète ce qu'on m'a dit, Doc.

— Et sa température ? Chaude ? Fraîche ?

— Je suppose qu'elle était tiède. D'un autre côté, comment pourrait-il en être autrement alors qu'il fait toujours plus de 32 °C à l'extérieur ? Elle aurait pu se trouver là toute la journée et ne pas refroidir.

— Il faudra que je vérifie quand j'arriverai. Cette rigidité cadavérique n'a aucun sens. Sauf à admettre qu'elle se trouve à cet endroit depuis beaucoup plus longtemps. Et ça non plus ça ne paraît pas cohérent. Même en cette période de canicule, des gens vont et viennent, surtout à proximité de l'eau. En d'autres termes, son cadavre aurait été découvert bien avant.

Une *rigors mortis* évidente sous-entend que le sujet est décédé depuis plusieurs heures au moins, et l'estimation dépend des muscles visiblement affectés et de l'avancée des processus *post-mortem*. Les très fortes chaleurs que nous subissons en ce moment sont de nature à accélérer les phénomènes de décomposition, ce qui implique que la rigidité cadavérique surviendrait plus rapidement. Cependant, il semble peu probable que les informations fournies à Marino soient exactes. Ça n'a rien de surprenant. Les policiers de patrouille sont souvent les premiers à répondre sur les lieux. Ils ne peuvent pas toujours identifier ce qu'ils découvrent.

— ... Je lui ai demandé de rester avec les jumelles... euh, celles qui ont découvert le cadavre..., déclare Marino, mais la communication est si mauvaise que je perds la moitié de ce qu'il me dit.

— Vous devez encore vous trouver dans une zone où le réseau passe mal.

Je suis de plus en plus exaspérée. J'ai toutefois le sentiment qu'il a sécurisé la scène.

Cependant, je n'ai pas la moindre idée de ce qu'il a voulu dire lorsqu'il m'a annoncé qu'Interpol avait cherché à le joindre.

— Quelqu'un était peut-être planqué derrière les arbres, attendant sa proie, déclare-t-il alors et la connexion redevient bien meilleure. Ce serait mon opinion à première vue. Pas de témoins.

Je jette un regard circulaire afin de m'assurer que personne ne peut nous entendre et souligne :

— Pas si les événements se sont déroulés en milieu de journée. Si elle est morte depuis plusieurs heures, ce que suggère cette prétendue rigidité cadavérique, c'est que les faits ont eu lieu en début ou en milieu d'après-midi. Comment croire que personne n'ait rien vu ?

— D'accord avec vous. Il y a un truc qui coince avec ce détail.

— Ça ne cadre pas. Je vérifierai donc une fois sur place. Que pouvez-vous me dire d'autre ?

Marino me relate ce qu'il sait à propos de cette mort violente qui serait survenue il y a moins d'une heure, à un peu plus d'un kilomètre d'où je me trouve. La femme est étendue sur le chemin de fitness, une piste cyclable, qui suit la rivière. Certains de ses vêtements ont été arrachés, son casque a été découvert à plus de six mètres d'elle. Il y aurait du sang visible. La mort serait consécutive à un coup porté à la tête. Du moins est-ce ce que le premier policier sur les lieux a rapporté à Marino.

— Selon lui, on peut voir où elle s'est débattue, ses mouvements quand on a cogné son crâne contre le sol, ajoute-t-il. On dirait que l'agresseur attendait qu'elle traverse un épais massif d'arbres, qui cache la vue. L'individu s'est jeté sur elle et elle s'est défendue avec l'énergie du désespoir.

Un détail m'a troublée.

— Quel casque, Marino ? La victime était à vélo ?

— Ouais, on dirait qu'elle a été attaquée alors qu'elle

pédalait, répond Marino, et je perçois une sorte d'excitation dans la tension de son débit alors qu'un frisson d'appréhension me parcourt.

Je ne peux m'empêcher de repenser à la rencontre que j'ai faite, d'abord dans le foyer du théâtre puis sur le trottoir de Quincy Street. Brusquement, la jeune femme à l'accent anglais s'impose à mon esprit, à mon grand regret.

— Elle se trouvait sur le chemin qui traverse le parc au milieu, explique Marino. Ça s'est déroulé à l'endroit où y'a une sorte de petite clairière entourée de bosquets d'arbres. Selon moi, tout a été planifié. Un guet-apens, quoi.

— Et donc on a retrouvé son casque à environ six mètres du corps ?

Il s'agit là d'un autre détail, en plus de la rigidité cadavérique, qui défie la logique. Je me demande de quelle couleur il est.

Pourvu qu'il ne soit pas d'un pâle bleu-vert.

— Ouais, c'est ça, confirme Marino.

Je sais d'expérience quelle tonalité adopte sa voix lorsqu'il pense qu'il est sur un coup important.

Pas juste important, d'ailleurs. Plutôt explosif dans le genre terrible. Cette attaque éclair risque de créer une panique parmi le public si on ne la traite pas de façon appropriée. Une sorte de faiblesse m'envahit. Je me souviens de la jeune femme sur son vélo. Elle me regardait, un peu interrogative, alors que Benton lui tendait la bouteille d'eau qu'elle avait fait tomber. Elle avait coiffé son casque avant de s'éloigner, sans se préoccuper d'attacher la mentonnière. Je me souviens avoir vu celle-ci se balancer alors qu'elle rejoignait la rue, traversant le Yard, en direction du Square et de la rivière.

Il devait être approximativement 19 heures, à peine une heure plus tôt, alors que le soleil se couchait. Je songe que si la victime dont me parle Marino est bien la femme que j'ai rencontrée à deux reprises, le sort nous jouerait un tour funeste, presque incroyable. J'en viens à espérer que cette histoire de rigidité cadavérique se vérifiera. Dans ce cas, la victime ne pourrait pas être la jeune cycliste qui portait des Converse.

Pourtant, en dépit de mes tentatives pour dissiper mon malaise, je sais aussi que ce que Marino m'a rapporté à ce sujet est invraisemblable ou alors le policier à l'origine de ce rapport s'est emmêlé les pinceaux. Je ne crois pas possible qu'un cadavre allongé sur la piste cyclable qui traverse le John F. Kennedy Park ne soit pas découvert rapidement. Même avec les conditions météorologiques du moment. Je soupçonne donc que la mort est assez récente et je revois le visage rouge d'effort de la jeune femme et son sourire.

Ce qui ne vous tue pas vous rend plus fort, sa voix résonne dans mon esprit.

— J'ai appelé vos bureaux, poursuit Marino. Rusty et Harold nous rejoignent avec un fourgon.

— J'ai besoin d'un véhicule d'important volume.

— Le MCC, approuve-t-il.

Le véhicule à trois essieux, de près de onze mètres de long, que j'appelle mon poste de commandement, me paraît une bonne idée, à cela près que je ne suis pas certaine qu'on puisse le garer.

— Il va nous falloir une sorte de barricade, dis-je à Marino sans parvenir à gommer le visage de cette jeune femme de mon esprit, ses lunettes de soleil de sport et son sourire assez conquérant.

— C'est ce que j'ai demandé. Merci de vous rappeler à qui vous parlez.

Lorsqu'il était à la tête des enquêteurs du CFC, il avait la responsabilité de notre flotte. D'une certaine façon, il est bien plus au courant que moi de tous les détails techniques de nos opérations.

— Il me faut une installation pour me protéger de la chaleur et des curieux. Et nous aurons besoin de beaucoup d'eau, Marino.

— Ouais, y'a pas vraiment de 7-Eleven dans le coin et le parc est plongé dans un noir d'encre. On est en train d'installer un éclairage de secours.

— Surtout, n'allumez pas encore. La scène deviendrait aussi visible que le nez au milieu de la figure.

— Vous inquiétez pas, Doc. Tout restera dans l'obscurité jusqu'à ce qu'on soit prêt. On fait le maximum pour dissuader les badauds, notamment les connards qui tenteraient de filmer avec leur téléphone. On est entouré de logements étudiants. Eliot House est juste à proximité, de l'autre côté de Memorial Drive, et c'est aussi étendu que le Pentagone, sans oublier la Kennedy School et la circulation sur Memorial Drive. Pour couronner le tout, il y a le pont et de l'autre côté de la Charles River, on a Boston. En d'autres termes, nous n'avons pas l'intention d'illuminer la scène immédiatement.

— On a un nom ?

— On a trouvé un permis de conduire britannique abandonné sur le chemin, non loin de son vélo. Elisa Vandersteel, 23 ans. Bon, si tant est que ça corresponde à cette dame morte. Mais je pense que oui, déclare Marino, et mon humeur s'effondre encore plus. On m'a dit que la photo du document en question lui ressemblait, enfin je n'ai pas de certitude. Je viens juste de m'arrêter devant le Faculty Club. Vous vous ramenez ?

— Où cela au Royaume-Uni ?

Je pose la question alors même que je ne suis pas certaine de vouloir connaître la réponse.

— Londres, je crois.

— Est-ce que vous savez quel genre de chaussures elle portait ?

Je revois les Converse blanc cassé de la cycliste et je suis presque sûre d'avoir aperçu des socquettes, celles qui arrivent sous la cheville.

— Ses godasses ? demande Marino comme s'il avait mal entendu.

— Oui.

— Pas la moindre idée, pourquoi ?

— On se rejoint dans une minute.

10.

Je m'éloigne de la porte et patiente à côté de la table ancienne de l'entrée, sur laquelle trône le somptueux bouquet.

Benton est toujours dans le salon de réception désert, discrètement rencogné à proximité d'une fenêtre, non loin d'un piano demi-queue. Le visage sombre et fermé, le téléphone plaqué à l'oreille, il écoute son interlocuteur. J'aimerais tant lui parler de la cycliste. Lui aussi l'a vue, et peut-être que le pire est advenu.

Cependant, je me garde de me rapprocher. Je sais lorsque je ne dois pas le déranger et je remarque que Mrs. P a rejoint son bureau. Elle me scrute au travers de ses lunettes rondes et démodées. Je lui rends son regard. Elle baisse aussitôt les yeux et ouvre des menus, vérifie l'agencement de leurs pages. Elle se doute que quelque chose ne va pas.

Je ne parviens pas à saisir les phrases que Benton destine à son interlocuteur, quel qu'il soit, mais devine à son ton que ça n'est sans doute pas le même qu'un peu plus tôt. Il intercepte mon regard et je lui indique que je dois partir. Il acquiesce d'un hochement de tête, puis se retourne. Il ne plaque pas la main sur son appareil afin de me demander des précisions, ou de m'éclairer sur la nature de sa conversation. Du coup, je me demande si nous avons vraiment été contactés pour la même affaire.

D'ailleurs, comment serait-ce possible ? À ce stade, je ne parviens pas à voir en quoi un décès local inté-resserait le FBI, celui d'une jeune Londonienne du nom d'Elisa Vandersteel, du moins si l'on en croit la pièce d'identité retrouvée sur place. Néanmoins, la mention d'Interpol par Marino est assez déroutante. Pourquoi a-t-il précisé cela, ou alors peut-être ai-je mal compris ? Quoi qu'il en soit, je ne parviens pas à m'ôter de l'esprit la jeune cycliste au casque bleu-vert et aux Converse qui m'a baptisée la *dame-à-la-tarte-au-beurre-de-cacahouète*.

Certes, il se peut que le permis de conduire découvert n'ait aucun lien avec le cadavre mais la jeune femme avait un accent anglais, peut-être londonien, et mon cœur se serre. J'ai l'impression d'une urgence personnelle, comme si je l'avais bien connue. Comme si j'étais une des dernières personnes à l'avoir vue en vie, à lui avoir adressé la parole.

Je me serine que je ne peux pas être certaine de l'identité de la morte du parc, de la cause de la mort, ou du mobile. J'ouvre la porte et sors dans la chaleur d'étuve du patio plongé dans l'obscurité. Aucun client n'y est attablé. Je remonte l'allée, surveillant les parages à chaque pas. Me parviennent les sons paisibles des insectes nocturnes, les claquements d'ailes surpris d'oiseaux perchés sur les branches que je dérange.

J'écoute les craquements produits par les vieux arbres, les bruissements de la voûte feuillue ou le chant produit par le frottement des ailes d'une sauterelle. Hormis cela, le silence règne, seulement troué par les échos de la circulation qui me parviennent en bourrasques, par vagues successives. Mes pas résonnent doucement sur le chemin de brique, dur et rugueux. J'ai conscience du mur d'air figé, des phares des voitures qui défilent dans Quincy Street.

Je longe les mêmes massifs de fleurs et les rocailles ornementales qu'un peu plus tôt. Pourtant, j'éprouve la sensation d'avoir été parachutée sur une autre planète, d'être entourée par d'étranges étendues de pelouse et par des ombres et des silhouettes imposantes. Rien ne bouge, à l'exception du défilé de véhicules derrière la palissade en lisses. Les lumières des bibliothèques brillent avec parcimonie de l'autre côté de la rue, dans le Yard que j'ai traversé il n'y a pas une heure et demie. J'atteins le trottoir et découvre le SUV de Marino, garé juste derrière l'Audi de Benton.

J'ai l'impression de revivre la même scène lorsque je grimpe dans le véhicule et regarde le pare-chocs de la Batmobile noire illuminée par les pinceaux des phares. À cela près que mon mari n'est plus au volant, à nous regarder dans son rétroviseur. Je contemple l'habitacle vide et sombre et me sens soudain seule.

Benton est toujours au Faculty Club. Je persiste à fixer le bâtiment, dans l'espoir que la porte rouge s'entrouvre, qu'il émerge, nimbé de la lumière de l'entrée, puis qu'il emprunte à son tour l'allée. Rien, aucun signe de lui. Sans doute sa conversation téléphonique n'est-elle pas terminée. Je pense soudain qu'au milieu du chaos, il va en plus devoir s'acquitter de tâches banales, dont régler notre dîner interrompu. J'ai complètement oublié de demander la note avant de sortir.

Je referme la portière et pose ma sacoche à mes pieds. Je vérifie avec Marino les instructions qu'il a communiquées à mes deux techniciens de morgue, Rusty et Harold, notamment ce qu'ils apporteront sur la scène.

Je tire la ceinture de sécurité trois points et l'accroche métallique claque dans son logement que j'ai, comme à chaque fois, dû repêcher enfoui dans le siège. Je m'enquiers :

— Ils sont déjà partis du CFC ? Je vais avoir besoin de vêtements de protection et d'une mallette de scène de crime. Je n'ai rien avec moi, pas même une paire de gants, et nous n'avons pas le temps de faire un saut jusqu'à mes bureaux.

— Détendez-vous, Doc. J'ai tout supervisé.

Il ne s'est pas changé, a juste ôté sa cravate que j'aperçois jetée en boule sur la banquette arrière, petit serpent de polyester.

Il m'est impossible de me relaxer.

— Je vous en prie, garantissez-moi que nous n'allons pas allumer. Si jamais nous branchons les projecteurs, autant envoyer des cartons d'invitation et préparer un communiqué de presse !

— Vous vous souvenez où j'ai bossé ? Vous avez déjà zappé le nom de celui qui s'occupait de tout ça et n'a pas oublié comment on procède ? Votre serviteur ! (Il jette un regard à ses rétroviseurs.) Je connais la marche à suivre. (Ses yeux ne cessent d'aller et venir et il transpire.) Je suppose que Benton ne nous rejoindra pas ?

Marino contemple la silhouette carrée et digne du Faculty Club dont les contours se diluent dans l'obscurité.

Une douce lumière dorée illumine les fenêtres panoramiques à douze carreaux. Je distingue l'intérieur du salon de réception, les sièges de cuir aux lignes masculines, le lustre étincelant, et le piano demi-queue reluisant. Je cherche mon mari du regard, sans succès. Pour rien au monde il ne se planterait devant une fenêtre, à la vue de tous.

— Je ne sais pas ce qu'il compte faire. Il était en communication avec Washington lorsque je suis partie.

— J'ai ma petite idée, rétorque Marino.

Je parierais qu'il est convaincu que l'appel en question est lié à ce qui vient de se dérouler dans le John F. Kennedy Park. Il démarre et je répète :

— Je ne sais pas. J'ignore ce qui se passe. Il a mentionné que l'alerte concernant les menaces terroristes venait d'être renforcée.

Marino allume ses feux de pénétration, mais pas la sirène.

— Y'a un truc qui se trame, Doc. J'vous le dis. Et il ne donne pas d'infos parce que c'est de cette façon que procède le FBI. Peu importe que vous soyez mariée avec eux.

— Je ne suis pas mariée au FBI mais à Benton.

Une rectification que j'ai déjà faite, et ce ne sera pas la dernière fois.

— S'il est au téléphone à cause de l'affaire Vandersteel, il ne crachera jamais le morceau, insiste Marino comme s'il connaissait mon mari mieux que moi. Peut-être qu'il s'entretient avec Interpol, ce qui expliquerait le coup de téléphone que j'ai reçu. En ce cas, ça impliquerait que l'affaire est déjà remontée tout en haut. Et là, bordel, je voudrais qu'on m'explique ! Mais Benton la fermera et vous dira que dalle, sauf si ça l'arrange, parce qu'en ce moment, c'est lui les fédés. Alors désolé, mais vous êtes mariée avec eux. Ou pire, même ? Lui, l'est.

Ses dénigrements habituels de Benton, du FBI ou autre ne m'intéressent pas, surtout en ce moment.

— Vous avez mentionné Interpol à plusieurs reprises. Pourquoi ?

— Ils vous ont pas appelée, hein ?

Il me dévisage, ses yeux marron injectés de sang trahissent la colère.

— Non. Pourquoi l'auraient-ils fait et à quel sujet ?

Je reste perplexe.

Marino tourne sèchement à droite dans Harvard Street. L'itinéraire qu'il emprunte me fera revenir sur mes pas, lors de ma malheureuse promenade de fin d'après-midi.

À cela près que la nuit est tombée, que le quartier de lune et les étoiles semblent souillés par une brume de chaleur qui voile l'horizon depuis des jours, intensifiant les couleurs du crépuscule. Les nuances pastel se sont métamorphosées en coups hargneux de brosse, traînées d'orange criard, de magenta et de rose profond.

— Je commence par le commencement, et dans le détail, lâche Marino. En fait, j'étais en route pour le CFC.

Son visage est empourpré, ses yeux écarquillés. Il fonce et dépasse des immeubles d'habitation, une librairie, une banque, un café et d'autres commerces, maillons d'une chaîne lumineuse un peu floue, qui s'étire de chaque côté de la rue à deux voies.

— Pour quelle raison ?

— Parce que Lucy et moi tentions de découvrir un truc, n'importe quoi, pour comprendre l'appel bidon passé par un individu qui utilise des logiciels modificateurs de voix, déclare-t-il, répondant ainsi à certaines de mes questions.

Sans surprise, ma nièce a remarqué la subtile mais dérangeante uniformité de ce qui semble être un clip audio réalisé après altération vocale. Sans doute en a-t-elle discuté avec Marino et aussi avec Benton.

— Elle est dans son labo, précise Marino. Du moins s'y trouvait-elle juste avant que je vous appelle.

— Et ensuite ? (Je l'interroge alors que nous traversons à vive allure le campus d'Harvard.) Donc, vous vous retrouvez au centre. Qu'est-ce qui s'est passé ensuite ?

Il y a plus de badauds en cette heure tardive, sur les trottoirs, dans le Yard. Cela n'a cependant rien de comparable avec les foules habituelles, l'animation de Cambridge dont j'ai toujours affirmé qu'il s'agissait d'une version concentrée des grandes métropoles du monde, avec tous les problèmes et les avantages que cela sous-entend.

— C'est à ce moment-là que j'ai reçu l'appel de Clay, ajoute Marino.

— Je le connais ?

— Tom Barclay.

— L'enquêteur ?

— Ouais.

— Je vois.

Cela change la donne. Je jette un regard par la vitre de ma portière. Le parc et la rivière ne sont plus qu'à quelques minutes de route. D'ici, j'aperçois la Widener Library avec son dôme vert-bleu et le département de linguistique, bâti de pierre et surmonté d'un toit d'ardoise. Je suis à la fois surprise et perturbée par ce que vient de me révéler Marino. Si Tom Barclay est la source de nos informations, on peut le déplorer.

— Je vois, je répète. En d'autres termes, un policier en patrouille ne s'est pas présenté en premier sur les lieux.

— Non. C'était Clay.

Clay, autrement dit l'enquêteur Barclay, a récemment été transféré du service des atteintes aux biens à l'unité des enquêtes criminelles.

Je n'ai pas travaillé directement avec Barclay, mais un de mes médecins légistes a collaboré sur une enquête avec lui il y a quelques jours et s'en est plaint. Barclay est bien trop sûr de lui et incapable de la fermer. Sans doute a-t-il reçu une formation aux techniques de scène de crime à l'académie. Pourtant, ça ne lui donne pas l'expérience suffisante pour identifier et interpréter des artefacts comme la *rigor* ou la *livor mortis*, ou les autres altérations qui surviennent après la mort. Des connaissances sommaires peuvent devenir dangereuses chez un flic qui a pris la grosse tête.

— Ce détail au sujet de la rigidité cadavérique est gênant et troublant.

Je hausse la voix pour couvrir le vrombissement du moteur alors que Marino file à vive allure.

— Il a déjà vu des cadavres auparavant.

— Pas tant que ça.

— Quelques-uns, quand même. Il devrait être à même de reconnaître certaines modifications *post-mortem* évidentes. Et on peut espérer qu'il ne les confond pas, ni ne les décrit de manière erronée. Quelle étrange erreur d'affirmer que la *rigor mortis* s'installe déjà chez cette femme alors que c'est impossible. De surcroît, il ne devrait pas vous communiquer d'informations afin que vous me les relayiez. Tout cela laisse des traces, le genre de traces dont il se peut que nous souhaitions un jour qu'elles n'aient jamais existé.

J'insiste sur le mot *trace*. En effet, que Marino me rapporte ce que l'inspecteur Barclay lui a confié pourrait devenir problématique s'il existe une trace écrite de ses propos, et pire si elle est diffusée. La morte et tous les indices biologiques qui y sont associés sont placés sous ma juridiction, ce qui signifie que je suis présente à titre officiel.

Je ne viens pas en tant que femme de Marino, sa mère, une amie ou une partenaire, encore moins son mentor ou sa pote, et aujourd'hui, si peu de choses demeurent encore privées. Malheureusement, les informations que nous échangeons ne rentrent pas dans la catégorie de discussions entre amis dont la confidentialité pourrait être protégée. On peut nous demander n'importe quoi après nous avoir fait prêter serment.

— Clay est nouveau. Il a jamais bossé sur un homicide et il se trouve génial. À part ça, je ne vois pas très bien ce que je pourrais vous dire, hésite Marino. Je suppose qu'on le découvrira nous-mêmes. Je répète qu'il a dit qu'elle était raide. Il l'a touchée et elle semblait aussi raide qu'un mannequin de magasin. Voilà ce qu'il m'a raconté.

— En tout cas, s'il avait un doute, j'aurais préféré qu'il se taise. C'est encore pire lorsqu'un enquêteur fait ce genre de rapport.

C'est en effet fâcheux, et pourrait nous revenir en pleine figure à la manière d'un boomerang.

— Je sais, Doc. C'est pour ça que je n'arrête pas de lui répéter, et aux autres, de réfléchir avant de l'ouvrir et de faire gaffe à ce qu'ils écrivent, expédient par e-mail, ou postent sur ce foutu Facebook.

Les lumières stroboscopiques rouges et bleues du SUV sont réfléchies par les panneaux de signalisation, par les fenêtres des immeubles et les voitures que nous dépassons dans Harvard Square. Je reviens au sujet précédent, Interpol :

— Pourquoi vous ont-ils appelé ?

— La question à un million de dollars.

— Et ça remonte à quand ?

— Attendez, je rembobine le film afin que vous puissiez apprécier le timing, ironise Marino. D'abord, je reçois l'appel de Clay. J'annonce à Lucy que je dois filer et je me dirige vers le rez-de-chaussée...

— Vous étiez donc dans le laboratoire de ma nièce, en sa compagnie, lorsque l'enquêteur Barclay vous a joint ?

Marino acquiesce d'un hochement de tête, m'explique qu'il venait juste d'arriver, et qu'ils commençaient à analyser l'enregistrement de la plainte au numéro d'urgence.

— Et donc, la sonnerie de mon téléphone retentit : Barclay. Il m'annonce qu'il se trouve sur une scène d'homicide dans le John F. Kennedy Park, non loin de la berge de la Charles River.

— Il a vraiment utilisé le terme *homicide* ? Ça aussi, j'aurais préféré qu'il s'abstienne.

— Il m'a dit que ça ressemblait à une tentative d'agression sexuelle, et que la victime avait été battue à mort.

— C'est à se demander pourquoi vous vous êtes cassé la tête pour venir me chercher ! À l'évidence, il semble ravi d'effectuer le travail à ma place. Pourquoi, diable, ai-je fichu mon dîner en l'air ?

Les flics tels que Barclay peuvent générer des problèmes à n'en plus finir. Il va falloir que j'aie une petite discussion avec lui avant la fin de la nuit.

— Ouais, il m'énerve, moi aussi, admet Marino. Vous avez pas idée. En voilà un qui est infoutu de réfléchir avant d'agir. Jamais ça ne lui traversera l'esprit qu'il n'est peut-être pas un fichu expert dans les domaines qu'il croit connaître.

— J'espère qu'il n'offre pas ses opinions et supputations à la cantonade, dis-je, parce que c'est comme ça que les rumeurs les plus infondées se répandent. Revenons-en à Interpol. Racontez-moi cet appel.

— Comme je vous disais, Clay m'a demandé de le rejoindre sur la scène de crime. Ensuite, il a voulu savoir s'il pouvait vous contacter et je lui ai répondu que je m'en chargerais. Donc, j'ai quitté le labo de Lucy, pris l'ascenseur jusqu'au rez-de-chaussée et j'étais en train de rejoindre ma voiture garée sur le parking lorsque mon téléphone a sonné à nouveau, braille Marino, dans l'espoir de couvrir le bruit du moteur.

— Et cette fois-ci, reprend-il, il s'agissait d'un numéro liste rouge. Vous savez, quand une série de zéros s'affiche sur l'écran ? Genre, lorsque la présentation des numéros est bloquée et que la personne qui tente de vous joindre n'est pas enregistrée sur votre liste de contacts. Du coup, j'ai répondu : Washington D.C. en ligne.

11.

— C'était Interpol, affirme Marino, péremptoire.

Les voitures nous laissent le passage.

— Je ne vois pas trop comment vous pouvez en être certain. Vous dites que le numéro d'appel ne s'est pas affiché.

— Le type en question s'est présenté comme un enquêteur de leur antenne de Washington, le NCB, et a expliqué qu'il cherchait à entrer en contact avec Peter Rocco Marino du département de police de Cambridge.

Le quartier général d'Interpol pour les États-Unis, le National Central Bureau, ne rend compte qu'à l'attorney general. Ni le NCB, ni le siège international d'Interpol en France ne se préoccuperaient d'une affaire américaine, hormis s'ils soupçonnaient des ramifications criminelles en dehors de nos frontières. Ce raisonnement me ramène à la jeune cycliste avec l'accent anglais dont j'espère, à nouveau, qu'elle n'est pas morte.

Je revois le casque, la mentonnière qui se balançait et regrette de ne pas être intervenue. J'aurais dû lui conseiller de l'attacher.

— J'ai demandé au gars du NCB le motif de son appel. Il a répondu que c'était en relation avec l'affaire qui se préparait dans le parc, non loin de la rive.

— Il a vraiment prononcé ces mots *l'affaire qui se préparait* ?

Je suis vraiment déconcertée.

— Juré craché. Et alors là, je me dis : mais qu'est-ce que c'est que ces conneries ? De quelle affaire il parle ? Comment il saurait qu'on a découvert un cadavre à Cambridge, dans ce parc ?

— J'avoue que je suis dans le brouillard...

— Je lui ai ensuite demandé comment il était informé d'une situation, quelle qu'elle soit, dans le coin, m'interrompt Marino. Sa source ? À quoi, il a répondu qu'il s'agissait d'une info confidentielle.

— Je ne comprends rien. Comment imaginer qu'Interpol vous contacte par rapport à Elisa Vandersteel, si tant est qu'il s'agisse bien de la défunte ? Son nom a-t-il été mentionné ?

Cette histoire est insensée.

— Non, mais il a mentionné une mort violente. *Une mort violente avec des conséquences internationales*, ce sont ses termes, pour expliquer l'implication d'Interpol, précise Marino.

— Dans le cas d'Elisa Vandersteel, ce ne serait pas faux puisqu'elle n'est pas américaine. Encore une fois, si le permis de conduire appartient à la morte.

— J'ai eu le sentiment que c'était à ça qu'il faisait allusion. Et qu'il en avait eu connaissance.

— Alors là, il faut m'expliquer de quelle façon. C'est bien la première fois que je vois un truc pareil ! Les médias locaux ne sont même pas encore sur le coup. L'information a-t-elle été relayée sur Internet sans que je le sache ? Comment Interpol pourrait-il avoir connaissance d'un décès avant que je me sois rendue sur les lieux ou que j'aie appelé un médecin-légiste ?

— J'ai demandé à Lucy si des détails avaient filtré sur Twitter, ou ailleurs, après avoir mis fin à ma conversation avec l'enquêteur en question. À notre connaissance, rien sur l'affaire Vandersteel. Si c'est elle. Mais vous avez raison. Il semble qu'Interpol ait eu vent de la mort avant nous et je trouve ça dingue aussi.

La radio portative de Marino se recharge, plantée dans son support sur le tableau de bord, et je me fais la réflexion qu'elle reste bien silencieuse. Si muette que je l'avais oubliée avant que mon regard ne tombe dessus. Aucune mention sur les ondes qu'un cadavre nous attend dans le parc. J'en reviens à mon incompréhension :

— Enfin, comment des enquêteurs ou des analystes d'Interpol auraient-ils appris qu'on avait découvert un corps dans un parc de Cambridge il y a environ trente minutes ? Désolée, mais quelque chose ne colle pas, Marino. De plus, ce n'est pas le processus habituel. Ce sont les forces de police locales qui requièrent une aide parce qu'elles soupçonnent des implications internationales...

— Je sais comment ça fonctionne, m'interrompt-il à nouveau. Vous pensez que j'en suis à mon premier foutu rodéo ?

— Franchement, je ne me souviens pas d'avoir entendu qu'Interpol était à l'initiative d'un contact au sujet d'un homicide dont presque personne n'est au courant. D'ailleurs, là aussi, nous ignorons s'il s'agit bien d'un homicide... Tout comme l'identité de la victime. En bref, nous n'avons aucune fichue certitude !

— Moi, ce que je sais, c'est que l'enquêteur qui m'a contacté a déclaré appartenir à la division anti-terroriste. Il avait été informé que nous nous retrouvions avec une affaire, résume Marino en utilisant encore ce mot. Une mort avec des conséquences internationales. À sa façon de formuler les choses, j'ai eu l'impression qu'il évoquait un machin terroriste. Bordel, je regrette de ne pas avoir d'enregistrement de notre discussion.

— Mais d'où vient l'information ? Juste parce qu'on a découvert une pièce d'identité britannique sur une piste cyclable ? Et comment cet enquêteur l'aurait-il appris, à moins d'imaginer que Barclay l'ait tuyauté ? C'est absurde !

— Quand je lui ai demandé comment il pouvait être au courant d'un truc survenu à Cambridge et pourquoi il m'appelait en direct, il a précisé qu'ils avaient reçu un mail qui mentionnait mon nom et mon numéro de téléphone.

Marino fixe la route qui défile. Il en vient à penser comme moi, toutefois, ne l'admettra pas. Mais je ne lâcherai pas. Je sais comment les choses doivent se dérouler, et Marino a été dupé.

— Encore une fois, Interpol ne fonctionne pas de cette manière. De plus, ils ne recrutent pas des Madame Irma avec une boule de cristal pour prédire les affaires avant que quiconque, ou presque, en soit informé. Il est hautement improbable, pour ne pas dire impossible, qu'ils aient appris qu'une femme était morte de façon violente avant même que nous n'ayons approché le corps.

Je regrette aussitôt mes mots. Il y verra une insulte et ce n'est pas ce que je souhaite.

— Ben ouais, mais moi j'suis pas le grand pote du secrétaire général, me balance Marino d'un ton sarcastique. Peut-être que vous devriez l'appeler pour lui demander comment ils se sont démerdés pour découvrir les faits à cette vitesse.

J'ai déjà visité, à de nombreuses reprises, le quartier général d'Interpol à Lyon, en France. Je suis maintenant en termes amicaux avec le secrétaire général Tom Perry, un Américain, ancien étudiant de la prestigieuse Rhodes University, un ancien directeur du National Institute of Justice, et un véritable esprit universel.

J'ignore la pique de Marino, m'efforce de garder une voix aimable parce que je ne veux pas me disputer avec lui et réplique d'un ton neutre :

— Je m'y résoudrai si besoin. Et où en êtes-vous arrivés ?

— L'enquêteur a dit que le quartier général de Washington, le NCB, avait été contacté sans vouloir révéler par qui. Il a souligné qu'il s'agissait d'informations classées « secret », la même connerie que celle que j'utilise tout le temps. Du coup, ça m'est un peu sorti de la tête, explique Marino.

Pourtant, je sens que cela tourne dans son esprit.

— Cela m'évoque de plus en plus la plainte abusive au numéro d'urgence.

Je le souligne, dans l'espoir qu'il établisse les mêmes connexions que moi. Je préférerais qu'il parvienne seul à la conclusion qui s'impose, de sorte qu'il ne se retourne pas contre le messager, moi en l'occurrence.

— Ouais, et le type toussait.

— Qui ça ?

— Le mec d'Interpol a toussé à plusieurs reprises et je me souviens que je me suis demandé s'il avait un rhume. Maintenant que j'y repense, l'abruti qui a fait un signalement bidon à votre sujet toussait aussi.

Je perçois chez le grand flic une sorte de tristesse mâtinée de dureté. Son visage a viré au rouge brique et je devine l'accélération de son pouls sous la peau de son cou.

— J'en viens à penser que la personne qui a assassiné Elisa Vandersteel s'est anonymement dénoncée à Interpol parce que ce tordu veut que la planète entière soit au courant, déclare-t-il alors d'une voix forte pour couvrir le vacarme de son moteur. En plus, je me demande qui d'autre a été mis au parfum.

Il s'agit peut-être de la plus grande inquiétude de Marino. Pas de la mienne.

Plus sa colère enfle, plus je m'efforce au calme.

Néanmoins, j'ai bien davantage l'habitude des affaires aux prolongements internationaux que lui et je connais les procédures et les formalités qui s'y attachent. Je persiste donc :

— Il existe nécessairement une source. Un policier a-t-il joint Interpol ? En d'autres termes, un autre flic a-t-il prévenu le NCB à Washington à propos des événements de Cambridge ? En ce cas, il n'existe aucune raison pour que cela devienne une information classifiée.

— Pas la moindre idée, mais c'est clair que quelqu'un a raconté quelque chose à une tierce personne, beugle presque Marino à cause du rugissement de son moteur. Bordel, non, ça peut pas être Barclay. Jamais il ne prendrait cette initiative sans m'en informer avant. J'peux même vous dire que ça ne lui traverserait pas l'esprit !

— Interpol se montre toujours très vigilant. Ils n'échangent jamais tant qu'ils n'ont pas authentifié et validé l'identité de leur interlocuteur.

Je continue à marcher sur des œufs afin de l'amener peu à peu à une vérité désagréable.

— Je crois pas qu'il s'agissait d'un appel téléphonique. Ils auraient reçu un mail, répète Marino.

L'hideuse réalité qu'il ne tardera pas à découvrir va le mettre dans une fureur noire. Plongée dans la pénombre de l'habitacle, je détaille la courbe de son gros crâne rasé, la ligne puissante de son nez et la crispation de ses mâchoires lourdes.

— La façon la plus simple et rapide de leur communiquer quelque chose, c'est par e-mail, embraye-t-il. Les formulaires et tout le reste se trouvent sur Internet, sur leur site. Super simple mais, bien sûr, ça devient traçable.

— Dans ce cas – et je le souligne avec insistance –, le quartier général d'Interpol à Washington devrait être capable de détecter si un tuyau envoyé par mail est frauduleux. Le NCB devrait savoir si ce signalement n'émane pas d'un membre des forces de l'ordre ou de quiconque autorisé à rapporter un incident ou une menace.

Marino n'apprécie pas le cheminement de ma pensée.

— Bon sang, on peut l'espérer !

Je le sens sur la défensive, ce qui ne m'étonne pas parce que, au fond, il sait ce qui va lui tomber dessus. Il aurait dû parvenir aux bonnes déductions avant moi. Mais les vérités sont parfois cinglantes. Il faut plus de temps pour les admettre.

— Peut-être Interpol a-t-il aussi été contacté par une personne non légitimement autorisée à le faire. Tout comme vous.

Il feint de ne pas comprendre ce que je viens de suggérer.

— Enfin, l'enquêteur qui m'a téléphoné aurait pu préciser qu'ils n'étaient pas certains que le tuyau soit fiable, que peut-être un fondu nous menait en bateau, lâche Marino. (Il paraît maintenant vexé mais continue à balayer ce que je viens juste de lui dire.) Bon, j'ai pris ce qu'il me racontait pour argent comptant.

— Et vous êtes certain qu'il s'agissait vraiment d'un enquêteur d'Interpol ?

J'avance à petits pas, pour mettre Marino en face de la réalité que je soupçonne, et il reste silencieux.

Pour emprunter son langage habituel haut en couleur, il y a baleine sous roche. J'essaie de savoir avec qui il s'est vraiment entretenu parce que tout me porte à croire qu'on s'est fichu de lui dans les grandes largeurs. Du moins est-ce ainsi qu'il va le traduire. Je reprends :

— En fait, qu'est-ce qui vous fait croire que vous étiez vraiment en ligne avec Interpol ?

Je sens qu'il devient aussi obstiné qu'une mule. Enfin, il déclare :

— Bon, ben, la seule façon d'en avoir le cœur net, c'est en rappelant ce connard.

Il récupère son mobile posé sur ses cuisses. Il le déverrouille et me tend l'appareil, non sans réticence, comme s'il m'offrait un indice très incriminant qui risque de le propulser dans des ennuis à n'en plus finir.

— Ouvrez mon bloc-notes électronique. Vous trouverez le numéro. Cliquez sur l'appli pour voir où j'ai tapé ce qu'il m'a dit, m'ordonne-t-il, les yeux fixés sur la route, sans même cligner des paupières.

— Pardon ? Il voulait que vous le rappeliez pour lui résumer ce que nous allons découvrir ?

— Qu'est-ce que j'en sais, bordel ! Il m'a filé un numéro et m'a demandé de le tenir informé. Il a précisé qu'on reprendrait contact demain.

Ça ressemble de plus en plus à un mauvais canular, une raillerie malfaisante.

J'ai travaillé en étroite collaboration avec Interpol durant toute ma carrière. Nous avons toujours fonctionné dans une relation cordiale parce que dès qu'on baigne dans la violence et la mort, le monde se réduit à un mouchoir de poche. Et il se rétrécit sans cesse. Je m'occupe de plus en plus, ici, de cadavres, plus ou moins anonymes, de gens ou de fugitifs qui ont disparu alors que leurs noms étaient fichés de différentes couleurs par l'agence de police internationale.

Je suis également chargée de décès d'Américains survenus à l'étranger et, parfois, un défunt se révèle être un agent en mission confidentielle ou un espion. Je me débrouille très bien avec le ministère de la Justice, le Pentagone, la CIA, le Conseil de sécurité des Nations-Unies et les différentes forces internationales de police sans oublier les tribunaux concernés. En bref, ce que me raconte Marino ne tient pas debout.

Je prends connaissance de ce qu'il a tapé, un numéro de téléphone assorti du code zone de Washington et demande :

— Et donc, vous voulez que je rappelle ?

— Pourquoi pas ? souffle-t-il.

J'ai le sentiment qu'il est sur le point d'exploser. Je contemple le numéro sur son bloc-notes électronique.

— Non, c'est votre téléphone.

— Arrêtez de penser à la manière d'un foutu avocat. Appelez ! Autant éclaircir ça, et on écoutera tous les deux par les haut-parleurs. Voyons voir si l'enquêteur répond.

— Vous ne m'avez pas communiqué son nom. Qui demanderez-vous ?

— John Dow, comme dans Dow Jones, crache Marino entre ses mâchoires crispées.

— Et pas plutôt, John Doe, bref, n'importe qui ?

— Non, il a prononcé ça « daow », donc je l'écrirais Dow. J'en suis presque certain.

Le cramoisi de ses joues descend vers son cou.

Je clique sur le numéro et choisis l'option *appel*. Je patiente quelques instants avant d'être connectée. La sonnerie retentit, puissante, par l'intermédiaire des haut-parleurs intercom du SUV.

— Merci d'avoir appelé le Hay-Adams. Crystal à l'appareil, à votre service, répond la voix d'une femme.

— Allô ?

Le visage d'abord indéchiffrable de Marino se contracte en l'espace d'une seconde sous l'effet d'une fureur meurtrière. Il exige :

— Le Hay-Adams ? L'hôtel ?

Il tourne son visage défiguré de colère vers moi et articule sans un son : *c'est quoi ce bordel ?*

— En effet, vous avez appelé le Hay-Adams de Washington D.C. Comment puis-je vous aider, monsieur ?

— Eh bien, ce serait gentil de me confirmer votre numéro d'appel. J'ai peut-être fait une erreur, déclare Marino.

Après une pause, la femme récite le même numéro que celui qui se trouvait dans le bloc-notes.

— Merci, toutes mes excuses, lance Marino avant d'interrompre la communication. Enfoiré de merde ! éructe-t-il en abattant sa main large comme un battoir sur le volant.

Il a recopié le numéro du standard de l'hôtel, celui communiqué par quelqu'un qui s'est prétendu enquêteur d'Interpol de la division antiterroriste. C'est pire qu'une coquille ou même un mauvais renseignement délibérément fourni et moqueur. C'est personnel, et la cible n'en est pas seulement Marino. Il se peut d'ailleurs qu'il ne soit pas visé, mais le moment n'est pas idéal pour le lui dire. Le Hay-Adams ne signifie rien pour lui, et je doute qu'il y ait jamais séjourné.

En revanche, l'hôtel se dresse non loin du Capitole, de la Maison-Blanche, et il est pratique pour ceux qui fréquentent le quartier général du FBI, mais également son académie et son unité d'analyse du comportement en Virginie du Nord. Benton et moi optons en priorité pour le Hay-Adams lors d'une visite à Washington. Notre dernier séjour remonte à quelques semaines, un déplacement de travail mais également de loisirs. Nous en avons profité pour visiter des musées. Benton avait des réunions à Quantico pendant que je m'entretenais avec le général Briggs de notre présentation au sujet de la navette spatiale, présentation qui doit se tenir à la Kennedy School.

Je fouille dans mes souvenirs, tentant de faire remonter un événement un peu inhabituel survenu durant ce court séjour. Rien de très extraordinaire ne me revient. J'avais du travail, tout comme mon mari. Nous passions d'un bureau à l'autre, afin de rencontrer pas mal de gens. Durant la dernière soirée, nous avions dîné avec Briggs et sa femme au Palm, dont les murs sont couverts de dessins humoristiques.

Nous étions installés dans un box, environnés par des représentations d'icônes : Nixon, Spiderman, Kissinger, Denis la Malice, si ma mémoire est exacte.

12.

Des sirènes hurlent. Un véhicule de patrouille de Cambridge opère un virage à gauche en épingle à cheveux et débouche dans un crissement de pneus de Winthrop Street pour se retrouver derrière nous. Les éclairages d'urgence et les feux de pénétration brillent, véritable sons et lumières, le long de la John F. Kennedy Street, et les autres conducteurs ralentissent ou se rabattent pour nous céder le passage.

— Merde, merde, merde ! Foutu fils de pute !

Le chapelet d'injures de Marino est intarissable.

Il n'arrête pas de surveiller ses rétroviseurs et je me plaque contre le dossier de mon siège, en espérant que nous éviterons l'accident. En réalité, notre vitesse n'est pas aussi excessive qu'elle paraît, mais porte sur les nerfs. Marino est d'une humeur de dogue à cause de l'appel qu'il vient de passer au Hay-Adams Hotel. Il est bien rare qu'il aborde une scène de crime à la manière d'une urgence. En général, les éclairages et les sirènes de police sont superflus. Le plus souvent, il est trop tard pour que nous puissions prévenir ou sauver quoi que ce soit. Mais aujourd'hui, il est impatient, agressif, et sa fureur l'aveugle.

— Bon Dieu, mais qui c'était ? Hein, avec qui j'étais au téléphone un peu plus tôt ?

Il n'a cessé de répéter cette question depuis qu'il a pris congé de Crystal. Il n'y a rien que je puisse dire, d'autant que je sais lorsqu'il est préférable que j'écoute. Il faut que Marino laisse libre cours à sa colère, ensuite il se calmera. Il n'en demeure pas moins que celui qui s'est fichu de lui payera tôt ou tard l'addition, et elle sera salée. Ça prendra peut-être des années. Parfois, le grand flic n'a obtenu sa revanche que des décennies plus tard.

— Je peux pas y croire ! Bordel, non, je peux pas y croire ! Et qu'est-ce qu'il fout, Roberts ? C'est quoi cette merde ? fulmine Marino. (Il regarde dans son rétroviseur central le véhicule de police qui nous suit, gyrophares étincelants et sirènes hurlantes.) Vous m'avez entendu demander de l'aide ? Vous m'avez entendu réclamer des renforts ou me mettre à glapir *Mayday* ?

Il me jette un regard furibond et crie presque. Je reste silencieuse, le dos enfoui confortablement dans le dossier, la ceinture de sécurité en place. Je contemple les pulsations des gyrophares dans le rétroviseur latéral, attendant qu'il s'apaise.

Il répond à ses propres questions d'une voix exaspérée :

— Non, j'le crois pas ! C'est ce que j'appelle jouer aux gendarmes et aux voleurs. Ce crétin de Roberts s'est mis sur son trente-et-un, sauf qu'il est invité nulle part parce que j'ai pas besoin de sa foutue aide !

Le regard de Marino ne cesse de surveiller le rétroviseur et les muscles de ses mâchoires se crispent rythmiquement. Il arrache la radio de son chargeur.

— Unité trente-trois ! beugle-t-il, la radio contre les lèvres, crachant presque tant il est hors de lui.

— Trente-trois, à vous.

— Demande à un-soixante-quatre de me contacter, s'il te plaît.

Son ton s'est fait plus aimable, poli, avec une nuance de tendresse alors qu'il s'entretient avec la répartitrice qu'il nomme Rosie.

— Entendu, trente-trois, répond-elle, en adoptant à son tour des inflexions différentes, ce qui m'irrite un peu.

Marino aime les femmes. Même s'il n'a jamais su quoi en faire hormis, bien sûr, les draguer, parfois de façon lourdingue, se la jouer, se faire mener par le bout du nez et, en général, suivre les impulsions de son *moindre membre* ainsi que le décrit Lucy sans grande délicatesse. Aucune de ses relations amoureuses n'a jamais duré très longtemps, pas même avec son ex-femme, Doris. À mon avis, il ne s'est jamais vraiment remis de leur séparation. Nous nous sommes brouillés plus d'une fois à cause de son attitude vis-à-vis de moi, gravement, presque de façon irréparable.

Je repense à son flirt avec ma sœur à Miami. Benton affirme que quelque chose s'est noué entre eux, lors de notre récent séjour, il y a quelques mois, et je ne comprends pas comment j'ai pu passer à côté des signaux. Il replace la radio dans son chargeur alors que Rosie transmet le message à l'unité 164.

Je consulte mon téléphone pour savoir si des précisions sur l'heure d'atterrissage de ma sœur à Logan me sont parvenues. Alors que je m'apprête à envoyer un message à Lucy en lui expliquant que je ne pourrai pas rejoindre l'aéroport à la lumière des récents événements, je suis à nouveau distraite lorsque la sonnerie du téléphone de Marino résonne dans les haut-parleurs du SUV.

— Qu'est-ce que je peux faire pour toi ? Qu'est-ce qui se passe ?

Une voix mâle envahit l'habitacle et l'officier Roberts me paraît bien excité et largement trop jovial.

— Ce qui se passe, c'est toi, balance Marino d'une voix qui n'a rien de cordial. Tu me colles aux fesses et j'ai besoin que tu dégages et que tu te barres vite fait, poursuit-il, mauvais.

— Ah, ça te va bien, alors que tu scintilles comme un arbre de Noël. Tu sais ce qu'on dit : le singe voit, le singe fait, rétorque l'unité 164 qui a l'air de s'amuser comme un petit fou.

Marino l'interrompt, la voix tendue de colère :

— Éteins ces foutus gyrophares et ta sirène de merde, Roberts ! Si j'ai besoin d'un foutu pantin, sois certain que tu seras le premier que j'appellerai, lui balance-t-il d'un ton sec.

S'il avait un ancien téléphone à la main, je suis sûre qu'il lui raccrocherait au nez d'un geste hargneux. C'est impossible. Il enfonce un bouton sur le volant pour mettre un terme à la diatribe de Roberts.

— À quel appel a-t-il répondu, Marino ? Je n'ai rien entendu à la radio qui puisse suggérer que nous nous rendons sur une possible scène de crime dans le parc.

— Il sait qu'un truc majeur se passe. Peut-être pas quoi au juste, mais tout le monde dans les parages se doute qu'un machin important a surgi. Le silence radio est délibéré, et puis brusquement, il me voit passer. Du coup, il se lance derrière nous, grogne Marino.

Je lui rappelle qu'allumer ses lumières d'urgence n'était pas la meilleure idée. Rien de tel pour attirer l'attention.

— Ouais, mais ça signifie pas qu'il a le droit de me coller au train comme à la parade. C'est pas une foutue garden-party, ni un match, remarque Marino d'une voix très forte. Tout le monde veut être un foutu détective jusqu'au jour où ils se retrouvent enfouis sous la pape-rasse, doivent se colleter les avocats, être traînés en procès, appelés à n'importe quelle heure du jour et de la nuit, et toute la merde qu'il faut se cogner.

Le rétroviseur latéral me renvoie l'image de la voi-ture de patrouille qui se laisse devancer. Les gyro-phares rouges et bleus s'éteignent, et le vacarme de la sirène meurt dans un murmure. L'unité 164 ralentit et oblique à gauche dans South Street. Quant à nous,

nous filons, inondés par les pulsations lumineuses du SUV de Marino, sirène branchée cette fois, et longeons une file de restaurants, de cafés, de tavernes et de bars à bière illuminés.

— Après tout, peut-être que c'était vraiment Interpol, réfléchit Marino. (Fort heureusement, je possède une grande habitude de ses sophismes, pour ne pas dire de ses non-sens.) Peut-être que je me suis trompé en notant le numéro. Si ça se trouve, ça se résume à ça.

Il tente d'expliquer l'appel bidon passé par un enquêteur bidon mais je ne laisserai pas faire :

— J'en doute, Marino. Je suis désolée d'enfoncer le clou, mais, selon moi, l'appel que vous avez reçu est exactement ce qu'il semble être. J'ai conscience que c'est crispant.

Je n'ajouterai pas que j'ai vécu la même chose lorsque Benton m'a passé l'enregistrement de la plainte au numéro d'urgence, celui que Marino avait refusé de me communiquer.

Je ne sais que trop ce que l'on ressent quand on est accusé de façon fallacieuse, exclu, rabaissé, traité avec méfiance, ou harcelé. Cependant, lorsque Marino est contrarié, voire bouleversé, il ne se donne pas nécessairement la peine d'écouter les autres, y compris moi. Il n'y a plus que ce qu'il ressent qui compte. C'est lui qui importe.

— Attendez un peu que j'aie ce tocard entre les pattes, enrage-t-il de nouveau. Comment ce type a-t-il pu récupérer mon nom et mon numéro de téléphone portable ? Où a-t-il déniché ces informations ? Comment savait-il qu'il pouvait m'appeler au sujet de cette femme dans le parc ?

— Je l'ignore.

J'ai l'impression que mon aveu d'ignorance se répète à l'infini.

— Eh ben, c'est ça le point majeur, le plus énorme que nous devons éclaircir. Qui a filé l'info à ce papier-cul !

— Ce n'est sans doute pas le plus important en ce moment.

Je le dévisage, et je déteste que quelqu'un l'ait pris pour cible de cette manière. Je connais bien le fonctionnement de Marino. Il ne supporte pas d'être responsable d'un fiasco. Il ne peut pas tolérer de se retrouver diminué, impuissant, sans importance, souvenir de son enfance du mauvais côté de la barrière, dans l'État du New Jersey.

— Écoutez, le mieux ce serait que vous mettiez ça dans votre poche avec votre mouchoir par-dessus pour l'instant. Nous nous préoccuperons d'Interpol plus tard. Dès que vous aurez un moment, je suggère que vous demandiez à Lucy d'examiner votre téléphone. Peut-être sera-t-elle capable de tracer cet appel, supposément de la division antiterroriste du NCB.

— Ouais, approuve-t-il, laconique, et je sens qu'il est furieux contre lui-même.

Marino s'est fait mener en bateau et cela aura des conséquences fâcheuses si d'autres flics l'apprennent.

Je pense à des types comme Roberts, par exemple, que Marino vient juste d'émasculer. La façon qu'il a de tomber sur ses collègues lui reviendra en pleine figure si jamais ils découvrent qu'il s'est fait rouler comme un bleu. Ils seront sans merci et ça n'est pas une plaisanterie. Il n'y a rien de drôle là-dedans. Il n'est pas exclu que Marino se soit fait duper par le même individu anonyme qui s'est plaint de mon comportement au numéro d'urgence un peu plus tôt, en se défilant derrière un logiciel modificateur de voix, selon toute évidence.

Et si Marino avait eu Serrefile Charlie en ligne ? Et si Elisa Vandersteel était bien la femme morte, assassinée, et que le grand flic se soit entretenu avec son tueur ? Qui peut le dire, à ce stade ? Quoi qu'il en soit, je suis certaine qu'il ne s'agissait pas d'Interpol. Je vais droit au but en lui conseillant de lâcher le morceau pour l'instant. Avec ce qui nous attend, peu importent les vexations ou les hontes personnelles. Nous n'avons pas d'énergie à gaspiller.

Alors que nous fonçons dans Cambridge dans une débauche d'éclats de lumière aveuglants et de beuglements de sirène, je lève la voix pour couvrir le tapage :

— Procédons ainsi. C'est une journée pourrie, mais nous avons déjà affronté pire, bien pire. Mon Dieu, depuis combien d'années ? Pourtant nous sommes toujours là, debout. Nous trouverons la solution, comme d'habitude.

— Alors ça, c'est la foutue vérité ! s'exclame-t-il. J'arrive pas à croire que ça ait pu se produire.

Je sens qu'il se calme un peu, non sans morosité. Il retrouve un peu de solidité.

— Ça peut arriver à n'importe qui.

— Même à vous ? (Il me jette un regard et je hoche la tête en signe d'acquiescement.) Conneries !

— À tout le monde, oui.

Je tente de le rassurer et ce n'est pas totalement honnête. Je ne serais pas tombée dans le même panneau que Marino, du moins pas à ce point. J'aurais posé beaucoup plus de questions. Un appel émanant d'un prétendu enquêteur du NCB, sur mon portable personnel, m'aurait aussitôt rendue très méfiante. J'aurais reconnu une faille dans le protocole à la seconde même parce que je le connais mieux que Marino.

— Bon, je me sens vraiment crétin, là, confesse-t-il.

Moi aussi, mais pour une raison différente. Dorothy, ma sœur, fait une incursion dans mon esprit. Je suis à la fois surprise et consternée alors que je m'imagine sa désapprobation, son regard sur le mode « je te l'avais bien dit », un regard assez satisfait. Elle adore que je me trompe. Dès que je suis montée dans le SUV de Marino sur le trottoir du Faculty Club, Dorothy et sa visite impromptue décidée sur un coup de tête ont été reléguées à l'arrière-plan de mes préoccupations.

Ma cadette ne tardera pas à atterrir alors que Marino et moi nous rendons sur une scène. Je repense aux flirts du grand flic avec Rosie, la répartitrice, par radio interposée. Sa drague constante, assez agaçante, me revient à l'esprit. Je m'efforce de ne pas le regarder et les supputations de Benton résonnent dans mon esprit. C'est d'autant plus dérangeant que Marino a proposé à plusieurs reprises d'aller chercher ma sœur à Logan Airport ce soir.

Elle aurait dû se poser à Boston aux environs de 21 h 30, en provenance de Fort Lauderdale, mais on sait que son vol aura du retard. Il est presque 20 h 30 et, à tous les coups, ma sœur s'attend à ce que Benton et moi formions une haie d'honneur pour l'accueillir dès sa descente d'avion, quel que soit son retard.

Raté dans notre cas, et Marino ne sera pas non plus présent, non que je l'y encourage. Une autre pensée m'assaille, aussi insignifiante soit-elle : j'ai oublié le sac renfermant les cadeaux dans le vestiaire du Faculty Club. Je ne pourrai rien offrir à mon insatisfaite chronique de sœur. Mince ! D'autant que je ne peux rien faire à ce sujet. Je ne peux pas m'occuper d'elle, ni lui dérouler le tapis rouge pour son arrivée. J'ai échoué et c'est exactement ce qu'elle pensera.

Bien sûr, son jugement sera négatif et elle se convaincra qu'elle est traitée de façon injuste. Jamais l'idée ne la traversera que la femme morte est bien plus à plaindre qu'elle. Et d'ailleurs, les désagréments qui me tombent dessus sont largement supérieurs à ceux que subit ma sœur. Inutile de tenter de la raisonner. Je l'entends et peux d'ores et déjà écrire son monologue : je suis toujours occupée et inaccessible. Et si elle fait des efforts et me tend la main, n'hésitant pas à se montrer vulnérable, je reste aux abonnés absents.

J'envoie un texto à Lucy et à Janet :

Impossible de rejoindre l'aéroport. Pouvez-vous attendre Dorothy ? Ou alors, commander un Uber ? Désolée.

La réponse de Janet me parvient presque instantanément :

Pas de problème. On s'occupe de la mère de Lucy. Peux-tu passer un peu plus tard ? Ça nous ferait très plaisir.

Ça me fiche toujours un coup lorsqu'on désigne Dorothy comme « la mère de Lucy ». Ça ne m'a jamais paru légitime et dans ces moments-là, je me souviens à quel point cette nièce que j'ai élevée comme ma propre fille m'est chère. J'admets que je suis peut-être un peu possessive et jalouse. Juste un tantinet !

13.

Les silhouettes massives des arbres pluri-centenaires et des hautes haies touffues semblent gravées à l'encre de la nuit alors que nous pénétrons dans le John F. Kennedy Park.

Marino a éteint les feux de pénétration et la sirène avant de ralentir. Nous avançons maintenant au pas. Quatre voitures de patrouille et un SUV banalisé sont garés pare-chocs contre pare-chocs, empiétant largement sur la chaussée. L'obscurité est si dense que je ne vois guère plus loin. Seules des impressions s'en dégagent. Peut-être une chaîne de montagnes au loin. Peut-être des bois serrés qui se dessinent en sombres nuances terreuses, assez indistinctes.

Je serais incapable de décrire ce lieu si j'ignorais où je me trouve. Les ténèbres transforment les bancs, les chemins, les poubelles, le coude de la rivière en un paysage qui pourrait être de partout ou de nulle part. En revanche, je reconnaîtrais immédiatement Boston, qui s'élève sur la rive droite. J'identifierais aussitôt le gratte-ciel de la Hancock Tower surmonté d'une antenne qui m'évoque une lance, et la Prudential Tower. Impossible d'éviter l'énorme enseigne lumineuse Citgo au-dessus de laquelle ont volé tant de balles lors des *home runs* de la célèbre équipe de base-ball, les Red Sox.

Nous ne pouvons pas progresser beaucoup plus loin

puisqu'aucune route ne traverse le parc, vaste là où nous nous trouvons, mais qui se rétrécit considérablement dans d'autres zones. Les véhicules à moteur sont interdits sur ces hectares de pelouses bien entretenues, de buissons et de feuillus qui s'étendent entre la Charles River et Memorial Drive. Je m'y suis souvent promenée. Le parc reste notre balade préférée depuis la maison, qui s'élève en limite nord-est du Campus d'Harvard.

Lorsque Benton et moi adoptons une allure soutenue, il ne nous faut qu'une heure environ pour en faire le tour, si toutefois nous empruntons le chemin le plus direct. Tel n'est pas toujours le cas. Parfois, nous flânons d'un kiosque à journaux à une terrasse de café en plein air, ou à un marché, nous dirigeant avec nonchalance vers la rivière, notamment quand le temps est parfait. C'est souvent le cas au printemps et à l'automne. Le dimanche, s'il ne pleut pas et que la température est agréable, nous adorons boire une tasse d'excellent Peet's coffee en parcourant des liasses de journaux, assis sur un des bancs qui parsèment la berge.

Nos promenades ne cessent pas pour autant l'hiver venu. Nous nous asseyons, parfois chaussés de raquettes, emmitouflés dans de chauds vêtements, et nous nous lovons l'un contre l'autre pour partager une Thermos de cidre chaud à la vapeur odorante. Les visions se succèdent dans mon esprit, à la manière d'un programme parasite, émotionnel, sur lequel je ne m'appesantis pas, mais que je ne parviens pas à interrompre. Une vague discrète de nostalgie, une sorte de sentiment de manque m'envahissent. Il est si rare que Benton et moi trouvions un peu de temps pour nous, afin de nous détendre, de profiter d'un moment, de ne rien faire, et quoi que cela signifie.

Nous chérissons les conversations, les délassements libres de tragédies, de lois bafouées. Pour nous, il s'agit presque d'une fête lorsque personne n'a commis d'actes de violence, ni n'est mort durant ces rares heures ou ces week-ends où nous avons envie de nous intéresser seulement à l'autre. Cela explique pourquoi nos sorties régulières au Faculty Club nous paraissent si précieuses. C'est pourquoi nous aimons tant nos petits lieux secrets, des hôtels, l'océan, la rivière et de magnifiques panoramas propices aux randonnées. Un remède nécessaire pour conserver des relations harmonieuses et notre santé mentale.

Le parc est très apprécié par ceux qui veulent se vider la tête, profiter d'un pique-nique, lire, étudier ou jouer au frisbee. Seuls les piétons et les cyclistes sont admis, ce qui ne dissuade pas Marino de cahoter avec son gros véhicule de police sur une pelouse puis un étroit chemin de terre, d'une façon presque sacrilège. Il s'immobilise, nez du SUV vers la rivière, entre un majestueux érable et un haut lampadaire en acier qui brille timidement dans la nuit d'encre. Les phares illuminent le hangar à bateaux en brique au toit rouge et, à notre gauche, le pont que j'ai traversé un peu plus tôt en compagnie de Bryce. Il y a une éternité, me semble-t-il.

Je détaille le chapelet lumineux des voitures qui défilent au-dessus de ma tête, dans un sens ou dans l'autre, leurs phares blanc diamant ou rouge sang. En dessous, l'eau d'un vert noirâtre, à peine ridée, s'écoule avec léthargie. Je n'aperçois aucun plaisancier de sortie. La plupart sont partis au coucher du jour. Sur l'autre rive, les vieilles maisons de ville de grès rouge et celles, mitoyennes, qui s'alignent en rangées à Back Bay, un quartier de Boston, brillent de la douce lumière qui filtre par leurs fenêtres. Plus loin, la ligne d'horizon du centre ville scintille. Le ciel nocturne au-dessus du port et de l'océan, que je ne peux pas voir d'ici, s'offre une nuance de noir plus légère, un profond gris anthracite.

Marino coupe le contact et nous ouvrons nos portières. L'allumage intérieur ne fonctionne pas parce que le grand flic le débranche systématiquement, depuis que je le connais, et quel que soit son véhicule du moment. Il ne veut pas se transformer en cible facile, un lapin pris dans les phares, ainsi qu'il le formule. Au demeurant, tel ne fut jamais le cas au fil des dizaines de milliers de kilomètres que nous avons parcourus ensemble. Les mésaventures occasionnées par ces trajets surviennent le plus souvent parce que je ne vois pas où je pose les pieds, sur quoi je suis assise, ou à quoi je suis exposée.

À sa décharge, il est devenu beaucoup plus soigneux à l'égard de ses voitures, pick-up, motos que lorsque notre collaboration a commencé. Je n'oublierai jamais ses Crown Victoria customisées avec leur moteur gonflé, leurs longues antennes qui oscillaient à la manière d'une canne à pêche. Les cendriers dégueulaient leurs mégots et, parfois, un film jaunâtre de fumée opacifiait les vitres des portières et les rétroviseurs. Sièges et moquette de sol étaient jonchés de sacs de fast-food et de boîtes de poulet frit vides. Je m'installais sur des traînées de sel qui m'évoquaient du sable. On aurait pu penser que Marino vivait non loin d'une plage.

D'une manière générale, il est devenu plus civilisé. Il fume toujours, mais bien moins qu'avant, et l'extérieur est devenu son cendrier. Il détesterait salir son véhicule ou qu'il pue la fumée froide, même s'il n'y a pas de quoi se vanter. Lorsqu'il mange un morceau en voiture, il ne déchire plus les sachets de sel ou de ketchup comme il en avait l'habitude, et il nettoie ensuite. Quoi qu'il en soit, je préfère savoir dans quoi je monte lorsqu'il me sert de chauffeur, surtout de nuit.

J'ai gagné mon content de « décorations », taches de graisse ou de condiments divers et variés sur mes pantalons ou mes jupes. Je me suis cogné les jambes et les chevilles contre des fusils anti-émeute fourrés entre ou sous les sièges. J'ai glissé sur des marchepieds gluants de produit de lustrage. J'ai filé mes collants contre des bois de cerf et me suis accroché le pouce à un leurre de pêche enfoncé dans la boîte à gants, laquelle est également privée d'éclairage. Je me souviens de ce jour où nous avons fait une embardée sur un nid-de-poule profond. Une double page détachable d'un *Playboy*, pincée sous un pare-soleil, m'est tombée sur les genoux. Un vieux numéro que Marino avait sans doute oublié.

Je passe les jambes au-dehors et me redresse avec la sensation de prendre un mur de chaleur compacte dans la figure. Certes, c'est un peu mieux que lorsque j'ai quitté le Faculty Club. Ce « mieux » signifie tout juste tolérable et, en aucun cas, que nous ne risquons pas l'hyperthermie lors d'une longue exposition, et je suppute que nous en avons pour des heures de travail.

Lorsque le camion du centre arrivera, il nous servira de base arrière où nous pourrons nous rafraîchir par intervalles grâce à la climatisation. Nous aurons à notre disposition autant d'eau que nécessaire, des encas, sans oublier des UCDs, des poches urinaires, mieux connues sous le nom de *poches à pipi*.

— Faut réfléchir à la façon dont on procède, lâche Marino alors que nous refermons nos portières.

Le grondement de la circulation sur la rue juste derrière nous et sur le pont nous parvient. Je n'entends pas grand-chose d'autre. Peut-être un avion, très haut dans le ciel. Rien ne bouge dans l'air surchauffé et implacable.

— Reconnaissance haute, je lui réplique en passant la bandoulière de ma sacoche à l'épaule. Puis basse lorsque nous nous rapprocherons et collecterons les indices.

— Vous allez laisser le corps encore plus longtemps à l'extérieur ?

— Plus longtemps que quoi ? On ignore l'heure de la mort. Nous savons juste à quelle heure la police a reçu l'appel. À la louche, il y a trente ou quarante minutes. Je prendrai tout cela en compte et les données et évaluations seront aussi précises que possible. En d'autres termes, le boulot, comme à l'accoutumée. Tout ira bien.

— Donc, on la laisse là où elle est ?

Il presse une des touches du porte-clefs télécommande de la voiture et le hayon se déverrouille.

— Mais pourquoi êtes-vous si inquiet ?

— Parce que j'aimerais qu'on dégage le corps. Ça résoudrait la plupart de nos problèmes, Doc.

— Et en créerait de plus importants. Je ne tiens pas à faire durer les choses mais je n'ai pas le choix. Il faut que je voie ce que je fais.

— C'est vraiment trop bête que ça se passe le soir où Dorothy est censée atterrir, poursuit-il, et c'est sans doute la chose dont j'ai le moins envie de discuter en ce moment.

— De surcroît, je n'ai rien apporté, ni vêtements de protection, ni rien !

Je reviens sur ce que je disais avant qu'il ne reparle de ma sœur.

J'ai interrompu mon dîner et n'étais pas en voiture. Dans des circonstances normales, je ne me rendrais pas sur une scène avec une telle précipitation.

Nous contournons le SUV et je m'abstiens d'y aller d'un commentaire acide. Marino jouit toujours d'un statut spécial, qui va de pair avec certains privilèges. S'il avait suivi les étapes que les autres détectives ne bafouent pas systématiquement, il aurait prévenu l'unité d'investigation du CFC qu'il a jadis dirigée.

Il aurait discuté de l'affaire avec la personne qui lui aurait répondu. Après le questionnaire de routine, la création d'un rapport électronique, l'un de mes légistes sur place aurait été contacté. Ensuite, le plus souvent, ce médecin se serait déplacé, après qu'une fourgonnette, le personnel et le matériel nécessaires auraient été envoyés sur les lieux.

Si jamais je devais alors rejoindre la scène, ce ne serait pas dans ces conditions, et pas avant un certain délai. J'aurais sans doute pu profiter de mon dîner avec mon mari et, dans l'éventualité où j'aurais un peu bu, je ne me serais pas du tout montrée. Ma soirée était libre. Mon intention était de la passer avec Benton, avant d'aller chercher ma sœur à l'aéroport. Mais Marino s'est assis sur tous les protocoles, les instructions, les pouvoirs et contre-pouvoirs, comme toujours.

Je ne lui dirai pas qu'au fond, cela m'est un peu égal. Je sais qu'il ne me dérange que si la situation est sérieuse. Nous avons forgé nos petites habitudes, une confortable routine, en dépit des cahots. Il soulève le hayon, privé d'éclairage lui aussi. Autant regarder au fond d'une grotte sombre.

— J'ai des gants, des combinaisons, lâche-t-il sans conviction, puisque rien de ce qu'il porte ne me convient en taille. Tout le matos habituel, mais pas de thermomètre. Je devrais en ajouter un, au cas où vous en auriez besoin. J'y pense et ensuite, ça me sort de la tête.

— Il nous faut attendre un peu.

Je me répète et suis certaine que le grand flic ne sera pas le seul à se montrer impatient. Tout le monde va ronger son frein en attendant l'autorisation de recueillir les trésors d'indices que nous fournira la scène. Les flics – et surtout Marino – vont chercher à comprendre ce qui est arrivé à la victime. Or, je ne peux pas ébaucher de réponse tant que je ne l'ai pas examinée et je ne m'y résoudrai que lorsque j'estimerai que je le peux en parfaite sécurité. Tel n'est pas encore le cas.

Allumer les projecteurs dans un lieu aussi exposé reviendrait à procéder aux examens à l'intérieur d'une serre. Cela équivaudrait à offrir un fauteuil d'orchestre à ceux qui se trouvent dans les parages et lorsque je l'explique à Marino, il m'approuve, non sans réticence.

— On va commencer par prendre des photos. Ça nous permettra de nous familiariser avec le terrain, dis-je comme nous continuons d'échanger sur la meilleure façon de procéder. Je suis sûre que le camion du centre va arriver d'une minute à l'autre.

— Ouais, mais faut ajouter encore une bonne vingtaine de minutes, et même une demi-heure, avec tous les trucs qu'on doit installer.

Marino est à moitié plongé dans le coffre de son SUV. Il utilise le faisceau lumineux de son téléphone portable pour illuminer les équipements et les vêtements de scène de crime rangés avec soin. Il reprend :

— Ça va être une vraie galère de voir quelque chose avant ça. (Sa voix me parvient un peu étouffée de l'arrière du véhicule alors qu'il fouille dans les piles.) Et ma foutue vision de nuit n'est plus ce qu'elle était. On dirait que tout devient pourri dès qu'on passe quarante ans.

Je tourne le regard vers la rivière et devine son débit languide, qui m'évoque du verre liquide au travers de l'obscurité veloutée. Ça fait bien longtemps que Marino n'a plus quarante ans mais lorsqu'il glisse sur cette pente je ne sais plus trop quoi dire. Je ne l'en blâme pas. Moi aussi, je lécherais mes blessures si j'avais été grugée de la même manière.

— Je vous le dis, vieillir, ça craint, ronchonne-t-il. Je déteste ça. Bordel, vraiment je déteste ça, ajoute-t-il.

Je devine toujours lorsqu'il se sent rabaissé et que cela vire à l'obsession chez lui. Cependant, j'en ai assez entendu et nous avons beaucoup de pain sur la planche.

— Vous n'êtes pas vieux, Marino. Vous êtes en excellente forme et pas né d'hier. Vous possédez une expérience considérable. Moi aussi, et nous savons exactement ce que nous devons faire ici. Nous avons déjà travaillé sur des scènes beaucoup plus complexes que celle-ci. Oubliez cet appel pour l'instant. Sortez-vous ça de l'esprit. Je vous promets que nous nous y consacrerons afin d'en avoir le cœur net, mais pour l'instant ce n'est pas le problème.

Il continue sa fouille méthodique du coffre et je détaille ce qui m'environne comme si j'étais un phare balayant l'infini, cherchant ce qui doit être protégé, ou au contraire ignoré. Puisque nous ne savons pas ce qui s'est passé, ni où exactement, nous entreprendrons nos recherches très en amont du périmètre que la police a sécurisé.

Je n'aperçois aucun ruban jaune d'où nous sommes garés, mais me doute que l'espace délimité commence dans la clairière où nous attendent un cadavre et un vélo. Toutefois, si nous sommes confrontés à une mort consécutive à des violences impliquant que l'agresseur et la victime aient eu un contact physique, la clairière n'est pas le lieu d'origine. C'est impossible. Et Marino pense la même chose que moi.

— L'individu qui a fait ça a dû arriver sur place puis repartir d'une façon ou d'une autre, souligne-t-il. Sauf à considérer qu'il s'agit d'un foutu elfe qui habite la cime des arbres.

— Si l'on part du principe que la description de l'enquêteur Barclay recèle un semblant de vérité, elle aurait donc été agressée et battue à mort. En ce cas, en effet, son agresseur a dû accéder au parc. Qu'elle ait été tuée sur place ou transportée après les faits, l'individu est entré et sorti, et rien ne permet de dire qu'il n'a pas emprunté le même itinéraire que celui que nous allons suivre. Façon de parler puisque je ne suis pas certaine qu'il s'agisse d'un *il*.

Marino me tend une boîte de gants extra larges en nitrile, ceux qu'il utilisera, moi pas. Il bougonne :

— Ouais, je sais. Mais si c'est bien une agression sexuelle, ou une tentative, c'est probablement un homme. J'inspecte déjà le sol pour découvrir des traces de pneus, notamment des sillons et des zones d'herbes aplaties. Jusque-là, j'ai rien vu, mais il aurait pu pénétrer dans le parc de plusieurs façons.

— Beaucoup de rues se terminent ici et le long de la rivière, lui fais-je remarquer. Ni mur ni grille, ce qui signifie qu'il aurait pu se garer dans pas mal d'endroits à proximité. Mais de là, comment aurait-il fait entrer le corps ?

— Il a pu le porter, suggère Marino en déplaçant de lourdes caisses d'équipements à l'arrière du SUV.

— J'en doute.

— J'ai pas dit que c'était ce que je croyais. Juste que c'était possible.

— Et comment expliquer alors que l'on a retrouvé le vélo à côté du corps ?

— Tout juste. Selon moi, on est à peu près sûrs qu'elle n'a pas été transportée morte, renchérit-il en ouvrant une boîte en carton. Elle a été assassinée où on l'a trouvée.

Il me tend une paire de combinaisons jetables pliées, toujours protégées de leur emballage en Cellophane, taille XXL.

— N'oublions pas que nous ne sommes pas encore certains qu'il s'agit d'un assassinat. (Mon regard passe du grand flic aux alentours.) Nous n'avons aucune idée de la cause, ni de la raison de sa mort.

Les lumières qui se réfléchissent à la surface de la rivière paresseuse scintillent et vacillent comme un banc de poissons argentés. De l'autre côté, Boston, illuminé, se dresse tel un empire de vieilles maisons pluri-centenaires de pierre et de brique et de hauts buildings ultramodernes. En revanche, pratiquement aucune lumière ne troue les ténèbres qui nous environnent, et je plonge dans ma sacoche pour y repêcher la petite torche tactique que je traîne toujours avec moi. Je fourre la boîte de gants et les combinaisons dans le sac afin de garder les mains libres.

— Établissons le périmètre, décide Marino. Faut bien prendre les choses par un bout, mais avec l'obscurité ça va pas être de la tarte ! On y va vraiment à l'aveuglette.

— C'est pour ça que nous allons commencer ici. Il faut regarder où on va, de manière à nous forger une vue d'ensemble.

Je regrette à nouveau les vêtements que je porte.

Il me faudra sans doute incinérer ce tailleur lorsque je m'en extirperai enfin. Je n'aime pas les vêtements de protection jetables en Tyvek d'un blanc lumineux dans lesquels je me sens engoncée, au point de ressembler à un immeuble en construction. Mais à cet instant, je convoite avec ardeur une combinaison un peu large et des bottines poids plume.

— On peut commencer à désigner les choses qui nous semblent d'intérêt avec des cônes ou des fanions et puis revenir une seconde fois lorsque nous aurons davantage de temps, d'intimité, et une visibilité adéquate, je résume. Je suppose que vous avez évoqué les barrières protectrices avec Rusty et Harold ? Le matériel de base reste en permanence dans le grand camion, mais rien n'est classique dans cette situation. La scène est ouverte à tous vents, c'est-à-dire visible de tous les côtés, une fois que nous aurons allumé les projecteurs.

— J'ai dit à Harold qu'on aurait besoin de trucs en plus des protections habituelles qu'on stabilise avec des sacs de sable pour s'assurer que les badauds voient que dalle depuis la rue. (Marino tire une imposante mallette de scène de crime jusqu'au bord de l'ouverture.) Mais dans un cas comme celui-là, vous avez raison. On va avoir besoin d'une tente parce qu'il y a plein de curieux qui peuvent nous regarder depuis les immeubles ou le pont.

Je lève les yeux vers les longs lacets de phares qui s'écoulent au-dessus de nous, traversent la rivière dans les deux sens. Je distingue des avions éclairés comme de petites planètes, groupés autour de Logan Airport, et repense à Dorothy. Marino récupère une boîte de petits cônes marqueurs d'indices peints de vives couleurs primaires, chacun numéroté. Il en empile une douzaine et ça me rappelle toujours ce jeu de société pour enfants, dont la règle consiste à gagner autant que possible de petits cônes colorés en forme de chapeau pointu. Mon père l'avait trouvé dans un vide-grenier de notre quartier de Miami lorsque j'étais enfant.

— Je leur ai dit qu'on aurait besoin d'un toit, précise Marino. J'ai ajouté qu'on se faisait la totale, ce soir.

14.

Nous suivons le chemin de terre sur lequel nous venons d'arriver, en déviant peu à peu pour progresser sur l'herbe. Sèche, haute de plusieurs centimètres, elle bruisse contre mes chaussures et me chatouille les chevilles. Nous regardons où nous posons les pieds, nous enfonçant dans le parc boisé en direction d'une piste cyclable recouverte de sable, qui sinue au milieu.

Les hauts lampadaires d'acier sont peu nombreux. Ils ne doivent pas dispenser plus que des traînées de lueur jaunâtre lorsque l'on est assis sur un banc ou que l'on fait une promenade nocturne. Il fait très sombre et je brandis ma petite torche pendant que Marino s'éclaire de son téléphone qu'il pointe vers le sol.

Il tire de l'autre main une large mallette de scène de crime en plastique noir robuste, qui serait assez spacieuse pour recueillir un petit corps. Ses roues produisent un léger crissement alors qu'il la traîne derrière lui, ouvrant le passage. Nous prenons tous les deux garde à ne pas trébucher ni piétiner des indices. Jusque-là, nous n'avons rien vu qui justifie que nous nous arrêtions et déposions un petit cône de couleur.

L'herbe desséchée s'est transformée en tapis de petites lames végétales vert-brun sous la lumière de nos éclairages et mes chaussures de cuir fauve éraflé ressortent étrangement. Je saisis des fragments de conversation un peu plus loin, ce qui ressemble à des voix d'enfants parlant avec excitation. Il ne s'agit pas d'une excitation heureuse, plutôt de cette exaltation que l'on sent dû à des décharges de cortisol et que j'associe avec la peur et le choc. Mais je perçois quelque chose d'autre. Les échos enfantins ne me semblent pas normaux.

Ils me font penser à ces histoires inquiétantes d'endroits hantés où s'échangent et flottent dans l'air des conversations surnaturelles. Un moment là, un autre disparu, le rire des enfants morts gambadant dans les bois, d'enfants morts cueillant des baies, jouant à chat-perché ou à cache-cache.

Ces voix, qui semblent désincarnées et lointaines, me remettent à l'esprit les films d'horreur. Un frisson électrise ma nuque alors que nous avançons dans le parc qui s'étend, nimbé d'obscurité, paisible. Nous longeons les arbres qui s'élèvent des deux côtés de la piste cyclable où quelqu'un est mort. Quelqu'un que j'ai peut-être rencontré à deux reprises aujourd'hui, et je m'obstine à souhaiter avoir tort.

Nous nous rapprochons d'un bosquet. Les arbres se rejoignent en voûte, une cachette parfaite pour un prédateur en embuscade, ainsi que Marino le souligne. Nous nous enfonçons dans les ombres où morts et vivants sont réunis et nous attendent. La scène est étrange, décalée. On croirait que nous nous rendons à une surprise-partie où tout le monde s'est tassé au sol dans l'obscurité afin d'attendre l'invité d'honneur. Et puis, toutes les lumières s'allument.

Je me souviens du temps jadis, quand nous n'avions pas à nous inquiéter de caméras tous azimuts et d'énormes indiscrétions répandues sur Internet avant même que j'aie pu finir une autopsie ou obtenir les résultats de laboratoire. À cette époque, Tom, Dick, et Harry ne nous filmaient pas par téléphone portable interposé. Lorsque les photographes de journaux rappliquaient avec leurs appareils équipés de téléobjectifs, le corps était déjà emmené, protégé d'une housse, ou alors des enquêteurs tendaient entre eux des draps ou leur manteau afin de protéger l'intimité de la victime. La vie et la mort sont devenues beaucoup plus compliquées.

— Je crois pas à un truc opportuniste, déclare Marino. Quelqu'un connaissait ses habitudes.

— Parce que nous savons qu'elle avait des habitudes ?

C'est ma façon de lui conseiller de ne pas tirer de conclusions trop vite, même si je sais que ce sera une perte de temps.

— Tout le monde en a, me rembarre-t-il.

Je tends l'oreille. J'attends que Rusty et Harold cahotent au volant de notre grondant centre de commandement.

Je me demande où ils vont pouvoir se garer et quelle agitation nous risquons de générer en plein cœur de l'Eliot House. Cette résidence d'étudiants, l'une des plus étendues du campus d'Harvard avec ses sept bâtiments de brique et ses cours intérieures, se dresse en bordure du parc, sur la rive de la Charles River. Elle n'est pas sans ressemblance avec Cambridge et Oxford, voire le château de Versailles. Je m'imagine déjà des étudiants nous contemplant depuis leur fenêtre ou même se hasardant à l'extérieur.

Notre camion sera repéré dans la minute. Si des curieux s'approchent ou zooment sur lui, ils découvriront les grosses lettres peintes *Bureau du Médecin-Expert en Chef* et le blason du CFC, sans oublier le sceau de l'État du Massachusetts sur les portières. Je m'attends à ce que d'une minute à l'autre le campus d'Harvard s'éveille pour découvrir dans une triste stupéfaction que quelqu'un a été tué sous son nez. À la seconde où nous allumerons les projecteurs, il nous faudra des renforts en uniforme pour contrôler la foule.

— Rien n'empêchera des gens de passer sous le ruban jaune, dis-je à Marino comme nous progressons avec lenteur dans les bois. Et rien ne dissuadera les véhicules qui circulent sur le pont de faire un détour pour venir jusqu'au parc et jouer les voyeurs. Ça pourrait très vite virer au fiasco.

— J'appellerai d'autres unités dès que nous serons prêts, affirme-t-il. Si j'en faisais la requête maintenant, un escadron de bagnoles déboulerait et attirerait encore plus l'attention. Dès que la tente sera montée, je demanderai des renforts, autant qu'il le faut.

Je commence à distinguer vaguement la scène qui se

matérialise à quelques dizaines de mètres devant nous. Les six projecteurs à LED, alimentés par batterie, ont été montés sur des trépieds. Ils sont perchés tels des mantes religieuses, paisibles et sombres. On les croirait endormis.

Les silhouettes de flics en uniforme s'activent alentour et échangent des commentaires à voix basse comme le font les gens la nuit. Les échos enfantins me parviennent, *staccato* indistinct et déroutant dans l'impénétrable lointain. Je ne parviens pas à en déterminer la source mais c'est presque surnaturel, et l'on pourrait croire que la sombre étendue d'arbres est hantée par des lutins énervés.

Marino et moi passons sous le ruban jaune qui délimite le périmètre, exactement où je l'avais prédit. Nous pénétrons dans une clairière environnée d'arbres. Le cadavre est allongé à moitié sur le chemin, à moitié sur l'herbe. Je distingue la pâleur de ses bras et jambes nus, la blancheur de son soutien-gorge de sport et la couleur claire de son short. Elle gît sur le dos, les jambes droites et écartées, les bras levés au-dessus de sa tête, écartés eux aussi, comme si elle avait été positionnée pour figurer un X.

S'en dégage un message peu clair, entre raillerie, volonté d'avilissement sexuel, ou rien de tout cela. Au premier abord, on dirait que son corps a été mis en scène afin de choquer quiconque le découvrirait, même s'il paraît étrange qu'on lui ait laissé son soutien-gorge et son slip. En général, un corps exposé de façon obscène, haineuse, est dénudé. Bien souvent, d'autres touches méprisantes sont ajoutées et je ne constate rien de tel pour l'instant.

Néanmoins, j'ai appris à mes dépens qu'il valait mieux éviter de tirer des conclusions d'affaires précédentes. Un détail découvert dans un cas peut signifier l'inverse dans un autre. Nous nous rapprochons et je distingue la bicyclette abandonnée sur le flanc, au milieu du sentier dont le remblaiement en dur est couvert d'une couche de sable. Je reconnais l'enquêteur du département de police de Cambridge, Tom Barclay, à ses larges épaules. Il se tient un peu à l'écart, à proximité des arbres, à une quinzaine de mètres du cadavre. Les voix d'outre-tombe que j'ai entendues sont celles de deux fillettes à côté de lui. Elles ont l'air bien trop jeunes pour traîner ici, en cette heure tardive. Cela étant, je ne les vois pas suffisamment.

Elles pourraient avoir dix ou douze ans, peut-être un peu plus. Des jumelles, l'une habillée de rose, l'autre de jaune. Elles s'agitent comme de petits oisillons grassouillets. Elles tournent la tête en même temps, leurs regards allant et venant, et il est évident qu'elles ne sont pas tout à fait normales. Alors que nous nous rapprochons, Barclay illumine un objet. Il pose une question que je ne parviens pas à comprendre.

— Ben oui, peut-être, répond la fillette habillée de rose, d'une voix forte, la voix de quelqu'un qui n'entend pas bien, alors qu'elle détaille ce que Barclay leur montre sur son téléphone.

Marino et moi avançons.

— Je sais pas. En général y'a plein de gens, et je m'écarte quand y'a des vélos, déclare la fillette en jaune de la même voix forte.

Peu importe ce que l'on m'a dit. J'ai du mal à croire ce que je vois dans les lumières incertaines, dans le clair-obscur qui naît de nos torches.

Durant l'une de nos conversations, alors que la connexion était médiocre, Marino, qui fonçait pour me rejoindre, a mentionné des jumelles. Je n'y ai pas prêté attention à ce moment-là, mais me tenir non loin d'elles, surtout dans ces circonstances, est extrêmement déroutant. J'ai l'impression que je vois double alors que je les regarde l'une après l'autre, toutes les deux portant leurs cheveux bruns coupés de la même façon, en casque inélégant.

Leurs lunettes identiques, datées, me rappellent mes souvenirs d'école, les albums de photos de fin d'année, lorsque nous dessinions des binocles ringardes sur le visage d'un de nos rivaux. Les deux fillettes sont de même corpulence, lourdes. Elles doivent mesurer moins d'un mètre cinquante. Elles portent un T-shirt à rayures, un short et des sandales qui, heureusement pour moi, ne sont pas identiques. Si elles n'étaient pas habillées de différentes couleurs, je ne suis pas sûre que je pourrais les distinguer.

— Attendez ici, d'accord ? Vous savez ce qu'il faut faire, n'est-ce pas ? Vous restez là, vous ne partez pas. Attendez. Je reviens, articule Barclay qui s'adresse à elles comme si elles appartenaient au bas de l'échelle des animaux de compagnie, un lapin ou un lézard, peut-être.

Il se rapproche à grands pas de nous pendant que je vérifie si un message de Rusty et Harold m'est parvenu.

J'entends le camion au moment où je m'apprête à les appeler.

Le grondement du moteur diesel est inoubliable et je me tourne pour regarder en direction de la John F. Kennedy Street. Je distingue d'abord ses phares qui oscillent dans le parc. Le véhicule blanc du CFC, plus imposant qu'une ambulance, abandonne la chaussée en cahotant pour se faufiler sous les arbres. Les branches basses égratignent son toit, lâchant un terrible crissement qui m'évoque des ongles griffant un tableau noir.

— Bien. Peut-être qu'on peut progresser un peu et déterminer à qui on doit parler et qui on doit prévenir, lâche Barclay d'un ton autoritaire au moment où il nous rejoint. Plus vite on pourra examiner la scène et embarquer le corps jusqu'à la morgue, mieux ce sera, ajoute-t-il, et Marino met un point d'honneur à l'ignorer.

Ma vision s'est ajustée au contraste lumière-obscurité et je distingue mieux les jumelles un peu plus loin, plantées à l'endroit désigné par Barclay. Une policière en uniforme s'est approchée d'elles et leur demande si elles souhaitent boire, manger quelque chose. Elle leur propose d'attendre dans la voiture de patrouille climatisée. À sa façon de le dire, j'imagine qu'on leur a déjà fait cette proposition. Les fillettes hochent la tête en signe de dénégation. Je sais déjà ce qui va suivre.

Elle ne tardera pas à les accompagner jusqu'au département de police pour les installer dans une pièce-pâquerette, le petit nom donné par les policiers à un endroit confortable, rassurant, utilisé pour les interrogatoires d'enfants. Un psychologue sera requis pour discuter avec elles et les évaluer, mais la policière n'en parlera pas maintenant, au beau milieu du parc.

Elle ne leur expliquera pas qu'elles seront considérées de la même façon que les enfants maltraités et je ne peux m'empêcher d'être critique. Certes, je n'ai pas à porter de jugement personnel sur les affaires sur lesquelles je travaille, mais, inévitablement, certaines choses me blessent plus que d'autres. J'ai peu de patience avec les mauvais parents, les mauvais soignants, les mauvais maîtres d'animaux.

Les jumelles sont jeunes, déficientes. Quel genre de personne tolérerait qu'elles soient dehors, sans surveillance, en pleine nuit ? Quelqu'un se préoccupe-t-il de savoir pourquoi elles ne sont pas rentrées, et où elles se trouvent ?

— On peut allumer les projecteurs dès que vous êtes prêts, nous lance Barclay plus qu'il ne nous le demande.

— Y'a juste un problème, Clay. C'est pareil que si on illuminait un terrain de base-ball, répond Marino d'une voix artificielle, presque paternelle, comme s'il considérait que le jeune enquêteur se révélait un peu faible d'esprit, quoique brave garçon. Et si on fait ça, ils vont rappliquer à toute blinde. Alors non, Clay.

Marino prononce ce diminutif à chaque occasion qui se présente. Il poursuit en me regardant :

— Pas maintenant, hein, Doc ?

Le son du moteur diesel s'amplifie puis s'arrête d'un coup lorsque le contact est coupé.

— Uniquement les torches pour le moment, renchéris-je. Les choses vont être suffisamment difficiles dès que les gens apercevront notre centre de commande mobile garé dans les parages, en plus des véhicules de police. (Je jette un regard aux jumelles qui nous dévisagent de leurs yeux de chouette.) Il est évident qu'il se passe quelque chose, et je ne veux pas attirer davantage l'attention tant que nous n'aurons pas monté des barrières de protection.

Je leur explique que le cadavre est exposé de telle façon que n'importe qui passant dans le coin, ou muni d'un téléobjectif, peut le voir. Je ne peux donc pas accepter que les projecteurs soient allumés mais, d'un autre côté, je ne peux pas non plus travailler sans eux. Il s'agit d'une situation inextricable. Je ne me risquerai pas à examiner le corps *in situ* sans éclairage, et je ne peux pas le recouvrir d'un drap avant d'avoir procédé aux premiers examens, au risque de déplacer des indices ou de les perdre. Pour l'instant, nous sommes coincés dans une obscurité que trouent seulement nos lampes de fortune. Mon attention se dirige à nouveau vers les jumelles. Je ne peux m'empêcher de les observer.

Leurs têtes sont petites, disproportionnées, leurs lèvres supérieures trop minces et leurs visages aplatis. Elles ne grandiront sans doute pas beaucoup plus et devront lutter toute leur vie contre l'embonpoint. Leurs petits yeux très espacés sont ceux de proies, cheval ou girafe. Leurs épais verres de lunettes, leurs prothèses auditives, leurs appareils dentaires et tout le reste indiquent qu'un événement catastrophique s'est sans doute produit *in utero*.

Peut-être est-ce dû à une substance à laquelle les fœtus jumeaux ont été exposés, et si ce que je soupçonne est exact, il s'agit d'une effroyable tragédie. Cruelle et d'une insouciance coupable. On peut prévenir le syndrome d'alcoolisme fœtal : il suffit de s'abstenir de boire durant la grossesse. Je me demande si ces deux petites filles ont été placées dans des classes spéciales à l'école. Je m'inquiète de leurs capacités intellectuelles et des obstacles auxquels nous serons confrontés si nous souhaitons les utiliser en tant que témoins dans cette affaire.

Jusqu'à quel point pourrai-je leur faire confiance lorsqu'elles me raconteront de quelle façon elles ont découvert le corps et si elles ont touché à quoi que ce soit ? Sont-elles à même de s'expliquer ? Sont-elles fiables ? Et quel genre de parents ou de famille d'accueil permettrait qu'elles se baladent ainsi de nuit, seules ?

La colère couve en moi, prête à renaître de ses braises. Barclay s'approche de Marino et moi, et nous montre la photographie qu'il a prise du permis de conduire d'Elisa Vandersteel.

— C'est ce que j'ai retrouvé sur le chemin, déclare-t-il fièrement comme s'il avait découvert l'indice majeur. Bien sûr, je l'ai pas ramassé. J'ai pensé qu'il valait mieux attendre que vous arriviez.

Il s'est surtout adressé à Marino, et je détaille la photographie sur l'écran du téléphone.

Elisa Ann Vandersteel. Date de naissance : 12-04-1998. Adresse londonienne. Le code postal correspond au quartier très chic de Mayfair, dans South Audley Street, non loin du Dorchester Hotel et de l'ambassade américaine. La photo d'identité que j'étudie pourrait être celle de la femme que j'ai rencontrée plus tôt à deux reprises, mais je n'en suis pas certaine.

Je n'en discuterai pas avec Marino, ni personne d'autre, tant que je n'aurai pas davantage d'éléments. Néanmoins, s'il se vérifiait que la victime et la jeune femme sont une seule et même personne, l'information serait importante afin de déterminer l'heure de sa mort. Quoi qu'il en soit, je resterai très vigilante au sujet de ce que je révélerai sans vérification. Les photographies d'identité des permis de conduire sont en général de piètre qualité. Sur celui que je contemple, elle semble plus lourde que la cycliste que j'ai rencontrée. Le visage est plus large, les cheveux châtains courts, alors que la jeune femme avec ses Converse était mince, ses cheveux ramenés en queue de cheval.

D'un autre côté, nous ne savons pas quand cette photographie a été prise. Elle pourrait avoir l'air très différente aujourd'hui.

— Autre chose ? D'autres effets personnels ? Beaucoup de cyclistes ont des sacs à dos, ou des sacoches pour ranger leur portefeuille, leurs clés, des effets personnels.

Barclay m'informe qu'il n'a rien aperçu qui puisse faire office de sac attaché au vélo, ou à proximité.

— Ça veut pas dire qu'il n'y en avait pas, ajoute-t-il. Mais bon, l'individu qui a fait ça aurait pu le piquer.

— À ce stade, nous ne pouvons pas affirmer qu'il s'agit d'un homicide.

À nouveau, j'insiste. Pour l'instant, nous ne savons pas grand-chose.

Je lui rends son appareil. Marino, lui, veut savoir ce qui s'est déroulé depuis que l'appel a été relayé par radio.

— Combien de curieux as-tu repoussés depuis ton arrivée sur place ?

— Quelques-uns se sont pointés, du moins ont essayé.

— À quelle distance se sont-ils approchés ?

Marino n'a pas encore daigné le regarder véritablement depuis qu'ils discutent.

— Oh, ils n'ont pas pu s'avancer beaucoup.

— Du moins pas ceux qu'on a aperçus.

Marino nous plante là pour se diriger vers les jumelles.

— Quelques étudiants, trois pour être exact, lance Barclay au dos du grand flic, qui s'éloigne. Je leur ai dit de décamper avant qu'ils voient quoi que ce soit. Ils n'ont pas pu apercevoir le cadavre, s'adresse-t-il alors à moi, et je me demande ce qu'il faisait avant de rappliquer ici.

15.

Il est tiré à quatre épingles, un très beau spécimen de mâle dans son pantalon en toile de parachute, son polo, ses baskets montantes en cuir, le tout noir.

Son pistolet fourré dans un holster bat contre sa hanche droite, son badge de détective brille à sa ceinture. L'enquêteur Barclay ressemble à la star de son propre show télé avec son corps mince et musclé, son visage de Ken et ses cheveux blonds coupés ras. Les effluves de son eau de toilette me parviennent à plusieurs mètres. Je connais le genre, ce que nous appelions, quand j'étais jeune, un crâneur.

Les qualificatifs de Marino sont largement plus crus lorsqu'il cherche à désigner un jeune mec prétentieux du style de Barclay, ou « Clay », comme il l'appelle – littéralement « pâte à modeler ». Difficile de penser qu'ils puissent être bons copains, ni qu'ils le deviendront un jour, quelles que soient les circonstances. Alors que mes pensées s'attardent sur les deux hommes, je réfléchis un peu au surnom dont on affuble Barclay. Plus exactement, une interrogation résonne dans mon esprit.

— Tout le monde vous appelle Clay ?

En réalité, je me demande si quelqu'un s'y risque en dehors de Marino.

— Je sais pas pourquoi, ça lui a pris tout d'un coup, à moins que ce soit uniquement pour m'énerver, comme d'habitude. (Il jette un regard à Marino qui discute avec les jumelles.) Je m'appelle Tom, deuxième prénom David. Je suis Tom pour tous les gens que je connais. C'est juste une de ces blagues vaseuses qu'il croit si intelligentes. Je parie qu'il va trouver d'autres conneries bien lourdingues. Mais bon, c'est quasi inévitable quand on est promu et affecté à des enquêtes majeures. Y'en a toujours qui s'en prennent à vous, conclut-il dans un haussement d'épaules.

Barclay continue de foudroyer Marino du regard, un Marino qui feint de ne pas s'en apercevoir et discute toujours avec les jumelles. C'est un leurre. Ses blagues de potache, son attitude gamine font partie de ses « trucs », mais il possède l'acuité d'un aigle. Il ne perd pas la moindre mimique de Barclay. De mon côté, je me félicite de ne pas avoir baptisé ce dernier Clay. Marino s'en serait réjoui, trouvant le gag hilarant. D'ailleurs, il n'est pas exclu que le grand flic soit le seul à lui attribuer ce diminutif.

Le problème, c'est que en effet, il y a de bonnes chances que les autres embrayent derrière lui. Malheureusement, lorsqu'il invente un alias pour quelqu'un, il est très difficile de revenir en arrière. Je ne serais guère surprise si très vite, tout le département de police de Cambridge se mettait à donner du Clay Barclay à la nouvelle recrue, un surnom idiot qui risque de lui coller à la peau.

— Comment vous allez, docteur Scarpetta ? me lance-t-il, plein d'entrain et beaucoup trop amical, au point que l'on pourrait croire que nous venons de nous croiser lors d'une réception ou dans un bar bondé.

— Je vous remercie de tous vos efforts pour que les environs restent calmes…

— Pouvez-vous imaginer un endroit plus exposé ? Et, surtout, si ça s'était produit en plein jour ? (Il suit mes mouvements alors que je plonge dans mon sac à la recherche d'un carnet et d'un stylo.) Sans même mentionner le travail sur une scène de crime lorsqu'il fait pas loin de 40 °C. Au moins, on est redescendu à 31 °C, c'est plus raisonnable.

Je procède avec calme et méthode et tire le paquet de combinaisons et la boîte de gants que m'a tendus Marino un peu plus tôt. Je les dépose sur le couvercle de la mallette de scène de crime qu'il a abandonnée non loin. Puis je reviens vers Barclay, le pinceau lumineux de ma torche tactique pointé vers l'herbe, pour accompagner chacun de mes pas.

— Je relèverai la température ambiante dès que le camion nous rejoindra, lui dis-je.

En réalité j'essaie de lui faire entrer dans le crâne qu'il doit perdre l'habitude de répandre des informations. Il a déjà pris de gros risques en décidant que la victime n'était autre qu'Elisa Vandersteel, alors que son identité n'a pas été confirmée par empreinte ADN, dossier dentaire, ou tout autre moyen légitime. Une pièce d'identité trouvée sur la piste cyclable d'un parc public ne vaut pas confirmation. En rien.

Il a aussi affirmé qu'il s'agissait d'une agression, probablement sexuelle, d'un meurtre, et je serais bien incapable de corroborer ses hypothèses alors que je n'ai pas approché la victime. Ce qu'il a transmis à au moins une personne – Marino – est encore plus problématique : le corps était aussi raide qu'un mannequin de devanture. En d'autres termes, à un stade avancé de la rigidité cadavérique. Un tel détail impacte directement l'évaluation de l'heure de la mort. Je regrette vraiment que Barclay n'ait pas gardé son opinion pour lui.

Il s'agit d'erreurs en apparence bénignes et qui peuvent revenir vous hanter devant un tribunal, d'autant que l'évaluation de l'heure de la mort est très délicate et n'a rien d'une science exacte. En revanche, elle est cruciale pour légitimer un alibi. C'est l'os à ronger favori des avocats de la défense et c'est également un écueil redoutable pour des témoins-experts tels que moi. Cela peut dissuader les jurés d'ajouter foi à mes déclarations. Je n'ai aucune intention de perdre ma crédibilité devant le jury parce qu'un détective inexpérimenté a pensé qu'il pouvait me remplacer sur une scène.

Barclay devait s'assurer que la victime était bien défunte, mais il n'aurait jamais dû endosser l'uniforme de médecin-expert en y allant de supputations au sujet de la rigidité cadavérique et de son état d'avancement. Il va falloir qu'il prenne garde aux informations qu'il peut glaner sur Internet. De plus, il va devoir cesser de prendre l'application météorologique de son téléphone portable comme parole d'évangile. Les températures qu'elle affiche pour la ville de Cambridge ne sont pas recevables.

Quelle partie de Cambridge ? Il est vraisemblable qu'il existe une sensible différence de température entre un coin ombragé près de l'eau et les briques surchauffées d'Harvard Square, par exemple.

— Je suppose que vous avez relevé cette température grâce une application quelconque de votre téléphone ? dis-je à Barclay après un silence qu'il semble désireux de combler. C'est cela qui vous a indiqué qu'il faisait 31 °C en ce moment ? Nous n'inclurons pas cette donnée dans nos rapports puisque nous ne connaissons pas la température exacte, à l'endroit précis où le corps a été découvert.

— Si vous avez un thermomètre, je peux le déposer là-bas, juste à côté d'elle, lâche-t-il, et je perçois son agressivité.

— Inutile. Ce n'est pas ce que je suggérais. Je n'ai pas encore récupéré ma mallette de scène de crime. Dès que je l'aurai, je relèverai les températures nécessaires, celle du corps, de l'air ambiant, et tout le reste. (Je parle lentement, d'une voix mesurée, une voix que je considère neutre.) Il pourra faire plus frais ici, à cause de la rivière.

Je lui fais cette observation comme si ça n'avait pas énormément d'importance. Cependant, il sait très bien que ça en a. Il se sent rabaissé, critiqué, et je peux suivre le basculement rapide de son humeur. Je me souviens soudain de m'être déjà fait la remarque lors des quelques occasions où je l'ai rencontré. C'est un lunatique. Il passe du chaud au froid avec très peu de graduations entre.

Il détourne le regard, fixe la rivière, et il est évident que son narcissisme en a pris un coup.

— Si seulement y'avait une petite brise, dit-il. C'est presque difficile de respirer. Vraiment suffocant.

Il me tourne presque le dos.

Il peut me tourner le dos toute la nuit si ça lui chante. Je demande alors :

— À quelle heure le corps a-t-il été découvert ?

Après un silence boudeur, il daigne répondre :

— On a reçu l'appel il doit y avoir quarante-cinq minutes. Ah mais… attendez !

Il me fait à nouveau face et feint un moment de génie façon « Eurêka ! », accompagné d'un grand sourire qui découvre des dents très blanches.

— J'ai relevé l'heure sur mon téléphone, me balance-t-il, sarcastique.

Je reste de marbre.

— Ça peut le faire ? Ou alors, peut-être qu'il vaut mieux que je consulte ma montre ?

Je n'ai pas l'intention d'aller dans son sens.

— L'heure que j'ai notée, celle de la réception de l'appel, est dix-neuf-zéro-six, articule-t-il.

Comme si j'ignorais qu'il me donne l'heure militaire !

— Vingt-trois heures dix-neuf en temps zoulou, autrement dit en heure universelle, et 7 h 19 du soir à l'heure d'été de l'est, je convertis. Quelle était la classification de l'appel lors qu'il a été émis ? Que s'est-il échangé ? À première vue, les médias ne semblent pas encore informés.

— C'était un dix-dix-sept, lâche-il dans l'espoir que je lui demande de quoi il s'agit, mais je connais les codes de police aussi bien que lui.

Je les ai entendus durant toute ma carrière et un 10-17 est commun. Cela signifie juste « rencontrer le plaignant ».

— Je suppose qu'il s'agissait des jumelles.

Je l'ai coupé, et Barclay me dévisage. Un muet « quel con ! » me monte aux lèvres.

Selon lui, rien qui soit de nature à alerter les journalistes, scotchés aux fréquences radio des forces de l'ordre de la région de Boston, n'a été diffusé. Cela conforte l'idée que le coup de téléphone suspect reçu par Marino a été passé par un individu impliqué dans l'affaire de façon illégitime. Barclay est formel : il n'a pas contacté le quartier général d'Interpol à Washington D.C. J'ai la sensation qu'il s'agit d'une prérogative de Marino. Cet enquêteur, sans grande expérience, ne penserait probablement jamais à contacter le NCB et sans doute ne connaît-il même pas son rôle, comme nombre de flics.

Marino n'est pas à l'origine de ce contact et moi encore moins. Ça ne peut pas être quelqu'un de mes bureaux. Nous n'étions pas au courant de ce décès au moment où le prétendu enquêteur du NCB a appelé Marino sur son portable. Quoi qu'il en soit, il devient de plus en plus apparent que cet individu est animé d'intentions malveillantes, un euphémisme.

— Je circulais sur Memorial Drive lorsque j'ai reçu l'appel. J'ai rappliqué ici en trois minutes peut-être, souligne Barclay alors que je ne lui ai pas demandé pourquoi il avait été le premier à répondre, ni à prêter attention à une communication basse priorité.

« Rencontrer un plaignant » signifie que quelqu'un veut parler à un policier, en général pour faire état d'un problème ou d'un ennui de n'importe quel ordre. Une requête très vague de ce type peut avoir des explications diverses. La plupart du temps c'est de peu d'importance, et cela me surprend qu'un détective y prête attention, sauf si l'appel lui est spécifiquement destiné. D'un autre côté, Barclay vient d'arriver dans l'équipe des enquêtes majeures. Peut-être s'est-il montré trop zélé ? Peut-être s'ennuyait-il ? Je finis par lui demander :

— Et ce sont ces deux jeunes filles qui ont découvert le corps ? (Je regarde Marino qui s'entretient avec elles, hors de portée d'ouïe.) Elles sont encore écolières ? Elles ont l'air trop jeunes pour l'université.

D'où je me tiens, elles me paraissent à peine pubères. Je serais surprise qu'elles soient assez âgées pour avoir un permis de conduire.

— Non, m'dame, elles vont pas à l'université, confirme Barclay en parcourant les pages de son carnet de notes. Elles sont scolarisées pas loin de Donnely Field, en quatrième. Du moins, c'est ce qu'elles m'ont dit et, *a priori*, je n'ai pas de raison de penser qu'elles inventent un truc ni qu'elles cachent quelque chose. Ni d'ailleurs qu'elles connaissaient la victime. Elles ont été formelles sur ce point.

Sa façon de parler de ces deux fillettes, qui ont été traumatisées par une découverte qu'elles n'oublieront jamais, me paraît dure. Sous-entend-il qu'il les a un peu considérées comme des suspectes ? A-t-il soupçonné que les jumelles pouvaient avoir trouvé drôle de préparer un guet-apens pour une cycliste ? Certes, tout est possible. Je remarque que sa petite torche est éteinte. On dirait qu'il l'a oubliée alors qu'il parcourt ses notes. Enfin, il retrouve la page qu'il cherchait comme s'il possédait la vision nocturne d'un chat.

Les deux filles vivent à côté du Highland Laundromat, une laverie automatique et un pressing, à proximité de Mount Auburn Street, m'annonce-t-il pendant qu'il tourne ses pages avec brusquerie. Il devient logique que leur itinéraire les a conduites de Harvard Square, le long de la John F. Kennedy Street, puis vers la rivière. Leur plan consistait sans doute à suivre la rive le long du parc, puis à couper par Ash Street, ce qui les ramenait chez elles. La balade doit représenter à tout casser 1,5 km aller-retour.

— D'habitude, elles passent par Mount Auburn Street, c'est plus direct, à ce qu'elles m'ont raconté, m'explique Barclay. Mais il faisait si chaud qu'elles ont fait un détour pour profiter de la fraîcheur du parc et rester à proximité de l'eau.

— Pourquoi sont-elles dehors à sept heures du soir ? Je lui pose la question en prenant des notes.

— Elles m'ont précisé qu'elles rentraient chez elles après être passées chez Uno's dans le Square. Non, mais c'est dingue ! Qui a envie de manger une pizza par ce temps ? J'ai entendu ce matin aux informations qu'après-demain la vague de chaleur cesserait. Il devrait pleuvoir, et on rentrera direct dans l'hiver. Vous avez grandi à Miami, n'est-ce pas ? Du coup, je me dis que ce genre de température, c'est super sympa pour vous. Pas pour moi. Il fait bien trop chaud pour mon sang épais.

Je ne lui demande pas d'où il est originaire, probablement pas de Nouvelle-Angleterre. Je détecte une trace d'accent du Midwest dans sa voix.

— J'ai fait que deux séjours à Miami, lâche-t-il, et là non plus je ne fais pas de commentaire.

16.

Il patiente, espérant que je vais me livrer à une petite conversation sympa ou à un badinage agréable, mais je ne suis pas d'humeur. Mon attention est monopolisée par Marino qui parle aux fillettes, un peu plus loin, inclinant la lumière de son téléphone de façon à éviter d'illuminer la scène au profit de quiconque nous espionnerait avec des jumelles ou un téléobjectif.

Je sais ce qu'il est en train de faire. Il veut suivre les expressions qui se succèdent sur le visage des sœurs à mesure qu'il les questionne. À leur attitude, il est évident qu'elles le trouvent rassurant. Je le détecte à la façon dont elles lèvent le regard vers lui, à la manière dont elles se rapprochent de lui, tout près, sous les branches d'un imposant chêne, comme si elles traversaient une forêt hantée avec Marino pour guide.

— Quoi qu'il en soit, continue Barclay en désignant un massif de rhododendrons situé à environ six mètres de nous, à gauche du corps, il faut faire gaffe où vous marchez dans le coin, et je veux pas simplement parler des indices que nous n'avons pas encore récoltés. Mais une des gamines a été malade pas loin.

— Quand cela ?

— Quand je suis arrivé, au moment où je me rapprochais. Elle sortait des buissons, s'essuyait la bouche du dos de la main, avec les yeux un peu vitreux. Je ne sais pas laquelle, ni si elle a vomi ou quoi. Là, vous pouvez me faire confiance, j'ai décidé de pas pousser mon investigation trop loin.

J'en arrive à la question cruciale :

— À votre avis, l'un d'elles a-t-elle touché le corps ? Que vous ont-elles raconté exactement ?

Je jette un coup d'œil à mon téléphone dont le cadran brille comme celui d'une télévision dans l'obscurité. Il est 20 h 22 et j'en prends note.

— Quand je suis arrivé, y'avait personne dans les parages, et elles étaient plutôt éloignées, au moins à 6-7 mètres de lui, détaille Barclay. Elles étaient pas mal secouées, et elles m'ont affirmé qu'elle n'y avait pas touché. Je leur ai posé la même question au moins une demi-douzaine de fois, et à chaque fois elles ont répondu par la négative. Le plus près qu'elles se soient approchées de lui, c'était à un mètre, ajoute-t-il en écartant les mains au cas où je ne saurais pas ce que représente la distance en question.

— De lui ?

— Le corps de la morte.

J'ai le sentiment dérangeant qu'il considère la victime comme un objet et moi comme une personne de peu d'importance qui n'a aucun droit de se trouver là. Je vais supporter son attitude encore un peu. Ensuite, je partagerai avec lui certaines de mes impressions à son sujet. J'ai bien l'intention de lui donner quelques conseils gratuits.

— Elles se sont rapprochées pour vérifier dans quel état il était, et ensuite elles sont reparties, sans doute avec une frousse dingue, poursuit Barclay. Elles sont restées en retrait et ont appelé la police.

Les deux jumelles possèdent des sacs à dos similaires et je n'ai aucune idée de ce qu'ils peuvent contenir. À première vue, je n'ai pas l'impression que l'une d'entre elles ait un téléphone.

— Comment ont-elles appelé le numéro d'urgence ?

— Je sais pas. Elles ont composé le 9-1-1.

C'est sa façon de m'adresser un bras d'honneur.

— Je m'en serais doutée. En réalité, ce que je veux savoir, c'est si l'une d'elles a un téléphone.

— Je sais pas. Je ne les ai pas fouillées. Mais bon, ce que je vous propose, c'est que quand elles seront installées dans la pièce-pâquerette et que je pourrai attirer leur attention ailleurs, je passerai en revue le contenu de leurs sacs à dos. Comme ça, je pourrai récupérer leur téléphone et autre.

J'en reviens à la découverte du corps, et il me ressert les mêmes détails. Les jumelles rentraient chez elles et ont remarqué quelque chose d'anormal sur la piste cyclable.

— Elles se sont rapprochées, répète Barclay, et elles ont d'abord pensé que la jeune femme avait été victime d'un grave accident de bicyclette. Il faisait nuit et peut-être qu'elle s'était heurtée à un lampadaire ou quelque chose de ce genre. Son crâne avait percuté si violemment l'obstacle que le casque avait été arraché. Elles ont vu du sang et le fait que la jeune femme ne bougeait pas.

— Que voulez-vous dire par *d'abord* ? (Avant de m'entretenir avec les deux jeunes ados, je veux apprécier dans quelle mesure il a pu les influencer.) D'abord, elles ont cru qu'elle avait été victime d'un accident de vélo ? C'est ce qu'elles ont dit ?

— En tout cas, je doute qu'elles y croient encore. Elles pensent que quelqu'un a fait du mal à cette dame.

— Comment se fait-il qu'elles aient réussi à voir du sang et à déterminer qu'elle était morte ?

Si les fillettes soupçonnent une agression, c'est sans doute parce que Barclay en est convaincu. Il n'a pas hésité à déclarer qu'il s'agissait d'un homicide, consécutif à une agression sexuelle. Je poursuis mon raisonnement.

— Il fait très sombre et les ombres sont particulièrement épaisses à l'endroit où gît le cadavre. Ont-elles une torche ? Dans le cas contraire, je ne comprends pas comment elles auraient pu remarquer autant de détails.

— Peut-être dans un de leurs sacs à dos. Je sais pas. Elles m'ont dit qu'elles étaient presque sûres que la dame était morte. Elles ont dit qu'elle sentait la mort.

— Intéressant. Qu'entendaient-elles par là ?

— Elles ont précisé que la victime dégageait une odeur de sèche-cheveux, ajoute-t-il d'un ton suffisant.

— Je me demande ce que cela signifie.

Ma réplique le fait rire.

— Qui peut savoir ? Elles sont attardées, hein ?

— Mon travail ne consiste pas à évaluer leur Q.I., et je ne pense pas que ce soit le vôtre. De plus, le terme n'est pas approprié.

Marino est en train de prendre des photographies et dépose un cône numéroté. Un dérivatif qui m'évite de me mettre franchement en colère contre Barclay. Je poursuis en m'efforçant de contrôler ma voix.

— Les jumelles voulaient dire quelque chose. L'intelligence commanderait de comprendre ce qu'elles tentent d'expliquer plutôt que de partir du principe qu'elles racontent n'importe quoi.

— À mon avis, c'est le sang. Du sang par une forte chaleur, ça dégage une odeur. Du genre métallique ? Comme un sèche-cheveux, peut-être ? Et son sang va se décomposer très vite à cause des températures qu'on a.

— Voici un autre détail dont vous ne devriez pas discuter, enquêteur Barclay, hormis si vous voulez que nous échangions nos métiers.

J'entends des pas et le crissement de roues qui avancent avec lenteur sur le sable de la piste, et je jette un regard en arrière.

— Un autre ? Comme dans plus d'un ?

Il a adopté un ton presque charmeur.

— Mais, ouais. Je veux bien échanger nos boulots tout de suite. J'ai toujours pensé que je ferais un super médecin.

Des voix basses me parviennent. Rusty et Harold, bardés de leur matériel et équipements, m'évoquent des lumières flottantes, accompagnées d'une caravane diluée dans l'ombre. Je peux à peine les distinguer alors qu'ils pénètrent dans les bois qui débouchent sur la clairière.

Leur front est ceint de petites torches, assez similaires à celles des mineurs, afin d'éclairer leur progression et de pouvoir propulser deux chariots. Toutefois, inutile que je les voie pour savoir qu'ils sont chargés d'une montagne de mallettes de scène de crime, de boîtes, de sacs de sable, de barrières d'intimité, pour l'instant non assemblées et enveloppées à l'intérieur de ce qui ressemble à une pile de longues poches à cadavre noires. Arrimée par des tendeurs, la silhouette sombre et massive de la cargaison qui se rapproche ressemble à un traîneau morbide du Père Noël. J'envoie un texto à Harold :

Une fois que vous aurez pénétré le périmètre, commencez à décharger. Je vous rejoins sous peu.

Puis je précise à Barclay :

— Monter l'ensemble ne prendra pas plus de vingt minutes. Pendant ce temps-là, Marino et moi allons procéder à une reconnaissance des lieux, prendre des photos, nous faire une idée de ce que nous devons identifier, protéger, avant d'assembler la tente au-dessus du corps. Lorsque ce sera terminé, nous allumerons les projecteurs et je l'examinerai dans cette enceinte.

Barclay se tourne à son tour pour surveiller l'approche de mon équipe.

— Quel genre de surface ça peut couvrir ? demande-t-il.

— Assez pour ceinturer le vélo et le corps. Si vous n'avez pas eu l'occasion d'assister à ce genre de montage, autant vous dire que nous devons procéder par étapes, selon un protocole très précis et logique de sorte qu'une procédure ne risque pas d'entrer en contradiction avec une autre.

Je regarde à nouveau les jumelles qui s'entretiennent toujours avec Marino ainsi que la bicyclette abandonnée à environ six mètres de l'endroit où je me tiens. Le corps, quant à lui, est allongé trois mètres plus loin. En général, lorsque je conduis une reconnaissance haute, c'est-à-dire un examen préliminaire, je parviens à me faire une bonne idée de la topographie et de ce à quoi je suis confrontée. Toutefois, ce que je vois aujourd'hui est déroutant. Cela semble incohérent, presque bizarre, comme si quelqu'un était intervenu après les faits sans avoir la moindre idée de ce qu'il voulait faire au juste.

Si la victime était tombée de son vélo, son corps ne se retrouverait pas à trois mètres de lui. Une bicyclette ne peut pas vous faire choir de la même façon qu'un cheval, et même dans le cas contraire, ce que je vois est aberrant. Pourquoi le casque est-il si éloigné du vélo ? Même une mentonnière lâche ne l'explique pas. Comment se fait-il que son crâne ait heurté le sol si violemment qu'elle soit morte presque instantanément, selon ce que l'on m'a révélé ? Je ne peux pas non plus imaginer qu'elle soit morte dans la position que nous voyons, les bras étendus au-dessus de la tête, jambes écartées, ses genoux et ses coudes à peine pliés.

— Vous êtes prête à lui jeter un coup d'œil ? demande Barclay.

Mon souhait pour le moment est que cet autoritaire nouvel enquêteur me fiche la paix et me laisse avec mes pensées durant quelques instants.

— Inutile de revenir sur le fait que vous n'avez pas dérangé le corps, vous ne l'avez pas déplacé, n'est-ce pas ?

J'insiste une dernière fois. Je fais sortir la mine de mon stylo.

— Je vous ai dit que non. J'ai juste vérifié ses paramètres vitaux, et c'était évident qu'elle était morte depuis un moment.

— Ses paramètres vitaux ? Où cela ?

— Son poignet. Je suis presque sûr qu'il s'agissait du droit. Je l'ai soulevé afin de vérifier le pouls, et son bras était raide. C'est tout. C'est tout ce que j'ai fait. J'arrête pas de répéter à tout le monde que je l'ai pas déplacée, insiste-t-il, et je me demande qui est *tout le monde*.

Cela dit, Marino peut devenir une foule à lui tout seul lorsqu'il s'en prend à quelqu'un.

— Lorsque l'équipe est arrivée sur les lieux, leur avez-vous fait part de votre certitude que la jeune femme était morte depuis un moment ?

— Ben, c'est mon opinion. Je leur ai dit qu'elle était déjà raide, mais encore tiède parce qu'on aurait pu faire frire un œuf dans ce coin.

— Vous devriez garder à l'esprit une chose, enquêteur Barclay : il est crucial de ne pas être la source d'un jugement non corroboré qui peut se révéler faux.

Ce sera mon petit cadeau de départ, ce que je pense véritablement, une leçon gratuite qu'il n'appréciera pas. J'ajoute ensuite d'une voix calme, professionnelle :

— Aussi bien intentionnée que soit votre démarche, soyez très scrupuleux avant de parler. Peu m'importe ce que l'on vous dit ou ce que vous voyez. Peu m'importe ce que vous croyez *mordicus*. Réfléchissez à deux fois. Réfléchissez à trois ou quatre fois.

— J'ai bien le droit de donner mon opinion... commence-t-il, mais je l'interromps.

— Pas lorsqu'elle a trait à la science, à la médecine, ou à tout autre domaine qui ne relève pas de votre compétence. Faites part de vos observations, mais ne les interprétez pas et n'en concluez rien. (Je ne le lâche pas du regard.) Parce que les petites causettes impromptues et les informations erronées sont des aubaines pour les avocats.

— Je vous dis qu'elle était raide et donc morte depuis un moment...

— Une paralysie peut rendre un corps rigide. Ça ne signifie pas que la personne est morte. À nouveau, je

vous en conjure, n'interprétez, ni ne diffusez vos hypothèses, principalement lorsqu'il s'agit de diagnostics
médico-légaux.

— Mais c'est moi qui ai vu cela, donc c'est un fait,
pas une opinion, balance-t-il, tendu comme une corde.
Et peut-être qu'il y a cette odeur. Peut-être que j'ai senti
le sang en train de pourrir. (Il s'interrompt, hostile, puis
reprend :) Ça y est, je comprends maintenant tous les
bavardages. Toute cette merde diffusée à la radio un
peu plus tôt.

Je ne l'interroge pas sur la signification de sa dernière
remarque. Me revient la plainte au numéro d'urgence
au sujet de ma prétendue altercation avec Bryce et du
scandale que j'aurais fait, et je crois savoir. Peut-être
Barclay est-il au courant ? Et peut-être aussi tout le
monde au département de police ? J'en termine avec lui
en exigeant qu'il m'attende ici, en d'autres termes qu'il
maintienne une distance appréciable par rapport à moi.

Il file d'un pas raide vers Marino et les jumelles.
Le fringant enquêteur, dont le prénom n'est pas Clay,
ne m'aime pas. C'est évident. Non que cela m'émeuve.
Marino se dirige vers moi. Il s'accroupit à côté de son
énorme mallette Pelican en plastique noir, celle qu'il
a traînée depuis son SUV.

— Gardez l'œil sur lui, je murmure dans un souffle.
Il vient juste d'arriver et pense déjà qu'il n'a d'ordres à
recevoir de personne. Le plus souvent, ce genre d'attitude ne fait qu'empirer.

Marino contourne la mallette et soulève les fermoirs.

— Je le surveille bien plus que vous croyez. Il a un
truc particulier avec les femmes âgées, un foutu complexe vis-à-vis de la mère. Je vous mets juste en garde.

— Je lui rappelle sa mère ?

— Ou une tante. Juste parce que vous êtes plus
vieille que lui.

— Ça ne signifie en rien que je lui évoque sa mère,
sa tante, ou quiconque.

— Je vous préviens juste qu'il pense être un véritable cadeau pour les femmes. Mais, contrairement à

moi, votre aimable serviteur, il ne les aime pas. Pas vraiment.

Il soulève le couvercle de la mallette. À l'intérieur sont rangés avec soin tous les consommables ou équipements nécessaires sur une scène de crime. Il en extrait un appareil photo et une grosse lampe-flash munie d'une bandoulière amovible. Il enfile ensuite des protections de chaussures et faufile ses mains en battoirs dans une paire de gants. Il m'en tend ensuite et observe :

— Vous allez nager là-dedans, Doc.

Je lui demande deux élastiques pour ajuster les petites bottines jetables et réduire leur taille de moitié. Ainsi, je peux espérer ne pas marcher dessus à chaque pas ou m'écraser le pied. J'enfile les gants extra-larges de nitrile violet qui pendouillent autour de mes doigts.

— On y va, décide-t-il.

Nous passons à la deuxième étape, le périmètre intérieur, sans nous préoccuper à ce stade de passer d'autres protections.

Il n'existe aucun risque de contamination si nous prenons garde à ne pas fouler ou déranger quoi que ce soit. Hormis en de rares circonstances, nous ne collectons pas d'indices tant que le périmètre intérieur de la scène n'est pas protégé et illuminé. Nous commençons notre inspection de la clairière, utilisant nos torches pour balayer la bande sableuse qui s'étend devant nous, sans omettre les arbres et l'herbe de chaque côté.

Marino s'immobilise à chaque pas comme s'il avait découvert quelque chose. Il se penche, grogne doucement, pour m'indiquer qu'il n'y a rien, et prend quelques clichés. L'obturateur ne cesse de claquer. Les éclats aveuglants du flash me désorientent presque comme nous continuons notre approche synchronisée, une routine que nous suivons depuis belle lurette. Il s'agit maintenant d'une procédure enracinée, et nous n'avons que peu d'occasions d'échanger des conseils.

La silhouette d'un lampadaire éteint se matérialise dans l'obscurité, juste devant nous, non loin de la bicyclette qui gît sur le flanc, vers la limite extérieure de la clairière, juste avant que les bois ne revendiquent à nouveau l'espace.

— Stop ! je m'exclame.

L'ampoule, en haut de son haut perchoir d'acier noir, est éteinte. Nous braquons les pinceaux lumineux de nos lampes pour découvrir la paroi vitrée de la lanterne et les ampoules brisées. Des éclats de verre cassé étincellent sur l'herbe et autour de la bicyclette.

— D'ici on pourrait croire que le vélo a percuté le lampadaire. Peut-être que Barclay avait raison, dis-je.

— Nan, il a jamais raison, grommelle Marino.

Peut-être la cycliste n'a-t-elle pas vu l'obstacle et l'a-t-elle heurté de plein fouet. Néanmoins, ça n'expliquerait pas les ampoules éclatées de la lanterne, à plus de trois mètres du sol. Ça n'expliquerait pas non plus pour quelle raison le corps ne gît pas à proximité.

Marino scrute le haut du lampadaire et déclare :

— Aucune idée. Peut-être que quelqu'un a ouvert un des panneaux là-haut pour pulvériser les ampoules.

— En ce cas, pourquoi trouve-t-on des éclats de verre un peu partout ? De plus, à part un géant, je ne vois pas comment on peut atteindre la partie supérieure et ouvrir le panneau vitré.

— Je pense pareil. Comment ça se fait que le verre s'est répandu partout ? Les ampoules peuvent pas avoir été tirées avec une arme à feu parce que sans ça, les vitres qui les entourent seraient cassées. Je vois pas non plus un autre projectile, genre une pierre, sauf si vous avez grimpé sur une échelle pour les pulvériser. (Il balaye les environs du faisceau de sa torche, vérifiant quand même si un caillou correspondant ne traîne pas.) D'un autre côté, on sait pas au juste quand ce dégât est survenu.

— Je doute que les responsables du parc laissent très longtemps un lampadaire qui ne fonctionne pas.

— C'est sûr que ça rendait la zone beaucoup plus obscure à l'endroit où elle est descendue de vélo et a été attaquée, renchérit-il, alors que nous ne cessons d'illuminer les environs. Peut-être qu'un tordu a explosé les ampoules. Peut-être qu'il a escaladé le lampadaire, qui peut dire ? Ensuite il a attendu sa proie, elle ou une autre victime. Ça ressemble à ça, ce qui sous-entend que l'acte était prémédité.

— Ou alors, peut-être l'éclairage était-il déjà défectueux, et elle a été victime d'un accident. (Je n'y crois pas un instant, mais là encore, je lui indique qu'il doit rester prudent et ne pas se fourrer une idée ou une autre dans la tête.) Rien n'indique pour l'instant qu'elle a été agressée.

Je l'ai répété un nombre incalculable de fois mais, à l'évidence, personne ne m'écoute.

Un autre pas, un autre, et nous nous retrouvons à environ un mètre et demi du vélo couché sur le côté. Le corps est à trois mètres de là. J'aperçois immédiatement des marques de traînée.

— Mince ! je murmure. On l'a déplacée.

Quoi que m'ait affirmé Barclay, j'étais certaine de ce que j'allais découvrir.

17.

Il est assez simple de repérer des modifications anormales du sol ou du feuillage lorsqu'on a l'habitude de les rechercher. Vérifier si une zone a été piétinée, ou dérangée de façon accidentelle ou délibérée, est devenu chez moi une seconde nature.

Les traînées indiquent que le corps a été déplacé, pas de beaucoup. Une autre étrangeté qui s'ajoute à une liste déjà longue. Le haut du corps repose sur l'herbe, les hanches et les jambes sur la piste de fitness. Les traces abandonnées sur la surface granuleuse débutent à quelques centimètres des socquettes. L'hypothèse qui me vient immédiatement à l'esprit est qu'au moins une personne a commencé à la tirer, puis a été interrompue pour une raison ou une autre. Je me demande ensuite où sont passées les chaussures de la victime.

Elles manquent, tout comme son T-shirt, si tant est qu'elle les portait juste avant la mort. Peut-être les retrouverons-nous ailleurs. Nous découvrirons sans doute pas mal de choses dès que nous disposerons d'un éclairage correct et je me souviens à nouveau de la cycliste avec son casque bleu-vert.

Je revois ses chaussures de sport. J'espère que la femme morte ne portait pas des Converse. Je ne peux pas en être certaine puisque j'ignore où elles ont échoué. Je ne remarque pas de bandana bleu à motif cachemire, ni de chaîne en or comme ceux de la jeune femme que j'ai rencontrée. Cela étant, il a pu aussi arriver quelque chose à ces objets. Je fournis un gigantesque effort de volonté pour ne pas me rapprocher sur une impulsion, et satisfaire une insoutenable curiosité mêlée d'appréhension.

Je pourrais m'avancer, à quelques centimètres d'elle. Je pourrais braquer ma lampe torche sur son visage pour découvrir s'il s'agit de la femme à l'accent britannique. Je saurais alors si elles ne sont qu'une seule et même personne : Elisa Vandersteel. Mais je ne le ferai pas. Je dois procéder avec mesure, patience, prudence. Il me faut prétendre que je ne sais pas ce qui m'attend dans l'obscurité. Prétendre que peu importe. Je ne suis pas supposée ressentir d'émotions, au sujet d'aucun de mes cas, même si c'est un mensonge.

Je jette un coup d'œil vers l'arrière. Rusty et Harold déchargent les chariots, ouvrent la fermeture Éclair des grands sacs en vinyle noir dans un véritable barouf. Je perçois les murmures qu'ils échangent.

— Vous permettez, Marino ?

J'échange ma petite lampe tactique avec la sienne, bien plus puissante. Je m'accroupis au milieu de la piste, regardant alentour, m'assurant que je ne compromets rien, ni n'interfère avec quoi que ce soit qui puisse s'y trouver. La torche métallique de 6 000 lumen pèse quelques petits kilos. Elle est équipée d'une large lentille sous laquelle brillent six LEDs. Le flot lumineux balaye le chemin, se réfléchit sur le matériau sableux qui recouvre le remblai compact, du quartz, de la silice.

Dès que la lumière les frôle, les grains luisent au point qu'on pourrait les croire vivants, et des éclats de verre brisé vacillent et s'allument dès que j'illumine la zone qui se trouve sous et autour de la bicyclette. Je procède avec lenteur, méticuleusement, et me concentre. Dès qu'une scène est investie, il est impossible d'en sortir. On ne peut pas défaire ce qui est et, lorsque c'est possible, je prends tout mon temps, au risque d'irriter pas mal de gens. Je pointe le faisceau lumineux au-delà du vélo, à trois mètres au moins, jusqu'au corps.

Je distingue beaucoup plus clairement à quel endroit les talons de la victime ont laissé des traces dans la surface friable alors qu'on la tirait sur une courte distance, environ vingt centimètres. Selon moi, cela explique que l'enquêteur Barclay ait cru repérer des indices de lutte. Elle porte de courtes socquettes qui me paraissent grises, similaires à celles de la cycliste de tantôt, mais je n'en aurai confirmation qu'en me rapprochant. Je me tourne vers Marino.

— Je ne comprends pas bien ce qui s'est passé ici, mais je n'aime pas ce que je vois. Il y a quelque chose qui coince. On dirait que son vélo est tombé juste sous le panneau ouvert de la lanterne, les ampoules brisées, et le verre répandu un peu partout. Pourtant, son corps est là-bas ? De plus, je ne comprends pas pourquoi elle aurait roulé à bicyclette en socquettes. Je vais avancer un peu. Ça m'arrangerait que vous restiez en retrait afin de prendre des clichés.

Je me relève de ma position accroupie. Mes pas produisent des raclements alors que je me déplace avec les protections de chaussures mal ajustées, bricolées à la va-comme-je-te-pousse. Je braque de nouveau le faisceau lumineux jusqu'au corps, et même un peu plus loin, balayant les longs cheveux châtains en désordre. Je distingue son joli visage juvénile, avec un petit nez retroussé, un menton délicat, une peau pâle. De la terre souille ses lèvres entrouvertes et ses yeux morts ne sont que deux fentes sous les paupières quasiment fermées. Les lunettes de soleil qu'elle portait un peu plus tôt manquent, si tant est que la femme morte et la cycliste soient la même personne.

En dépit de ma prudence habituelle, j'en suis de plus en plus convaincue. Sans même évoquer ce que me souffle mon instinct. Je vois le short bleu pâle, les rayures fines des socquettes grâce à l'intense lumière. Du sang macule l'herbe sous son cou. D'où je me tiens, il semble qu'il y en ait peu. Je ne remarque ni hématome, ni lacération, ni blessure au visage. Rien que de la terre et des débris végétaux collés sur l'épiderme, comme quelqu'un qui a fait une chute.

Cependant, la position des bras est étrange. Ils sont étendus derrière sa tête, largement écartés, les paumes des mains tournées vers le ciel, et cela corrobore ma conviction qu'elle a été tirée par les poignets. Les erreurs des gens dans la panique du moment me sidéreront toujours. Il aurait été si simple de balayer les traînées et de positionner le corps de manière qu'il ne paraisse pas évident qu'on l'a déplacé après les faits. Je jette un regard aux jumelles. Elles me dévisagent. Une fâcheuse intuition m'envahit : elles mentent.

Elles ont affirmé qu'elles ne s'étaient pas approchées du corps à moins d'un mètre, du moins si l'on se fie au rapport de Barclay. Or, quelqu'un l'a fait. Peut-être plus d'une personne. Il se peut que deux individus de force équivalente soient intervenus, chacun tirant la morte par un bras avant de s'interrompre. Le casque, abandonné à six mètres de là, ne cesse de m'intriguer. Il repose sur l'herbe, à l'envers, comme une tortue échouée. Quelqu'un l'a-t-il jeté là ? Que sont devenus les chaussures et le T-shirt de la victime ? Ses lunettes de soleil, sa chaîne de cou, son bandana ? Si elle les portait toujours, où sont-ils passés ?

Je braque le faisceau lumineux sur le vélo et le contourne avec lenteur. J'examine les pneus, afin de déterminer s'ils sont abîmés, le cadre blanc avec ses touches bleues, le cintre plat relevé, la bande de course, et la selle en Polygel. Je ne remarque ni bosse ni éraflure. Cependant, le compartiment en plastique noir du guidon, destiné au téléphone, est vide. La fixation qui permet de maintenir l'appareil en place est dégrafée. Pas de téléphone en vue. J'ai de nouveau la même intuition, encore plus impérieuse. J'ai l'impression de recevoir un coup dans le sternum, accompagné par une sensation de vide qui m'engloutit, et j'inspire profondément, avec lenteur.

Je m'efforce de contrôler mes pensées concernant cette femme que j'ai rencontrée à deux reprises aujourd'hui, et m'admoneste. Je dois résister à l'inévitable qui va déferler sur moi en raz-de-marée. Le vélo me semble familier. Je n'avais aucune raison de l'étudier en détail mais je me souviens qu'il portait des décorations bleues et un cadre de couleur claire ou blanche. Je m'étais fait la réflexion que le bleu était de la même nuance que celui du casque qu'elle portait et ma torche l'illumine, couché dans l'herbe à côté d'un érable du Japon. Je me souviens de la photo du permis de conduire d'Elisa Vandersteel.

— C'est invraisemblable, je lance à Marino. Le casque est à environ six mètres du corps. Pourquoi ?

— Ben, ça a pu se produire lorsqu'elle a résisté. Peut-être qu'elle a essayé d'échapper à son agresseur, suggère-t-il.

Cependant, je ne vois pour l'instant rien qui m'indique qu'elle ait lutté, ni qu'elle ait tenté de fuir.

— Ou alors peut-être que les deux sœurs l'ont balancé ici. Mais pourquoi ? Ça paraît peu probable qu'elles aient ôté le T-shirt de la victime, mais où est-il ? Et ses chaussures ?

Je ne mentionne ni le foulard ni le téléphone et encore mois la chaîne de cou ou les lunettes de soleil dont j'ignorerais l'existence si je n'avais jamais croisé la jeune femme. Je ne suis pas encore décidée à révéler cette double coïncidence à Marino. Même s'il n'existe qu'une probabilité minime que je me fourvoie à ce sujet, le grand flic serait tenté de foncer dans une mauvaise direction. Cela pourrait porter préjudice au dossier devant un tribunal. J'éclaire toujours les surfaces autour du corps et de la bicyclette et lui fais part de mes observations. Les lieux ne semblent pas avoir subi beaucoup d'altérations, hormis les traînées abandonnées par les talons de la victime.

— Jusqu'ici je ne vois rien, pas même le sang, qui puisse trahir une poursuite ou une lutte. En revanche, ce que j'observe n'a aucun sens, je le répète. C'est aberrant.

Soudain, le faisceau de ma lampe balaie ce qui ressemble à deux petits fils brillants ondulés, à quelques centimètres l'un de l'autre sur le sentier.

Les deux brins font environ quinze à dix-sept centimètres chacun, ce qu'il reste d'une délicate chaîne en or, arrachée avec force.

— Sans doute provenant d'un collier, dis-je à Marino en jetant un regard au vélo renversé.

Il gît à quelques mètres derrière nous. Je scrute le chemin à proximité de la chaîne brisée, cherchant d'éventuels signes qui m'indiquent une confrontation, une bagarre. La surface brun-roux est lisse et plate, suggérant qu'aucun événement violent ne s'est déroulé à cet endroit.

Marino signale l'indice d'un petit cône bleu qui porte le numéro 7.

— Un collier arraché d'un cou, et j'ai pas l'impression qu'il traîne ici depuis longtemps. J'me demande si quelque chose y était suspendu, un médaillon, une croix, un truc qui paraissait avoir de la valeur. Ou alors, peut-être a-t-il été embarqué comme souvenir.

— Possible.

Je frôle la zone du puissant faisceau lumineux de la torche, à la recherche d'un pendentif, d'un anneau, d'un porte-bonheur, tout ce qui peut être suspendu à une chaîne.

Un crâne en or, par exemple, comme celui de la cycliste. Il était difficile de ne pas le remarquer lorsque nous nous sommes croisées dans le foyer du théâtre puis sur le trottoir. Un crâne assez fantasque, humoristique, pendu à sa chaîne. Je me souviens qu'elle l'avait balancé dans sa nuque avant de s'éloigner de Benton et moi, pour s'assurer que le pendentif ne percuterait pas son menton ou ses dents à la faveur d'un coup de pédale. Du moins, je le suppose.

Je quadrille l'herbe autour de moi, sans remarquer de chemise, de T-shirt ou autre. La cycliste à l'accent anglais portait un débardeur beige, souvenir, j'en suis presque sûre, d'un concert donné par Sara Bareilles, plusieurs années auparavant. Je ne distingue rien de tel. En revanche, je retrouve ses chaussures de sport dispersées, l'une ici, l'autre beaucoup plus loin, des Converse blanc cassé, dont les lacets sont toujours noués en rosette, comme si elles avaient été arrachées de ses pieds.

Je ne suis pas certaine que son nom était Elisa Vandersteel. En revanche, il me reste peu de doutes que la victime n'est autre que la cycliste que j'ai aperçue plus tôt. Pourtant, je dois me maîtriser. Je ne peux pas me permettre une émotion. Il ne faut en aucun cas qu'on ait le sentiment que je réagis de façon personnelle durant l'exercice de mon métier. Puis, alors que nous semons les petits cônes de couleur, prenons des notes, des photographies, une décision s'impose à moi. Je dois informer Marino.

— Je ne peux pas le prouver, et ne suis pas certaine que cela revêt une importance quelconque, mais je pense avoir aperçu la victime cet après-midi.

Il s'immobilise et me dévisage, comme si je tombais de la planète Mars, avant de s'exclamer :

— Vous vous payez ma tête, là ?

Je commence à lui relater ma rencontre avec cette jeune femme à l'American Repertory Theater, ensuite devant le Faculty Club.

— Benton et moi l'avons croisée sur le trottoir, j'ajoute. Il devait être environ 18 h 45, et le soleil se couchait. Toutefois, il faisait encore jour.

— Si c'est bien elle, constate Marino, ça signifie qu'elle n'était pas morte depuis très longtemps lorsque les jumelles l'ont trouvée. On a reçu l'appel au 911 aux environs de 19 h 30.

— En d'autres termes, ce qu'affirme Barclay n'est pas logique. Si le décès remontait à moins d'une heure lorsqu'il a vérifié le pouls, il est impossible que la rigidité cadavérique ait été complète. D'ailleurs, elle devait être indiscernable à ce stade.

Je jette un regard aux jumelles, et leur attention passe d'une chose à l'autre alors que Barclay s'entretient avec elles. Elles ne sont pas aussi réconfortées en sa compagnie qu'en celle de Marino, c'est perceptible. Depuis qu'il les a quittées, elles semblent s'être métamorphosées en une paire d'oisillons identiques, aux yeux écarquillés, effrayés, fatigués, agacés.

Je surprends une bribe de conversation. Barclay leur demande quelque chose à propos de leur mère. Il pose la question d'une façon qui me laisse soupçonner qu'il n'aborde pas le sujet pour la première fois. Elles hochent la tête en signe de dénégation. S'il y a un père dans les parages, je ne l'ai pas encore entendu mentionner.

— Elle est en général endormie... ? Si tôt dans la soirée, à 20 h 30 ? insiste Barclay.

— Ça dépend.

— Parfois.

— Quand elle se sent pas bien.

— C'est la raison pour laquelle elle ne répond pas au téléphone... ? demande-t-il, et je suis incapable de déterminer quelle fillette lui répond.

— Oui, précise l'une d'elles. Faut pas la réveiller quand elle dort. Elle aimera pas ça.

— Quand elle se sent pas bien, elle aime pas le téléphone, renchérit la deuxième en écho.

J'ai le sentiment qu'elles ont l'habitude de s'occuper de leur mère. Je n'entends que des morceaux de phrases, assez cependant pour comprendre qu'il y a un problème. Je ne serais pas autrement surprise que maman soit divorcée, et ne réponde pas au téléphone parce qu'elle est ivre. Sans doute ne s'est-elle même pas aperçue que ses filles n'étaient pas rentrées. J'espère me tromper. Je déverrouille mon téléphone et envoie un texto à Harold :

J'arrive.

Puis je me retourne vers Marino :

— Je pense que nous en avons vu assez pour l'instant. Je veux m'assurer que Rusty et Harold sont sur la même longueur d'ondes que nous au sujet de l'appareillage de la scène. J'en ai pour une minute. Ensuite nous pourrons revêtir nos combinaisons intégrales et, avec un peu de chance, allumer les projecteurs assez vite.

Marino regarde en direction du ruban jaune de scène de crime tendu dans les bois, de la longueur d'un terrain de football, derrière lequel Rusty et Harold patientent. Puis, il observe les jumelles à une quinzaine de mètres de nous sur la gauche, à proximité des arbres, à la limite extérieure de la cuvette herbeuse. Leurs yeux vont et viennent sans cesse alors que Barclay continue à leur parler sans que je puisse entendre.

— Je vais discuter avec elles, m'annonce Marino.

— Je vous retrouve là-bas. Ce serait vraiment appréciable qu'elles m'expliquent, avec leurs mots, ce qu'elles ont pu fabriquer ici. Il faut absolument que je le découvre avant de poursuivre, si vous n'y voyez pas d'objection.

— Nan. On sait déjà qu'elles nous planquent un truc. Genre, pourquoi la dame morte a été traînée, et pourquoi ses affaires sont répandues un peu n'importe où et pourquoi d'autres ont disparu.

18.

Rusty et Harold pourraient être le vieux couple, quoique mal assorti, du CFC. Mes deux meilleurs techniciens de morgue sont si différents qu'à les voir, on parierait qu'ils ne s'entendront jamais.

Rusty traîne en permanence dans ses pantalons de surfeur, ses sweat-shirts à capuche, qui lui donnent l'air d'un hippie attardé de l'époque bénie des teintures de vêtements maison et de Woodstock. Harold, ancien soldat, a été propulsé directeur d'une maison de pompes funèbres. Ses cheveux gris sont clairsemés. Il porte une moustache taillée de près et semble dormir dans ses costumes classiques à un bouton, toujours dans de sobres nuances de noir ou de gris.

Je jette un regard à ce qu'ils sont parvenus à assembler dans une semi-obscurité seulement trouée par leurs torches et m'enquiers :

— Dans combien de temps, selon vous ? Peut-on être prêts à passer à l'action d'ici une vingtaine de minutes ?

— Je crois, m'affirme Harold.

Il s'accroupit, imité par Rusty, leurs lampes frontales éclairant les sacs ouverts étalés autour d'eux.

À l'intérieur sont rangés des cadres en aluminium, des parois de côté avec revêtement en polyuréthane noir, et une sorte de marquise fabriquée en polyester noir ultra-résistant. Des sacs de sable, des pieux de sol, des mallettes de scène de crime, des boîtes de gants, et des piles de vêtements protecteurs jetables sous film plastique sont toujours arrimés sur les chariots.

Tout ce dont nous pourrions avoir besoin en plus – notamment de l'eau et des encas non périssables tels que des barres protéinées – est stocké à l'arrière de notre camion. J'irai y faire un tour bientôt. Il faut que je boive quelque chose et que je profite d'un peu de fraîcheur, ne serait-ce que quelques minutes. Plus important encore, il faut que j'appelle Lucy, et je n'ai pas envie qu'on puisse surprendre notre conversation. Je vais lui demander de s'informer sur une jeune femme de 23 ans, du nom d'Elisa Vandersteel, dont le permis de conduire porte une adresse londonienne. Lucy parviendra peut-être à trouver des renseignements à son sujet, du moins je l'espère. Il faut que nous nous y mettions maintenant.

Peu importe que son identité ne soit pas encore certaine. Après tout ce que j'ai vu, sa confirmation n'est guère plus qu'une formalité. Le fin mot de l'histoire reste un mystère déconcertant, à l'instar des autres événements qui continuent de se produire. Nous devons nous accrocher à n'importe quelle piste intéressante.

Qui était Elisa Vendersteel ? Pour quelle raison se trouvait-elle aux États-Unis ? Que faisait-elle à Cambridge ? Avait-elle pour habitude de se promener à vélo le long de la rivière au soleil couchant ? Si tel est le cas, un harceleur ou un autre prédateur pouvait le savoir.

— Je suis désolée de vous occasionner ces tracas, dis-je à mes acolytes, mais, la chose dont nous devons vraiment nous préoccuper se trouve là-haut, et je ne parle pas de Dieu. Nous sommes exposés sous tous les angles, notamment au-dessus de nous.

Je pointe vers le pont, les bâtiments qui nous environnent, et les hélicoptères des chaînes d'information qui vont rappliquer à la minute où l'affaire sera relayée.

— Bah, c'est pour ça qu'on est grassement payés, lâche Rusty, à son habitude.

— Vous connaissez la cause de la mort ? interroge Harold.

— Je ne l'ai pas encore examinée. Je ne veux pas me rapprocher aussi près tant que nous n'avons pas de protections et une lumière adéquates. De ce que j'ai vu à distance, il y a des signes de traumatisme. De plus, il semble que son corps ait été déplacé et repositionné.

— Alors ça, c'est pas une bonne chose, observe Harold. Vous êtes sûre qu'on a modifié la scène ?

— Il y a des marques de traînées.

— Merde ! renchérit Rusty. Et ce sont deux gamines qui l'ont retrouvée ?

— Qui peut dire ce qu'elles ont fabriqué avant que la police rapplique, ajoute Harold d'un ton sombre.

— Certains de ses effets personnels semblent manquer. D'autres sont éparpillés. Il se peut qu'un collier ait été brisé et le pendentif égaré.

Je ne mentionne pas le crâne en or. Je refuse d'orienter les recherches et ne cesse de me répéter que je dois me montrer extrêmement prudente, sans influencer l'enquête, simplement parce que j'ai formé une théorie personnelle qui pourrait n'être basée que sur une coïncidence, un pur hasard. De plus, quelle importance revêtent mes rencontres avec Elisa Vandersteel, si nous confirmons l'identité de la victime ? En quoi cela a-t-il une incidence sur sa mort et ce que nous retrouverons ou pas dans les parages ?

Pourtant, alors même que je tente de me convaincre que ces hasards n'ont aucune signification, je sais que je me leurre. À tout le moins, cela nous desservira lorsque le tribunal apprendra que je l'ai rencontrée peu avant qu'elle soit assassinée. Ce détail ne rendra pas notre dossier plus robuste. Bien au contraire. La défense l'utilisera contre moi. Je serai accusée de ne pas être objective, d'être distraite, d'adopter un raisonnement biaisé parce que nos chemins se sont croisés, pas une mais deux fois, peu avant son décès.

— Arraché de son cou, suppose Harold.

— Si tant est que ce bijou lui appartienne, et cela semble être le cas.

— Comme ça, on dirait qu'il y a eu une lutte et que l'agresseur a essayé de modifier la scène *a posteriori*, suggère-t-il.

Leurs lampes frontales m'aveuglent à chaque fois qu'ils se tournent vers moi.

— Il y a eu violence, mais à ce stade, je ne peux pas affirmer qu'il y a eu lutte. Dès que les protections seront montées, j'en apprendrai bien plus.

— On a discuté pour déterminer la meilleure façon de procéder. On a pensé que vous voudriez la tente couverte d'un dais, c'est ce qu'on a recommandé à Marino. Bon, on connaît bien cette zone, mais on a quand même apporté une carte.

Harold s'exprime toujours d'une voix onctueuse, comme s'il accueillait les gens à la porte de la chapelle, ou les conduisait dans la salle d'exposition des cercueils ou encore le salon de repos, destiné au dernier hommage, avant la mise en bière.

Je lève le regard vers les étages supérieurs de la résidence estudiantine Eliot House. Je devine plusieurs silhouettes derrières des fenêtres illuminées. Je détaille le pont, la circulation dense dans les deux sens. L'aluminium s'entrechoque, et les grands sacs maltraités, traînés sans ménagement sur le sol, protestent en geignant.

— Vous allez pratiquer l'autopsie cette nuit ? me demande Rusty.

— En temps normal, j'attendrais jusqu'au matin. Toutefois, la situation n'a rien de normal.

— En ce cas, je me demande s'il ne faudrait pas appeler Anne. (Il soulève un autre cadre, léger mais encombrant et sa lampe frontale m'évoque l'œil étincelant d'un cyclope.) Il faudrait qu'elle se mette en route pour le CFC dès maintenant.

L'échafaudage des armatures de tente m'évoque une sorte de Stonehenge un peu fou de tubes argentés.

— J'irai chercher une fourgonnette pour la transporter lorsque le moment sera venu, remarque Rusty, en faisant référence au cadavre.

— Et comment allez-vous vous débrouiller ? dis-je, un peu inquiète. Ça supposerait de rouler au beau milieu de la scène de crime.

— Selon moi, on se garera aussi près que possible, sans rien déranger, réfléchit Rusty. Et puis, lorsque vous en aurez terminé et que vous nous donnerez le feu vert, on l'enveloppera dans une housse et vous apposerez le sceau à indice. Et c'est tout ce que verront les gens tentés de filmer la scène, juste un corps dans sa housse, sur une civière. Elle pourrait arriver dans notre aire de réception aux environs de 21 heures. Du moins si tout se passe bien.

Ils échangent un regard et s'approuvent l'un l'autre.

— Je peux prévenir Anne, propose Harold.

Il s'agit de la radiologue médico-légale en chef du CFC. La victime doit passer au CT scanner le plus rapidement possible. Aussi, j'approuve leur suggestion. Si elle est disponible, l'idéal serait qu'Anne file jusqu'au centre. Nous devons nous mobiliser sans tarder.

— Vous pensez qu'elle a été tuée ? me demande Rusty.

— Je ne sais pas encore.

— Juste pour jouer l'avocat du diable, l'intense chaleur que nous avons essuyée dernièrement ne pourrait-elle pas expliquer la mort ? ajoute-t-il. Du genre, elle pédale, se trouve mal. C'est l'accident et elle se cogne la tête. Les décès consécutifs aux conditions météorologiques ne nous ont pas été épargnés ces derniers temps, dont certains bizarroïdes au possible.

— En effet, mais un accident de vélo n'expliquerait pas pourquoi ses effets personnels sont semés partout, réfléchit Harold.

— Ça dépend qui a pu y toucher et quand ça s'est produit, ajoute Rusty. Tu vois, admettons que quelqu'un, pilleur sur les bords, soit passé dans le coin ? Comme lors des crashs de petits avions ? Si tu ne rappliques pas très vite sur les lieux, les gens piquent tout.

— Pas ici. Ça n'arriverait pas ici, rétorque Harold de son ton grave.

— Le vol, c'est partout.

Rusty déroule un autre panneau de polyuréthane noir.

Je leur en raconte davantage au sujet des jumelles qui ont découvert le corps. Qu'ont-elles fait ou pas ?

— Les enfants ne comprennent pas toujours les conséquences de leurs actes, commente Rusty de sa voix lente, un peu traînante et aimable.

Sa lampe frontale enserre le bandana qu'il porte toujours en fichu sur ses longs cheveux touffus.

Il emboîte les différentes pièces d'un large cadre et poursuit :

— Ils déplacent quelque chose, embarquent autre chose. Ils n'ont pas conscience de la gravité de leurs actes. Et puis, peut-être qu'ils prennent peur et mentent parce qu'ils ont la trouille de se retrouver dans les ennuis jusqu'au cou.

J'inspecte les chariots à la recherche de ce dont j'ai maintenant besoin.

— On va poursuivre le montage des différents composants ici, pour ne pas être dans vos pattes, décide Harold. Ensuite on finira l'assemblage dans la zone cible lorsque vous serez prête et que vous jugerez le moment venu de se rapprocher.

— Nous délimiterons le périmètre et vous pourrez terminer d'installer la tente au-dessus du vélo et du corps.

J'ajoute que Marino utilisera une bombe de peinture pour marquer la base de la protection, une zone préservée afin d'y déposer quelque chose.

Je retire les gants beaucoup trop grands et les énormes protections de chaussures rafistolées à l'aide d'élastiques. Je les jette dans un sac-poubelle rouge réservé aux déchets biologiques.

Je sélectionne mon équipement et récupère une mallette de scène de crime, en réalité ni plus ni moins qu'une grande boîte à outils en plastique épais. Je ramasse une boîte de gants en nitrile violet, taille S, plusieurs paires de protège-chaussures avec des semelles antidérapantes, et des emballages renfermant des combinaisons intégrales avec heaume. J'abandonne Rusty et Harold à leur projet de construction et suis le sentier pour rejoindre la clairière.

J'ai dirigé le faisceau lumineux vers le bas, à quelques dizaines de centimètres devant moi. Je prends garde à ne pas piétiner un indice éventuel, bien que Marino et moi ayons déjà inspecté cette zone. Je ne cesse d'examiner le sol autour de moi parce qu'il n'est jamais exclu que l'on passe à plusieurs reprises à quelques centimètres d'un élément important sans le remarquer. Jusque-là, je n'ai rien vu d'autre, hormis les effets personnels de la victime éparpillés, que nous avons déjà distingués à l'aide de petits cônes. Le parc est propre. Les rares déchets que je remarque semblent traîner là depuis un certain temps.

Tant de sons me parviennent : l'écho de ma respiration, les crissements qu'arrachent mes chaussures à la piste sableuse, le chuintement de l'herbe que j'écrase sous mes pas, en plus du brouhaha un peu étouffé de la circulation sur le pont, du grondement des moteurs de voitures ou de camions et du rugissement d'une moto qui file sur la John F. Kennedy Street. L'air environnant est lourd et chaud, figé. Je ralentis au moment où une silhouette se matérialise dans l'obscurité. Elle avance vers moi. La policière en uniforme, que j'ai remarquée plus tôt, s'approche de moi avec détermination.

Elle semble énervée, presque excitée, essoufflée, et s'immobilise à quelques mètres de moi, le pinceau de sa torche braqué vers le sol.

— Docteur Scarpetta ? Avez-vous remarqué qu'on trouve souvent des choses que l'on ne cherchait pas ?

La petite plaque d'acier brillant épinglée à sa chemise règlementaire bleu marine à manches courtes, précise N. E. FLANDERS.

— Bien souvent, en effet. Et dans ce cas ?

— Je venais pour m'assurer que vos gars n'avaient besoin de rien, commence-t-elle en tournant la tête vers Rusty et Harold. Et puis j'ai remarqué un truc. Peut-être rien, mais ça m'a paru bizarre. J'ai l'impression que quelqu'un a vomi dans les buissons, là-bas. Je suis sûre que c'est récent. (Elle désigne l'endroit, derrière elle.) Dans les bois, un peu à l'écart de la piste et pas très loin du vélo et du corps.

— L'enquêteur Barclay a mentionné qu'une des fillettes avait pu être malade, lui dis-je. Il m'a raconté

qu'à son arrivée, l'une d'entre elles s'extirpait des rhododendrons. Il a eu le sentiment qu'elle avait vomi.

J'ai la nette impression que l'officier Flanders n'est
pas au courant parce que Barclay n'a pas jugé nécessaire de partager les informations.

— C'est clair que c'est le cas.

— Je suis disposée à aller jeter un coup d'œil, si c'est
ce que vous souhaitez. De toute façon, je me dirigeais
par là.

— Selon vous, dans combien de temps pourrons-
nous allumer les projecteurs ?

Je lui précise que la tente devrait bientôt être installée.
Ensuite, nous transporterons le corps au CFC, aussi vite
que possible.

— J'espère que vous ne m'en voudrez pas, mais ça
semble pas très correct de l'abandonner là-bas, allongée
au milieu, comme ça.

— Ce serait encore plus préjudiciable pour elle si je
compromettais des indices.

— On ne pourrait pas la recouvrir ? Un drap, quelque
chose ?

— Non, malheureusement. Je ne peux pas prendre le
risque de déloger ou de perdre des détails révélateurs,
notamment des traces. Si je la recouvre avant d'avoir
inspecté le corps à la loupe, je n'aurai aucune idée de
ce que j'altère.

— D'un autre côté, ça fait un bon moment qu'elle est
là-bas. Je suppose qu'une heure de plus ou de moins
ne changera pas grand-chose, décide l'officier Flanders.

— Qu'est-ce qui vous donne à penser qu'elle est
allongée là depuis un bon moment ?

— Barclay.

— Le mieux consisterait à ne pas lancer de rumeurs.
Elle braque sa torche sur mon chargement.

— Je peux vous aider ? Il fait bien trop chaud pour
remorquer des trucs lourds.

— Merci, ça va. Si l'un d'entre vous a besoin de se
rafraîchir ou de boire un verre d'eau, notre camion est
à votre disposition.

— Tant qu'il n'y a rien de mort à l'intérieur, plaisante-t-elle.

— Vous serez soulagée d'apprendre que nous ne transportons pas de cadavre dans le véhicule réservé au travail, au repos, ou à la restauration. Une camionnette arrivera sous peu pour emmener le corps.

Le visage de l'officier Flanders est large, assez carré, ni joli ni déplaisant. Ma mère utiliserait l'adjectif « quelconque » pour décrire ce genre de femme, une fille que personne ne remarque et donc encore plus mal lotie que les « laides ». Son explication pour un jugement aussi terrible lui semble d'une logique imparable. Du moins, pour quelqu'un d'une intelligence limitée, ce qui s'applique également à Dorothy puisqu'elle partage le même point de vue. Les jolies filles ne se donnent aucun mal, parce que c'est inutile. Les filles laides fournissent énormément d'efforts pour des raisons évidentes.

Reste la dernière catégorie, les femmes « quelconques », en général un synonyme d'intelligentes. Ces dernières devraient faire des efforts mais ne s'y résolvent pas, soit parce qu'elles n'en ont pas envie, soit parce qu'elles l'ignorent. Du coup, elles ont le redoutable privilège de terminer dans les premières places en termes de talents et de réussite mais dans les dernières en matière de charme et de séduction. Il s'agit de la curieuse version maternelle de la fable *Le lièvre et la tortue*, je suppose, à cela près qu'il n'y a pas de morale et que personne ne gagne véritablement.

N. E. Flanders appartient à la catégorie des « quelconques » à propos desquelles Dorothy n'aurait pas un seul mot aimable. L'officier doit avoir entre quarante-cinq et cinquante ans. Elle est potelée, courte de buste, une silhouette que n'améliorent ni son pantalon d'uniforme taille basse, ni son épaisse ceinture réglementaire en cuir noir. Ses cheveux bruns, coupés très court, sont ramenés derrière les oreilles. Son T-shirt blanc apparaît par le col entrouvert de sa chemise d'uniforme.

— Je vais vous montrer, propose-t-elle sur un signe d'invitation. C'est un chiffon, un torchon, une serviette, je ne sais pas trop. Mais quelqu'un a vomi dessus, de ce que j'ai vu. Je veux dire que je ne me suis pas approchée à moins de deux mètres et que je n'ai touché à rien, bien sûr.

Nous éclairons notre progression, contournons le vélo et nous arrêtons à l'orée du bois, entre la piste et la rivière. Je reconnais le massif de rhododendrons que Barclay m'a désigné un peu plus tôt. L'officier Flanders perce les ténèbres de sa lumière et je renifle l'indice avant de le voir.

— C'est là, déclare-t-elle en dirigeant le faisceau lumineux sur ce qui ressemble à un chiffon bouchonné, pris dans les branches basses comme si on l'avait balancé.

Je pose ma mallette de scène de crime et me penche en m'aidant de ma torche. Je comprends vite que ce que l'officier a découvert n'est ni un torchon ni une serviette. C'est un vêtement, blanc cassé, peut-être beige. Je distingue quelques chiffres d'une date, et un fragment de dessin en sérigraphie. Je me souviens que la cycliste à l'accent anglais portait un débardeur beige à l'effigie de Sara Bareilles.

Je bascule les fermoirs de ma mallette de scène de crime et demande :

— Je suppose que cela n'a pas été photographié ?

— Non. Je l'ai juste remarqué en passant. Et puis, je vous ai aperçue.

— Il va falloir que Marino nous rejoigne.

Je reporte mon poids d'une jambe sur l'autre, tirant les protèges chaussures anti-adhérents au-dessus de mes mocassins toujours humides et collants contre la peau nue de mes pieds.

J'enfile une paire de gants, qui me vont enfin. J'ouvre un sachet plastique transparent destiné aux indices et récupère une paire de pinces stériles jetables. J'explique à l'officier Flanders qu'en temps normal, je ne protégerais rien dans une enveloppe plastique tant que l'objet en question n'est pas parfaitement sec. Le sang, les autres fluides corporels, et notamment les vomissures, vont se dégrader très rapidement au fur et à mesure que les bactéries et les moisissures proliféreront et les traces, telles que l'ADN, seront perdues.

J'entends les grands pieds couverts de bottines jetables : Marino se rapproche sur la piste cyclable. Sa voix explose dans l'obscurité :

— Qu'est-ce qui se passe ? (Je désigne ce que nous venons de trouver.) Qu'est-ce qui vous fait penser que ça provient d'elle ? me demande-t-il, et je suis soulagée qu'il ne fasse pas allusion à ce que je lui ai révélé un peu plus tôt.

Il ne me demande pas si le vêtement me semble familier. Il ne fonce pas et ne tente pas de m'interroger au sujet de la cycliste, à quoi elle ressemblait, les vêtements qu'elle portait les deux fois où je l'ai rencontrée. Je me contente de répondre :

— C'est un T-shirt ou un débardeur, il est humide, à l'évidence couvert de vomissures. Selon moi, c'est récent. Tout sèche très vite par cette chaleur.

Il prend quelques clichés pendant que je répète à son profit que le vêtement est trop souillé pour que je le glisse dans un sac en papier. Une enveloppe en plastique fera l'affaire, temporairement. Je demanderai que la pièce à conviction soit livrée le plus rapidement possible au centre de recherche en sciences légales. Tout sera correctement préservé. Nous récupérerons les indices sur le débardeur avant de le suspendre dans une armoire chauffante. Je détaille avec précision la façon dont je procéderai. Puis je me couvre le nez et la bouche d'un masque de chirurgie.

— Et si tu allais tenir un peu compagnie aux deux gamines ? conseille Marino à l'officier Flanders. Débrouille-toi que pour que personne ne les approche, ni ne leur pose de questions. Reste avec elles, c'est tout, et la Doc et moi, on te rejoint bientôt.

Elle s'éloigne et je jette un masque à Marino. Il le positionne sur son nez et continue de prendre des photographies. Des broussailles craquent sous ses pas.

— Merde ! se plaint-il. Il y a des trucs auxquels on s'habitue jamais. Bordel !

— Ça va ?

— C'est comme lorsqu'un gosse dégueule dans un bus. Tout le monde s'y met ensuite.

— Ce n'est vraiment pas le moment, Marino, ou alors utilisez un sachet. Vous en voulez un ?

— Bon Dieu, non. J'ai déjà été confronté à des merdes bien pires que ça.

Je lui tends une paire de pinces jetables et il agrippe le vêtement pour l'extraire du massif de rhododendrons. Il le fourre dans le sachet transparent que je tiens ouvert et je distingue le nom de Sara Bareilles imprimé, mais aussi que le tissu est détérioré. Je repère des déchirures dans le coton sans toutefois remarquer de taches de sang. Si la victime le portait lorsqu'elle a été attaquée ou blessée, on devrait en retrouver.

Marino et moi discutons de ce point qui, encore une fois, n'a aucun sens.

— Je comprends pas comment son T-shirt a pu lui être retiré. (Il continue à sonder les buissons alentour.) Et donc, y'a pas de sang dessus ?

— Je dois l'examiner avec soin, je n'ai pas l'intention de le faire ici.

— À moins que ce soient les gamines. Peut-être qu'elles ont dévêtu la fille parce que le T-shirt leur faisait envie.

— En ce cas, comment expliquer les déchirures ? Pourquoi le vêtement est-il endommagé ?

Je pince la fermeture zippée du sachet du bout des doigts.

— Peut-être qu'il était déjà abîmé ? observe Marino.

Je ne me souviens pas que le débardeur de la cycliste ait été déchiré. Toutefois, je n'y ai pas prêté une attention particulière. À ce moment-là, je n'avais aucune raison de prendre en considération chaque détail, comme si je remplissais un rapport d'investigation à l'avance.

— Nous nous y consacrerons une fois de retour dans les labos. Tout ce que je peux vous dire avec certitude pour l'instant, Marino, c'est qu'il y a des déchirures multiples et que le tissu est couvert de vomissures.

— Et ensuite ? Comment il a atterri dans les buissons ? La réponse c'est : il n'est pas arrivé tout seul. Il y a pas mal de feuilles mortes dérangées dans ce coin et la terre a été un peu labourée.

Il jette un regard en direction des sœurs. J'aperçois la silhouette de l'officier Flanders auréolée par la lumière mouvante de sa torche alors qu'elle n'est plus qu'à quelques mètres d'elles.

Marino s'extrait du massif et rejoint la bande herbeuse avant de jeter :

— On y va. On va découvrir ce qu'elles ont pu fabriquer.

19.

Je me présente sous le nom de Kay Scarpetta, ce qui ne signifie rien pour elles.

Je ne précise pas que je suis médecin, ni rien d'autre. Peut-être croient-elles que je suis flic ou alors que je travaille pour les services sociaux. Je pourrais aussi passer pour la petite amie de Marino. Je ne parviens pas à cerner ce que les jumelles pensent de moi ou quelles suppositions leur traversent l'esprit à propos de mon apparition, juste pour papoter avec elles au sujet d'un cadavre qu'elles ont découvert.

Je pose ma mallette de scène de crime et attaque dans un sourire :

— Comment ça va ?

— Bien.

Elles ont les joues en feu et paraissent fatiguées mais, de ce que j'ai entendu, elles ont refusé à chaque nouvelle proposition d'aller s'installer dans un véhicule climatisé. Elles sont satisfaites de rester plantées dans l'air chaud de la nuit, et je me demande si l'attention dont on les entoure ne les grise pas. Selon moi, leur vie se résume à être embêtées par les autres ou alors ignorées. Je ne serais guère surprise qu'elles soient ostracisées, malmenées, bien plus que leur part.

— Elle voudrait vous poser quelques questions, annonce Marino en me désignant. Ensuite, on vous accompagnera dans un endroit sympa, au frais, et vous pourrez boire et manger un petit truc. Ça vous plairait de découvrir un vrai département de police ?

— D'accord, acquiesce l'une d'entre elles.

— Où sont les caméras de télé ? intervient la seconde. Pourquoi ça passe pas aux informations ? Ça devrait, pourtant !

— On a pas envie que des caméras ou des reporters se pointent en ce moment, souligne Marino.

— Mais pourquoi ils viennent pas quand même ?

— Parce que c'est moi qui décide, répond-il d'un ton plat. Cette gentille dame officier de police, celle qui est restée un peu avec vous il y a quelques minutes ? L'officier Flanders ? Elle va vous accompagner jusqu'à mon quartier général, dans sa voiture de police.

— On a des ennuis ?

— Pourquoi vous en auriez ? insiste Marino.

— Parce que quelqu'un est mort ?

— Parce que quelqu'un a fait quelque chose de très mal ?

Marino m'a informée qu'elles étaient âgées de quatorze ans tandis que nous nous rapprochions d'elles. Elles se nomment Anya et Enya Rummage. Quels prénoms malheureux pour des jumelles identiques. À croire qu'elles ne sont pas assez victimes de moqueries ! Je leur destine un autre regard rassurant, compatissant, de nature à indiquer que nous sommes tous dans le même bateau, incommodés par la chaleur, de surcroît. C'est, bien sûr, un lénifiant mensonge.

— Je me demande où vous vous trouviez exactement quand vous avez remarqué le corps.

Je commence du ton perplexe de la dame qui a besoin d'aide.

— Là, précise Anya, en rose.

Elle montre les arbres situés derrière nous, où Rusty et Harold assemblent l'échafaudage de tubes.

— Et donc, vous traversiez le bois, en suivant la piste qui mène à la clairière ?

— Oui, et on a vu le vélo tombé par terre.

— Et ensuite, on l'a vue, elle.

— Lorsque vous avez pénétré dans le parc par la John F. Kennedy Street, avez-vous aperçu quelqu'un ? Entendu quelque chose ? Ce que je me demande, c'est depuis combien de temps elle était allongée là, avant que vous la découvriez.

Elles m'affirment qu'elles n'ont rien vu ni entendu d'anormal en coupant par le parc, aucune voix humaine et, en tout cas, certainement pas de cris ou de hurle-ments à l'aide. Alors qu'elles me racontent à tour de rôle les événements, je les imagine longeant la piste cyclable ainsi que Marino et moi venons de le faire.

Au moment où elles ont atteint la clairière, elles ont découvert ce qu'elles ont d'abord pensé n'être qu'un accident de vélo. Il faisait presque nuit à ce moment-là et personne ne se trouvait dans les parages. Le parc était désert, hormis quelques « animaux », continuent-elles de répéter. Un écureuil, peut-être un daim, m'ex-pliquent-elles. Je leur demande quelle heure il était lorsqu'elles ont repéré la bicyclette et le corps de la jeune femme et elles hochent la tête en signe d'igno-rance.

— Et qu'avez-vous fait à ce moment-là ? Pourriez-vous me décrire avec précision ce qui s'est produit alors ? (Elles lèvent toutes deux le regard vers Marino dans l'attente d'une approbation. Il acquiesce de la tête.) À quelle distance vous êtes-vous rapprochées d'elle ?

— Racontez-lui. Tout va bien, les rassure-t-il. C'est un docteur et elle est là juste pour nous aider.

Il aurait pu se passer de cette précision. Les deux gamines regardent en direction du corps. Elles semblent juger que l'intervention d'un médecin est bien tardive.

Je m'explique en évitant avec application d'utiliser les mots à la mode tels qu'anatomopathologiste, médecin-légiste, médecin-expert.

— Je suis un docteur qui travaille avec la police. Nous devons apprendre ce qui a pu arriver à cette dame. Mon métier consiste à déterminer de quelle manière elle a été blessée et comment elle est morte.

— À mon avis, c'est un accident, déclare Enya, en jaune. Ou alors quelqu'un lui a sauté dessus parce qu'elle ne voyait pas très bien. Vous pédalez lentement parce que vous pouvez pas voir. Et puis, une méchante personne s'est cachée pour vous faire du mal.

— Il faisait très nuit, ajoute la deuxième sœur.

— Trop obscur pour pédaler dans les bois ?

Je tente de suivre leur raisonnement et elles approuvent d'un hochement de tête.

— Mais dans ce cas, pourquoi vous avez décidé de couper par le parc ? intervient Marino. Ça ne vous a pas fait peur, cette obscurité ?

— Non, on fait ça tout le temps.

— Pas tout le temps, rectifie Anya, en rose. Pas quand la nuit est tombée mais, ce soir, notre pizza n'avançait pas.

— Parce que t'as voulu ajouter des saucisses. Même que j'en voulais pas.

— Et alors, qu'est-ce que ça peut faire ?

— Donc vous êtes arrivées à hauteur du parc alors qu'il faisait nuit. Et vous n'aviez pas peur de traverser les bois toutes seules ? vérifie Marino et, à nouveau, elles hochent la tête en signe d'assentiment.

— On fait attention aux voitures. Y'a pas de voiture dans le parc. Maman n'aime pas quand on se promène avec plein de voitures autour.

— Mais on vient jamais ici quand il pleut.

— En fait, on prend ce chemin que de temps en temps. Pas l'hiver ni quand il fait trop froid à côté de l'eau.

— Surtout quand il fait chaud.

— Maman nous donne un peu d'argent pour acheter à manger lorsqu'elle se sent pas bien.

— Elle se sentait pas bien aujourd'hui.

— Elle était très fatiguée.

— Elle s'est endormie et elle aime pas qu'on la réveille.

Je les dévisage tour à tour. Elles portent des shorts en stretch à taille coulissante, et des T-shirts à ourlet tulipe. Je continue à leur poser des questions et elles me racontent l'histoire que j'ai déjà entendue de la bouche de Barclay. Elles se sont approchées du corps mais ne l'ont pas touché et leurs yeux sautent de tous les côtés pendant qu'elles le racontent. Lorsque je leur demande combien de temps elles ont attendu avant d'appeler le département de police de Cambridge, aucune ne me répond. Elles évitent mon regard.

M'adressant à Enya, la jumelle en jaune, je vérifie si c'est elle qui a passé l'appel. Elle secoue la tête en signe de dénégation. Je me tourne alors vers Anya, et insiste :

— Donc, c'est toi ?

— Non !

Elle hoche vigoureusement la tête à son tour et les deux sœurs me dévisagent.

— Vous permettez que j'examine votre téléphone ? intervient Marino. Je suppose que l'une d'entre vous, ou les deux, a un téléphone, non ? (Les deux ados indiquent qu'elles n'en possèdent pas.) Alors, c'est pas vous qui avez appelé la police ? Allons, quoi ! Il y a bien quelqu'un qui l'a fait, non ? Comment on aurait été avertis si vous nous aviez pas appelés ?

— J'ai pas appelé la police, déclare Enya de son ton direct.

Toutes deux persistent dans ce qui paraît n'être qu'un gros mensonge. Pourtant, j'ai de plus en plus l'impression que ce n'est pas le cas. Je commence à avoir une petite idée de la façon dont les événements se sont déroulés.

Le département de police de Cambridge a reçu un appel au numéro d'urgence au sujet d'une personne morte dans le parc, ce qui indique que les jumelles avaient accès à un portable. Si elles n'en possèdent pas, cela suggère qu'elles ont utilisé celui d'une autre personne.

À cette équation s'ajoute mon observation un peu plus tôt, lorsque j'ai brièvement inspecté la bicyclette couchée sur le flanc. Le logement du téléphone fixé sur le guidon était vide. Si la femme que j'ai rencontrée était bien Elisa Vandersteel, ainsi que je le soupçonne, je l'ai vue remettre son iPhone dans ledit compartiment avant de traverser Quincy Street et de s'éloigner dans le Yard. Où est donc passé son appareil ? Je crois m'en douter, et si j'ai raison, cela expliquerait pourquoi Anya et Enya jurent leurs grands dieux qu'elles n'en possèdent pas.

Peut-être disent-elles la vérité ? Elles affirment qu'elles n'ont pas appelé la police. Si le téléphone ne leur appartenait pas, c'est sûrement vrai, surtout s'il était verrouillé sans qu'elles connaissent le mot de passe. Elles ne pouvaient absolument pas composer le numéro du département de police de Cambridge. Elles ne pouvaient même pas appeler le 911 sans débloquer l'écran. Je doute qu'elles sachent comment procéder en cas d'urgence, sauf si quelqu'un leur a montré.

Je m'en ouvre à Enya, celle en jaune. Je lui demande si elle sait ce qu'est un iPhone, et elle confirme. Il semble que sa mère en possède un et, en effet, elle a appris à faire glisser l'écran verrouillé vers la droite, jusqu'au pavé numérique pour taper le code. En bas à gauche, il y a le mot *urgence*. Il suffit de l'effleurer et on vous donne accès à un clavier numérique qui permet d'entrer le numéro d'urgence à trois chiffres de votre pays, 911 dans notre cas.

En réalité, ni Enya ni Anya n'ont appelé le standard du département de police de Cambridge. L'une des sœurs s'est contentée de presser la touche *urgence* puis a tapé 911 avant d'envoyer le message. Anya en rose, pas Enya en jaune, l'admet.

— C'est dingue, vous savez faire des trucs pareils ? les complimente Marino, qui joue le gars impressionné.

— Maman nous a montré, répondent-elles d'une seule voix.

— Elle vous a expliqué comment utiliser son propre téléphone en cas de problème ?

Elles me le confirment d'un signe de tête.

— Si jamais on devait appeler une ambulance, ajoute Anya.

— Et vous pensiez que c'était eux que vous appeliez ? Une ambulance ?

Je vérifie que c'était bien là leur intention. Marino prend la suite.

— En fait, vous n'avez pas pensé à la police. Vous ne saviez pas que la police arriverait si vous appeliez à l'aide. C'était pas nous que vous vouliez contacter.

Elles confirment qu'elles ne souhaitaient pas l'arrivée des policiers et n'avaient aucune envie de les prévenir. Elles voulaient juste aider la dame, et la police n'aide personne. On n'appelle la police que lorsqu'on veut que quelqu'un ait des ennuis.

— Quand quelqu'un est méchant, souligne Anya, et qu'il faut l'enfermer dans une prison.

Marino et moi comprenons que les deux gamines n'ont jamais cherché à nous induire en erreur au sujet de cet appel et de son destinataire. Il est évident que leur compréhension est limitée et une urgence n'a rien à voir avec un crime à leurs yeux. L'une exige un médecin, l'autre la police. Cela tendrait à suggérer qu'au départ, les deux sœurs n'étaient pas certaines que la victime était morte, ni qu'elle avait été attaquée. Elles avaient d'abord cru à un accident et appelé le corps médical à la rescousse, exactement ce que leur mère leur a appris.

Dérouté par ces révélations, Marino vérifie à nouveau :

— Vous n'appeliez pas la police. Vous vouliez juste une ambulance.

— Oui.

— Vous pensiez qu'elle était toujours en vie ?

Il va continuer à leur poser la même question sous différentes formes jusqu'à ce qu'il obtienne une réponse satisfaisante.

— Elle bougeait plus.

— Et puis, il y avait cette mauvaise odeur, complète Anya en rose, en fronçant le nez.

J'interviens à mon tour.

— Tu pourrais nous la décrire ?

— Ça sentait comme le sèche-cheveux de maman quand il veut plus marcher.

— Un sèche-cheveux ?

Je tente de déchiffrer ce qu'elle veut dire en prétendant que c'est la première fois que l'on mentionne une odeur étrange. Je ne préciserai pas que Barclay m'a raconté la même chose.

— Oui, quand il devient trop chaud, explique Enya.

— Une odeur électrique ?

Je fais cette suggestion en repensant aux ampoules brisées.

— Si vous aviez pensé que quelqu'un avait fait du mal à cette dame, auriez-vous appelé la police ? demande alors Marino.

Après une hésitation, les deux sœurs hochent la tête puis haussent les épaules à l'unisson en avouant qu'elles ne sont pas sûres. Le grand flic désigne alors la clairière, et leur demande de se souvenir de leur première impression lorsqu'elles ont aperçu la bicyclette et la femme au sol. Elles maintiennent qu'à ce moment-là, elles étaient certaines que la victime avait eu un accident.

— Vous vouliez juste l'aider, vous avez vu qu'elle était blessée, observe-t-il.

Elles acquiescent à nouveau d'un mouvement de tête.

— On voulait pas qu'elle risque d'avoir encore plus de mal.

— Genre, si un autre vélo lui passait sur le corps, complète Anya en rose.

La façon dont elles complètent chacune leur tour les phrases de l'autre est parfaitement rodée.

— C'est sûr que c'est le danger quand quelqu'un est au milieu d'un chemin, inconscient, n'est-ce pas ? commente Marino qui ne rate aucune occasion. Peut-être que vous l'avez un peu déplacée, pour vous assurer que personne ne risquait de l'écraser ? demande-t-il alors, et elles approuvent.

C'est aussi simple que cela.

Marino s'adresse alors aux deux ados, puisque nous ne savons pas laquelle a vomi.

— Et pourquoi l'une d'entre vous a-t-elle été malade ?

— C'est mon ventre, déclare Enya.

— Et avec quel T-shirt tu t'es nettoyée ? (Marino avance sans hésitation.) C'est ce qu'elle portait lorsque vous l'avez découverte ?

Il part du principe que les deux filles ont retiré le débardeur de la victime, mais elles marquent leur désaccord d'un signe de tête et ne paraissent pas troublées. Elles n'ont plus l'air effrayées, ni même tristes.

— Il était dans les buissons, là où il y avait la chose. Ça m'a fait peur et j'ai été malade, dit Anya.

— Hum, lâche Marino en fronçant les sourcils. Je me demande s'il s'agit des buissons où nous venons de retrouver le vêtement.

— Tout ce que je voulais faire, c'était voir ce que c'était. Et puis quelque chose était là-dedans. (Ses yeux s'élargissent soudain derrière ses verres de lunettes.) Ça a essayé de me donner des coups et j'ai crié.

— Et à ton avis, c'était quoi ? demande le grand flic comme si les commentaires de la jumelle étaient sensés.

— Peut-être un daim.

— Et peut-être que la dame l'a entendu, elle aussi, alors qu'elle passait en vélo, et que ça lui a fait peur. Du coup, elle est tombée.

— Tu as véritablement aperçu un daim ? je lui demande alors.

— Je l'ai entendu, s'écrie presque Anya d'une voix gagnée par l'excitation. Je l'ai entendu s'enfuir.

Marino s'adresse ensuite à Enya.

— Et toi ?

— Moi aussi ! s'exclame-t-elle avec ce débit qu'adoptent les enfants qui comprennent soudain que les adultes sont fascinés par l'histoire qu'ils racontent. Je l'ai entendu s'enfuir dans le noir et à ce moment-là, le policier est arrivé.

— Attendez que je résume pour voir si j'ai tout compris, propose Marino. Vous avez entendu quelque chose, peut-être un animal, qui s'enfuyait dans les massifs de rhododendrons et, à ce moment-là, l'enquêteur Barclay a débarqué. Avez-vous une idée du nombre de minutes écoulées entre le moment où vous avez entendu l'agitation dans les arbustes et celui où vous avez vu le policier ?

— Une minute, affirme Enya.

— Je sais pas, intervient Anya.

— C'est pas très précis, ça ? relève Marino en les étudiant à tour de rôle. C'est quoi la réponse ?

— Peut-être plus d'une minute. Je sais pas.

— J'ai eu peur et ensuite il s'est approché de nous. Est-ce qu'on a des ennuis ? s'inquiète Enya, l'incertitude peinte à nouveau sur le visage.

— Mais pourquoi donc auriez-vous des ennuis ?

— Je sais pas.

Le grand flic marque une pause, feignant de penser à quelque chose de déplaisant, puis :

— Hum... attendez une minute. Ça veut dire que vous avez fait un truc dont vous ne m'avez pas parlé ? Quelque chose dont vous pensez que ça pourrait vous occasionner des problèmes ?

D'un strict point de vue technique, la réponse est affirmative. À l'évidence, elles ont modifié une scène de crime et peut-être volé un portable de prix à la femme morte. Même si leur geste n'était au départ qu'un emprunt afin de prévenir une ambulance, il semble qu'elles n'avaient aucune intention de le restituer. Sauf à admettre qu'il existe une meilleure explication à sa disparition. Quoi qu'il en soit, je suis presque certaine que leur responsabilité ne sera pas engagée, et c'est parfait. Je doute qu'elles aient compris la gravité de leur geste.

Enya est-elle parvenue à lire dans mes pensées ? Elle récupère son sac à dos posé dans l'herbe, à ses pieds. Rose, orné de petits cœurs, comme celui de sa sœur. La jumelle plonge la main dans la poche frontale et en extrait un iPhone avec une coque bleu-glace, similaire à celui que la cycliste avait rangé dans le compartiment fixé à son guidon.

Marino ne frôle même pas l'appareil. Il adopte une expression neutre, ni surprise, en tout cas certainement pas soupçonneuse, ni réprobatrice. Il ouvre un sachet en papier kraft et l'approche d'Enya en lui demandant de lâcher le téléphone à l'intérieur.

— Alors ça, c'est vraiment un sacré coup de main que vous me donnez, félicite-t-il les deux filles.

J'imagine le ressentiment cuisant de Barclay lorsqu'il découvrira ce que Marino vient d'accomplir. Le grand flic reprend :

— Vous savez ce que j'arrive toujours pas à comprendre ?

— Quoi donc ?

— Comment vous avez récupéré ce portable ? Comment vous vous êtes débrouillées ?

Anya, la jumelle en rose, admet avec une trace de fierté dans la voix, qu'elle a vu le téléphone « sur le guidon » et « l'a emprunté ».

— C'était une idée super intelligente ! Fallait bien appeler les secours, non ?

Les deux ados ont l'air ravies.

Il veut ensuite savoir si ça les ennuierait qu'il jette un coup d'œil à l'intérieur de leurs sacs à dos. Peut-être y trouvera-t-il autre chose qui pourrait se révéler très utile.

— D'accord, accepte Enya en prenant la main du grand flic.

Elle la presse contre son visage, comme si elle l'aimait.

20.

J'ai traversé cette clairière à deux reprises en quarante minutes, empruntant la piste qui mène à la lisière du parc. Le ronronnement d'un moteur auxiliaire diesel me parvient dans l'obscurité.

La frustration que je ressens ne cesse de croître, minute après minute. J'espérais déjà être de retour à mon quartier général, et je n'ai qu'à peine commencé. Le corps devrait être dans le CT scanner. En temps normal, je serais en train de m'affairer à mon poste d'autopsie.

Je devrais d'ores et déjà savoir à peu près ce qui est arrivé à cette jeune femme, et tel n'est pas le cas. Sans même évoquer le fait que l'hyper-vigilance est épuisante. Lorsqu'il faut réfléchir à chaque chose que l'on fait, dit, inspecter chaque endroit où l'on pose un pied ou que l'on touche, la fatigue survient rapidement. Notamment avec cette chaleur.

Il est presque 21 h 30 et la tente est loin d'être montée. Je pourrais m'énerver, rester à l'extérieur, aller et venir, au lieu d'opérer une retraite vers le confort paisible du gros camion avec climatisation. Toutefois, je ne peux pas faire grand-chose d'utile en ce moment. S'il existe une chose que j'ai apprise durant toutes ces années, c'est de me réserver pour la suite. Si je ne m'hydrate pas correctement, si je ne prends pas garde à l'hyperthermie, si je ne planifie pas, ni ne m'organise, je ne serai d'une grande aide pour personne.

Le centre de commandement mobile du CFC est à peu près de la taille d'un petit yacht, qu'on aurait amélioré pour le transformer en cabine ultra-fonctionnelle. Peint en blanc, il est orné du blason du CFC et du sceau de l'État apposé sur les portières. Le véhicule est aveugle, sans aucune vitre, hormis, bien sûr, celles de l'habitacle. L'arrière est éclairé et frais, un salon combiné à une salle de guerre où ceux qui répondent en premier sur les scènes, et le reste du personnel essentiel lors d'une affaire, peuvent se reposer, travailler, échanger *via* téléconférence, avoir recours à des ordinateurs et stocker en toute sécurité des indices destinés au laboratoire. Lors de mon premier arrêt, j'ai bu un peu d'eau, me suis changée, ai rangé avec soin le débardeur souillé, en le fourrant dans un mini-réfrigérateur destiné aux pièces à conviction.

Je fais une nouvelle pause, me réconforte d'un peu d'eau et d'une barre protéinée en m'interdisant de fantasmer sur le dîner raté du Faculty Club. J'ai faim, je me sens nerveuse, impatiente, et j'attends que Lucy me contacte. Il y a un moment, elle voulait à toute force m'entretenir de quelque chose, mais je ne pouvais pas discuter avec elle. Et bien sûr, alors que je suis enfin tranquille avec quelques minutes de paix, je ne parviens pas à la joindre. Je vais devoir tenter de trouver seule ce que je peux au sujet d'Elisa Vandersteel. Je m'installe devant un poste de travail.

Je pénètre dans l'ordinateur, passe quelques minutes à rechercher le nom, et j'éprouve une sensation dérangeante lorsque rien n'en sort, pas une seule référence. Je tente de croiser Vandersteel et Mayfair, Londres, sans plus de succès. Étrange. C'est plutôt compliqué aujourd'hui d'éviter d'apparaître sur Internet. Or, si j'en crois mes différentes tentatives, il semblerait qu'Elisa Vandersteel n'existe pas.

Elle ne figure pas non plus sur les réseaux sociaux. Je ne parviens pas à la dénicher sur Instagram, Facebook, Twitter, ce qui semble très inhabituel pour un jeune. La femme qui scotchait des recettes sur le tableau de l'ART ne m'a pas parue timide ou introvertie. Certes, je suis bien consciente que cela ne signifie pas grand-chose. On peut être sûre de soi, amicale mais tenir à son anonymat. Peut-être des détails de son passé l'ont-ils encouragée à rester hors de portée de radar. Cependant, plus je tape de mots-clés, en vain, plus ma méfiance augmente.

Je repense à la photographie du permis de conduire britannique que l'enquêteur Barclay m'a montré. Je me souviens de l'adresse qui y était mentionnée, South Audley Street, à Mayfair, non loin de l'ambassade américaine. Je n'ai pas prêté attention au numéro de la rue. J'utilise mes souvenirs pour poursuivre mes investigations. Rien n'en ressort. Quoi qu'il en soit, mes tentatives assez banales ne seront pas le dernier mot d'Elisa Vandersteel.

Je ne m'appelle pas Lucy. Je ne prétendrai jamais rivaliser avec son niveau d'extrême compétence technique, loin de là. Dès que je disposerai d'un moment de calme, je lui demanderai d'entreprendre des recherches pour moi. Je vérifie à nouveau mon téléphone et grâce aux chiffres qui s'allument dans les icônes de certaines applications privées, je peux vérifier si un nouveau message est arrivé. Rien, du moins parmi ce que je considère comme une priorité, et j'espère que ma nièce va bien. Lorsque je repense à tout ce qui est survenu aujourd'hui, j'imagine très bien son état d'esprit.

Pour être plus précise, je sais ce qui assombrit ses pensées, ce qui est en train de les conquérir à pas de géant. C'est assez déprimant, un peu comme de replonger après une rémission parce qu'un ennemi, une Némésis, peut rapidement devenir une addiction lorsqu'on n'y prend pas garde. Et Lucy ne s'est jamais gardée. Elle ne peut pas. C'est trop personnel pour elle. Elle va se monter la tête, devenir paranoïaque d'une façon que ni Marino, ni Benton, ni moi n'avons jamais expérimentée, du moins lorsqu'il s'agit de ce virus humain qui l'a infectée des décennies auparavant.

Je me décide à affronter à nouveau la chaleur pour surveiller la progression de la tente et de son toit. Le montage s'est révélé beaucoup plus ardu que nous ne l'avions prévu. Marquer l'empreinte avec une bombe de peinture s'est transformé en véritable épreuve parce que nous ne pouvons pas allumer les lampes auxiliaires sans exposer la scène entière. L'obscurité est presque complète, en dépit des multiples torches qui vont et viennent. Le terrain est inégal avec de hautes haies, des bancs, et des lampadaires qui gênent.

Notre première tentative s'est soldée par un échec et nous avons dû nous arrêter. Recommencer s'est avéré encore pire. D'abord, le premier tracé orange vif de Marino a dû être recouvert d'une peinture noire. Ensuite, la zone délimitée a dû être mesurée à nouveau et reconfigurée parce que nous voulions nous assurer que les protections n'empiéteraient pas sur des indices. La deuxième tentative n'a pas été plus fructueuse. Alors que je repense à tout cela, j'ai conscience que Marino, Rusty et Harold s'activent toujours là-bas et qu'ils n'auront pas terminé avant un moment.

Ceinturer la bicyclette, le corps, autant d'effets personnels que possible, tout en évitant les buissons et les arbres, sans engendrer de dégâts sur la scène de crime, s'est mué en un véritable défi. Toutefois, s'ils ne parviennent pas à monter la tente assez vite, je vais devoir improviser. Tout cela n'a que trop traîné. Ça ne suit pas le plan et quelqu'un finira par faire des commentaires. Probablement Tom Barclay.

Marino ne l'a pas autorisé à accompagner les jumelles au poste de police. Le suffisant et exaspérant enquêteur est toujours là, épiant mes moindres gestes, tout en faisant mine de se désintéresser de moi. Peut-être espère-t-il apprendre quelque chose d'utile pour faire son boulot du mieux possible. Peut-être espère-t-il que je vais me planter.

Il agit plus probablement en accord avec sa nature. Une pie ramenant chaque bribe de ragots un peu brillants jusqu'à son nid. Il convoite des informations, et même s'il ne veut pas faire de tort, les individus comme lui sont dangereux.

Je me relève de la chaise rivetée au plancher de tôle gaufrée d'aluminium en losanges. Le métal poli comme un miroir est froid sous mes pieds nus.

J'ai enfin pu me débarrasser de mon corsage en soie, de ma jupe et de ma veste de tailleur pour les échanger contre un uniforme de morgue vert sarcelle. Malheureusement, je reste avec mes chaussures humides et éraflées. Le véhicule est équipé de casiers de stockage qui proposent à peu près tous les vêtements de scène, pour n'importe quelle condition, excepté le désert du Sahara. Pourtant, l'atmosphère qui règne dans Cambridge ces derniers temps n'en est pas très éloignée. En général, le CFC n'est pas préparé pour des situations météorologiques implacables et durables, puisque cela ne survient presque jamais en Nouvelle-Angleterre.

Je ne peux certes pas échanger mes chaussures inconfortables avec ce qui se trouve à portée de main : des cuissardes en caoutchouc qui montent jusqu'aux hanches, ou des bottes ignifugées et imperméables, taille unique. J'ouvre un placard pour en extraire une nouvelle paire de protège-chaussures à semelles antidérapantes. Je chausse mes mocassins détrempés et les fines semelles en cuir, poisseuses contre la plante de mes pieds, commencent à se décoller.

J'enfile les protections sans me préoccuper de passer une combinaison ou des gants pour l'instant. Je vérifie à nouveau mon téléphone. Rien.

J'ai laissé un message à Lucy pour l'avertir que j'avais besoin de son aide, sans rien préciser d'autre. Je n'ai pas l'intention d'immortaliser mes soupçons par écrit ou messages vocaux, aussi sûres soient mes communications, de ce que l'on m'a dit. Surtout depuis que mon téléphone a fait des siennes. Ma nièce est encore plus vigilante lorsqu'il s'agit de ne pas semer de traces électroniques. Je me demande ce qu'elle fait. Est-elle en train de travailler au labo ou dans le théâtre d'immersion personnelle, le PIT ?

Peut-être est-elle en compagnie de Janet et de Desi. Je les imagine tous les trois et m'émerveille de l'extraordinaire famille qu'ils ont constituée. Janet est avocate, spécialisée dans l'environnement. Elle a fait partie du FBI, et son histoire avec Lucy a commencé à l'université puis s'est poursuivie à Quantico. Elles ont pratiquement grandi ensemble et je ne pourrais espérer une meilleure compagne pour ma nièce. Si ce choix me revenait, je choisirais Janet, encore et toujours. C'est une jeune femme humaine, intelligente, bienveillante, tout comme l'était sa sœur Natalie, morte il y a un an, à l'été.

Janet et Lucy ont créé un cocon idéal pour Desi, et nous sommes devenus une grande famille recomposée, une matrice protectrice, où chacun s'entraide. Le petit garçon serait un orphelin sans cela. Quelle tragédie ! Il est irrésistible, de l'avis même de ma sœur, avec ses yeux d'un bleu hypnotisant, sa masse de cheveux châtain clair dont des mèches virent au blond sous le soleil

Âgé aujourd'hui de huit ans, Desi grandit vite, tout en jambes et en bras, et son visage est plus anguleux. Il est agile, téméraire et d'une intelligence stupéfiante. J'ai commencé à me moquer de ma nièce en affirmant qu'elle avait enfin trouvé son égal. Qui n'aurait pas envie de faire partie d'une telle tribu ? Soudain, une pensée déplaisante bouscule les autres : ce que Benton m'a dit au cours de notre dîner interrompu.

Il a suggéré que Dorothy et Marino avaient noué une relation qui dépassait peut-être le simple flirt. Et ne voilà-t-il pas qu'elle se trouve à bord d'un avion qui l'amène ici, alors qu'elle ne s'est pas préoccupée une seule fois de venir me rendre visite depuis que je vis et travaille dans le nord-est. Marino a créé un lien fort avec Desi en lui apprenant tout un tas de choses. Le cours de mes pensées devient trop désagréable pour que je m'y attarde.

Imaginer Dorothy en compagnie de Desi me déplaît, pour ne pas dire m'exaspère. Ma sœur, si égoïste qu'elle ne savait que faire de sa fille Lucy. Mon unique sœur, si accro aux hommes, qu'elle l'oubliait dès que le nouveau soupirant se présentait à la porte. Et ne voilà-t-il pas qu'aujourd'hui Dorothy se gargarise de « Desi-ci », « Desi-ça ». On pourrait croire qu'elle n'aime rien tant que de s'occuper et d'élever un enfant, surtout un mâle. Je trouve cela presque obscène, d'une hypocrisie sans nom. Je ne supporte même plus d'y penser, et chasse cette idée de mon esprit.

Dorothy devrait atterrir sous peu à Logan, si tant est que son avion ne soit pas retardé davantage. Lucy, Janet et Desi l'accueilleront probablement, raison pour laquelle ma nièce ne me répond pas, c'est ainsi que je tente de me raisonner. Sans doute est-elle au volant de l'un de ses bolides exigeants, ou d'un SUV suréquipé et cuirassé à la manière d'un char. Cela étant, que font les autres, notamment mon mari ? Je n'ai toujours aucune idée de la teneur de l'appel qu'il a reçu de Washington D.C. J'ignore où il se trouve.

N'est-il pas ahurissant que notre dîner en amoureux ait abouti à cela ? Je clique sur l'application qui me connecte au réseau de caméras de sécurité que nous utilisons pour surveiller les chiens. Sock et Tesla étaient dans le salon il y a peu. Ils sont maintenant endormis sur leurs coussins en mousse à mémoire de formes dans la cuisine. Je remonte dans l'enregistrement jusqu'au moment où Page, qui s'occupe d'eux, pénètre dans la pièce. À l'évidence, Benton l'a avertie que quelque chose s'était produit et que nous n'étions plus certains de l'heure à laquelle nous rentrerions.

Elle paraît s'être préparée à dormir à la maison : pantalon de pyjama et T-shirt, pieds nus, sans soutien-gorge. Je n'aime pas qu'elle s'installe dans notre chambre d'amis au rez-de-chaussée. Et je déteste l'admettre. C'est pourtant la vérité, et cela signifie probablement que je suis une femme égoïste. Je n'apprécie pas du tout qu'un étranger séjourne chez nous, mais je n'ai guère le choix maintenant que Tesla nous a rejoints. Elle a besoin d'être éduquée, socialisée, il ne faut pas qu'elle manque de compagnie humaine trop longtemps.

Page remplit les bols des chiens de l'eau filtrée d'une

carafe. Il s'agit d'une amie de Lucy et Janet. Elle est imposante, son buste musclé de nageuse de compétition est impressionnant, presque incroyable pour une femme. Cela m'a déjà traversé l'esprit qu'elle prenait peut-être des stéroïdes. J'ai du mal à croire que sa musculature soit seulement héritée des longues heures qu'elle passe en salle de sport ou même de son passage dans la Marine, après qu'elle a été recrutée par le BUD, le Basic Underwater Demolition, un programme d'entraînement des SEAL.

Grande, tout en muscles, avec ses cheveux bruns bouclés, Page est une gentille géante avec les chiens, douce mais ferme. Personne ne pourrait se montrer plus attentif, attentionné, avec un vieux lévrier rescapé des champs de courses ou un chiot bulldog anglais, d'abord maltraité par des enfants puis abandonné.

— Et qui va sortir faire ses besoins, et ensuite avoir une petite douceur pour le coucher, hein ? demande Page à Tesla et Sock.

J'entends les griffes crisser furieusement sur le sol comme ils se précipitent vers la porte qui ouvre sur le jardin arrière.

Je traverse l'atmosphère climatisée des lumières LED et marque une pause à hauteur de la kitchenette, équipée d'une cafetière, d'un petit réfrigérateur, d'un four micro-ondes et de plans de travail en contreplaqué blanc.

Je jette les bouteilles d'eau vides dans la poubelle réservée aux déchets recyclables, et balaye d'un regard circulaire les postes de travail, les conteneurs d'équipement, les instruments médico-légaux et les placards dont les multiples tiroirs permettent de ranger outils et provisions. Je m'assure une dernière fois que je n'ai rien oublié pour la suite. Sans doute pas. Harold et Rusty connaissent très bien leur boulot. Avant de réintégrer le camion du centre, je leur ai confié ma mallette de scène de crime et autres articles essentiels. Ils auront tout installé sous la tente à mon retour et tout sera parfaitement organisé.

Pourtant je me sens impatiente, tendue, mes pensées troublées. Je repense à ma deuxième rencontre avec la jeune cycliste, dont je me dis maintenant qu'elle est morte, ma nouvelle patiente. Elle s'est élancée dans le crépuscule. Je ne sais pas où elle se rendait ni quand, au juste, elle a pénétré dans le parc. Cependant, l'obscurité était totale à 19 h 30. Si l'on suppose qu'elle a été tuée approximativement à ce moment-là, cela signifie que son corps est demeuré presque deux heures au milieu d'un parc public, entouré par les logements d'étudiants de Harvard et autres immeubles résidentiels. Dans une situation idéale, son corps aurait déjà été transporté il y a au moins une heure.

Tout cela prend beaucoup trop de temps et ce n'est pas une surprise. Les choses vont rarement aussi vite que nous le souhaiterions. De plus, lors d'une enquête difficile de ce type, c'est la règle plutôt que l'exception que rien n'aille, ou peu de choses, comme prévu. Enfin, le monde est devenu beaucoup moins indulgent qu'avant, et je me prépare déjà aux critiques.

Quelqu'un affirmera que j'ai manqué de respect, que j'ai négligemment laissé un cadavre exposé à la vue de tous. Je suis une sans cœur, insensible, dure. Ou alors, je suis d'une rare légèreté. Je l'apprendrai dans un blog ou sur YouTube. C'est toujours le cas.

21.

Je fais défiler les dernières nouvelles sur mon écran. Jusque-là, tout va bien.

Nulle mention d'une présence policière ou de celle de mes équipes sur les lieux d'un accident de bicyclette, d'une agression, ou quoi que ce soit d'autre, survenu à la limite du campus de Harvard. Rien au sujet d'un cadavre dans un parc de Cambridge, pas la plus vague allusion à une *affaire qui se prépare* au bord de la rivière, selon la terminologie d'un prétendu enquêteur d'Interpol.

Je ne vois rien que je puisse considérer comme le début des ennuis, hormis ce que m'a révélé Benton plus tôt à propos de l'élévation du niveau d'alerte terroriste. Je parcours un article en ligne du *Washington Post*, relatant le bulletin rendu public dans la journée :

... le secrétaire d'État de la Homeland Security a émis une alerte nationale concernant le risque terroriste, soulignant une menace imminente dont la cible serait les grands centres de transports, les lieux touristiques, ceux où doivent se tenir des manifestations importantes, telles que les compétitions sportives ou les concerts. Une attention particulière est portée sur de possibles attaques à Washington D.C., Boston et les communautés avoisinantes. Ce bulletin a été formulé après interception, par les services de renseignement, de conversations Internet énumérant des cibles potentielles que pourraient frapper des acteurs intérieurs auto-radicalisés...

Lorsque le niveau d'alerte est rehaussé de *élevé* à *imminent*, cela signifie que la menace est jugée crédible, et qu'elle est susceptible de se concrétiser très vite. Je songe aussitôt à la sécurité des aéroports. Elle a dû être considérablement renforcée, notamment à Boston. Peut-être est-ce la raison pour laquelle l'avion de ma sœur est retardé. Cela expliquerait aussi pourquoi le TSA de Fort Lauderdale, en charge de la sécurité, était débordé, avec une file de passagers qui s'étalait du terminal jusqu'au trottoir « sauf lorsqu'on voyage en première classe comme moi » n'a pu s'empêcher de déclarer ma sœur à Lucy, laquelle nous a relayé le commentaire.

Je n'ai pas de nouvelles directes de Dorothy. Elle ne se donnera pas la peine de m'avertir qu'elle est en retard, et peut-être toujours dans l'avion. Il a fallu que je m'informe autrement mais, même ainsi, je ne sais pas trop à quoi m'attendre. D'un autre côté, ça n'a pas grande importance puisque ça n'est pas moi qui vais l'accueillir à l'aéroport. Je reconnais bien le pincement que j'éprouve, une déception mâtinée d'un soupçon de peine, pour faire bonne mesure.

Une part de moi-même espère toujours un peu plus de mon unique sœur. Rien de nouveau. Il est non seulement superflu mais irrationnel que j'éprouve toujours la même chose après ce qu'elle m'a fait subir. Le temps est venu de faire table rase. Dorothy a toujours été ce qu'elle est et mon tenace espoir qu'elle change en mieux me rappelle une citation attribuée à Einstein : « La folie consiste à faire toujours la même chose et à en attendre un résultat différent. »

Dorothy est très prévisible. Elle agit toujours de façon identique et en espère le même résultat, celui qu'elle a obtenu la dernière fois qu'elle n'en a fait qu'à sa tête, avec fort peu de considération pour les autres. Peut-être est-elle la plus sensée des deux, je songe, non sans amertume. Alors que je fais défiler mes messages et mes alertes, je suis surprise de découvrir que le général John Briggs a tenté de me joindre. J'ai raté son appel, passé depuis son domicile il y a quelques minutes.

Une sonnerie particulière me signale tous ses numéros, et je vérifie qu'elle est activée. Pourtant, elle est restée silencieuse. Je me demande bien pourquoi, parce que nos communications électroniques sont d'excellente qualité ici. Un point essentiel. Lucy s'en est assurée comme pour nos autres véhicules, utilisant des prolongateurs de portée, des amplificateurs de signal, des répéteurs. Bref, ce qui était nécessaire. J'en viens à me demander très sérieusement si mon Smartphone n'est pas défectueux. Il ne s'agit pas du genre d'appareil que l'on peut acheter en boutique ou en ligne. Il est pratiquement anti-piratage, si j'en crois ma nièce. Peut-être a-t-elle tort ? Tout dépend du pirate.

Elle développe sans cesse des applications spéciales, et des logiciels de chiffrement qui ne seront jamais disponibles sur le marché, de manière à s'assurer que nos ordinateurs, nos radios, nos téléphones et autres appareils électroniques sont aussi sûrs que possible. Une prouesse de nos jours. Toutefois, rien n'est infaillible. Je frôle la flèche PLAY, m'attendant à entendre la voix du chef des médecins-experts de nos forces armées, le directeur du renseignement médical des États-Unis, mon ami et ancien mentor John Briggs.

Or, c'est sa femme qui a tenté de me joindre, et je devine immédiatement que les nouvelles ne seront pas bonnes. Ruthie est une épouse de militaire classique, à l'ancienne, comme il en existait jadis dans une époque plus traditionnelle. Elle a dédié sa vie à la carrière de son remarquable époux, déménageant avec lui à chaque changement d'affectation, intervenant pour lui, le protégeant et l'aidant de son mieux pendant qu'elle priait chaque jour pour qu'il ne soit pas blessé, kidnappé, ou tué dans l'un des petits enfers déstabilisés et ravagés par la guerre qu'il rejoignait.

L'Irak, l'Afghanistan, la Syrie, la Turquie, le Cameroun, le Yémen, et elle n'est jamais sûre de rien. Bien souvent, on ne lui transmet aucune information. Elle vit avec l'angoisse au cœur, sachant qu'à chaque fois qu'il monte à bord d'un cargo militaire ou atterrit sur un porte-avions, elle n'est pas certaine de le revoir. Sa vie entière est centrée autour de Briggs, seulement Briggs, et si elle décide que quelqu'un ne peut pas le contacter, personne n'y parviendra, pas même moi. En fonction des enjeux, s'il ne souhaite pas s'entretenir directement avec moi, Ruthie s'en charge.

J'ai maintenant l'habitude de cette médiation même si, parfois, elle met ma patience à rude épreuve. Néanmoins, la voix de Ruthie me paraît étrangement émotionnelle, à vif, dans le message qu'elle vient de me laisser. Je ne sais pas au juste si elle a pleuré, bu, est souffrante ou tout à la fois. Je me repasse le message vocal. Et puis de nouveau, en marquant des pauses. J'écoute avec attention, tentant de déceler si quelque chose ne va pas ou si elle se sent simplement gênée par la raison de son appel. Je crois savoir de quoi il retourne. Je m'y attendais.

« Kay ? C'est Ruthie Briggs, commence-t-elle avec cet accent lent typique de la Virginie. (Elle me paraît fatiguée, le nez pris.) J'espère vraiment que vous allez décrocher. Vous êtes-là ? lâche-t-elle d'une voix nasale. Allô, Kay ? (Elle s'éclaircit la gorge.) Vous êtes là ? Je sais à quel point vous êtes occupée, mais je vous en *supplie*, décrochez. Bon, dès que vous aurez ce message, s'il vous plaît, rappelez-moi. Je voulais m'assurer que l'on vous a dit... »

Sa voix est étouffée et on dirait qu'elle avale ses mots. Je parviens à peine à la comprendre. On croirait qu'elle maintient un morceau de tissu devant son visage ou sur le téléphone et qu'elle détourne la tête lorsqu'elle parle.

— Vous me trouverez encore un peu de temps à ce numéro, et ensuite... comme vous pouvez l'imaginer, il y a tant à faire, et je ne peux simplement pas y croire... ajoute-t-elle d'une voix tremblante... Bref, je vous en prie, Kay, rappelez-moi aussi vite que possible.

Ses idées semblent si embrouillées qu'elle me dicte son numéro que j'ai déjà.

Le message s'interrompt de façon abrupte.

Si ce que je soupçonne est advenu, Ruthie ne devrait pas être bouleversée. Personne ne pouvait l'éviter, et au moins l'annulation ne tombe pas à la dernière minute, c'est toujours ça !

Je me suis préparée à recevoir un appel juste avant que Briggs et moi ne montions sur l'estrade de la Kennedy School. Du moins m'aura-t-on prévenue presque 24 heures à l'avance, et je ne peux pas prétendre n'avoir pas été mise en garde à maintes reprises. Il m'a expliqué, dès le début, qu'il était possible qu'il ne puisse pas m'accompagner demain soir. Tout dépendrait de l'humeur au Pentagone et à la NASA, a-t-il précisé, me présentant ses excuses anticipées pour ce qui vient sans doute de se produire.

Vraisemblablement, Ruthie a essayé de me joindre pour m'avertir que j'allais me retrouver seule lors de la conférence de demain soir. Briggs ne fera pas partie du comité d'experts en ma compagnie. Comité n'est plus le terme approprié puisque je serai la seule oratrice. Bon, je vais me débrouiller. Je songe soudain que si je descendais du centre de commande mobile, j'apercevrais l'imposant complexe de brique rouge, au travers des arbres.

La Kennedy School s'élève en retrait du parc et je ne peux m'empêcher de penser à quel point tout est lié et familier, d'une étrange manière. J'ai l'impression de traverser un paysage qui se révèle être un labyrinthe végétal complexe dont je ne connais ni la surface, ni les passages, ni l'issue.

Je n'apprendrai rien d'autre sur la défection de Briggs tant que je ne lui aurai pas parlé, si tant est que je puisse le joindre. Il n'est pas exclu qu'il ait été expédié à l'autre bout du monde, et je sais à quel point il déteste lâcher quelqu'un, surtout moi. Tout extraordinaire soldat qu'il soit, il esquivera une confrontation s'il doit devenir le messager de mauvaises nouvelles. Je compose le numéro de leur domicile. Personne ne me répond et j'entends un cliquettement. La boîte vocale m'accueille. Je dépose mon message qui me parvient en écho comme si nous étions deux à parler :

— Ruthie, c'est Kay. Je suis désolée d'avoir raté votre appel. Je ne comprends pas trop ce qui a pu se produire, mais la sonnerie de mon téléphone n'a pas retenti. Je suis en train d'investiguer une scène de crime en extérieur. Il se peut que je me retrouve dans des endroits où le signal passe mal et que je ne puisse pas répondre. Je vous en prie, continuez à essayer de me joindre.

J'envoie ensuite un texto à Harold et Rusty, pour m'assurer que l'une de nos fourgonnettes de transport est en route. Je n'en aurai peut-être pas terminé avant un bout de temps, mais nous devons progresser.

10–4, chef. On avance lentement. Inévitable. Restez au frais aussi longtemps que possible, et Rusty signe avec un emoji rouge qui fronce les sourcils.

Sur le côté droit du camion, en sortie de la mini-cuisine, un escalier permet de rejoindre l'extérieur. Mes protège-chaussures de Tyvek produisent un bruit de succion sourd alors que je descends pour ouvrir le panneau. J'émerge à l'extérieur dans la nuit chaude, aveuglée par les lumières blessantes des phares à décharge de haute intensité. J'entends le grondement guttural d'un puissant moteur. Les fumées d'essence, riches en octane, d'un pot d'échappement me parviennent. Pas celles du générateur diesel de notre centre de commande mobile. Puis, soudain, le silence et l'obscurité me submergent.

Un frisson de peur me hérisse les cheveux alors que je perçois le chuintement de l'herbe écrasée par la foulée pressée d'un individu. Je m'exclame :

— Il y a quelqu'un ? Qui est-ce ? Qui est là ?

Une silhouette mince se matérialise dans la nuit, comme un fantôme qui se précipiterait vers moi.

— Tante Kay, c'est moi ! Ne t'inquiète pas, lance Lucy, trop tard.

Mon adrénaline déferle. Agitée, j'allume ma lampe torche tactique et la pointe vers le bas pour ne pas l'aveugler. Je l'éteins ensuite, me sentant stupide, puis en colère.

Mon cœur s'est emballé, mes idées sont brouillées, et mon sang cogne dans mes artères.

— Mince à la fin, Lucy ! Ne te faufile pas comme ça pour débouler sur moi. Mon Dieu, quelle chance que je n'aie pas d'arme !

— Je ne sais pas si c'est une bonne chose. Surtout en ce moment.

— J'aurais pu te tirer dessus, je ne plaisante pas !

— Oh, il n'y a pas matière à plaisanterie, et je ne me faufilais pas. (Son regard ne cesse de balayer les environs, comme si elle craignait que nous ne soyons pas seules.) Je viens d'arriver, et je t'ai vue sortir. J'avais l'intention de te rejoindre.

J'inspire avec effort, et l'air chaud semble incapable de satisfaire mes poumons.

— Pourquoi ça ?

Elle me regarde, puis la rue, puis autour de nous, comme si nous étions sur le point d'essuyer une attaque.

— Je suis contente que tu sois en forme.

— Lucy qu'est-ce que tu veux dire par, *surtout en ce moment* ? Que se passe-t-il ? Pourquoi je n'irais pas bien ?

Quelque chose se trame et ma nièce vient de passer à la vitesse supérieure.

— Tu m'as laissé des messages. Alors, me voilà. Rentrons.

Je détecte une certaine crispation, une âpreté, une agressivité dans sa voix. Je reconnais son humeur et devine ce que cela signifie.

— Je n'avais pas besoin de discuter face-à-face. J'avais une question simple à te poser, et une conversation téléphonique aurait suffi. Je voulais te demander de rechercher un nom pour moi...

— Il fait trop chaud ici, m'interrompt-elle, sans paraître m'écouter.

— Que se passe-t-il ?

— Rien que j'aime.

Elle me dévisage de ce regard dans lequel je détecte des ombres menaçantes. Sa bouche a adopté un pli sévère.

— Quelqu'un est mort, il n'y a rien de très plaisant là-dedans, comme dans beaucoup de choses en ce moment.

Tout en parlant, je sais que ce n'est pas ce qu'elle voulait dire.

— Je n'aime pas ça, répète-t-elle, son attention passant d'un point à l'autre. J'ai essayé de te le dire. Il y a des choses que tu ignores, et ça déconne vraiment.

Elle parle d'une voix basse, ardente et presque féroce dans l'obscurité et une sorte d'émotion, très embrouillée, m'envahit sans que je sois capable de la décrire.

Désillusion. Frustration. L'engourdissement d'une rage meurtrière qui s'est transformée en pierre, froide, comme un vestige ancien, pétrifié. J'ai perdu ma sensibilité, de plus en plus, notamment durant ces dernières années. La fable du garçon qui crie au loup est vraie. Lucy ne le montre peut-être pas très clairement, mais je sais lorsqu'un certain sujet ne lui quitte pas l'esprit.

Ma nièce se montre rarement nerveuse. Ce n'est certainement pas le genre de femme à péter un plomb, à se précipiter, à se montrer fébrile, ou effrayée, ni à élever la voix. Toutefois, elle ne peut pas me tromper. Je parviens toujours à sentir lorsqu'elle est à un cheveu de se fissurer, comme en ce moment. Ce ne sera pas beau à voir. Ça ne l'est jamais. Et lorsqu'elle se met dans cet état, je sais en général pourquoi. Ou plus exactement, j'ai une petite idée de qui est à l'origine de son trouble.

— Qu'est-ce qui déconne, Lucy ?

Je me raidis pour le choc qui se prépare, alors que ma vision s'accoutume à nouveau à l'obscurité.

Je suis presque certaine de ce qu'elle va m'annoncer. J'aurais pu prédire sa réaction après la plainte au 911, dont nous pensons maintenant qu'elle a été émise grâce à un logiciel modificateur de voix. Si elle avait été informée d'un autre appel bidon, un peu plus tôt, celui-ci supposément d'Interpol, cela ne ferait que la renforcer dans sa vision du monde. Lucy est convaincue de détenir une version incontestable de la faute originelle : toutes les horreurs et les humiliations sont générées par la même source malfaisante.

Comme s'il n'y avait qu'un démon. Un seul ennemi

mortel. Un unique cancer. Malheureusement, tel n'est pas le cas.

Elle se tient si proche de moi que je perçois l'odeur de cannelle de son haleine et les épices subtiles de son parfum pour homme, Escada.

— Rentrons et buvons quelque chose, propose-t-elle.

Elle réagit comme si nous étions espionnées. Peut-être craint-elle d'avoir été suivie jusqu'ici. Je regarde plus loin, l'engin qu'elle a garé derrière le camion du centre. Elle s'amuse à considérer sa Ferrari FF comme une voiture familiale parce qu'elle possède une banquette arrière et un coffre pour les bagages.

Je n'en distingue pas la couleur dans l'obscurité, mais je sais qu'il s'agit d'un bleu lumineux, que l'on appelle Tour de France, et que la sellerie est en *cuoio*, un cuir italien couleur tabac. Cependant, elle aurait pu foncer à la manière d'un bolide jusqu'ici dans une Aston-Martin, une Maserati, une McLaren, ou une autre Ferrari.

Lucy est un génie et je n'utilise pas le terme à la légère, ni par tendresse. Il ne s'agit pas de l'hyperbole d'une tante aveuglée par son amour maternel, mais d'une fidèle description, celle de quelqu'un qui, à l'âge de dix ans, programmait déjà des logiciels, construisait des ordinateurs et déposait des brevets pour toutes sortes d'inventions. Avant même que Lucy soit assez vieille pour avoir le droit d'acheter de l'alcool ou de voter, elle avait amassé une fortune considérable en créant des moteurs de recherche et d'autres technologies.

À l'adolescence, elle atterrissait sur la liste des *jeunes pleins aux as*, aime-t-elle à se moquer. Elle a donc commencé à se faire plaisir en s'offrant des hélicoptères, des motos, des hors-bord, des avions, bref des machines extrêmement rapides. Elle peut piloter à peu près n'importe quoi. Je reporte mon attention sur la Ferrari quatre roues motrices, avec son capot incliné, garée gentiment sur l'herbe, le véhicule qu'elle conduisait pour venir travailler ce matin. J'en suis certaine parce que les caméras de surveillance du CFC l'ont relevé alors que j'étais dans mon bureau, assise derrière mon plan de travail pointillé d'une multitude d'écrans.

J'ai surveillé sur l'un d'eux l'approche de Lucy au volant de sa « familiale » à 400 000 dollars sur l'un d'entre eux. Elle l'a garée à l'intérieur de la baie de déchargement, où les ambulances et les autres véhicules de transport amènent ou viennent chercher les corps. Pas même les flics n'ont l'autorisation de stationner là, et je me suis malheureusement souvenue du soin avec lequel elle protège ses modes de transport luxueux de la saleté et des intempéries dans la baie. C'est assez égoïste de sa part et, parfois, des membres de mon personnel font des remarques à ce sujet. Quoi qu'il en soit, ce n'est pas la raison pour laquelle j'y repense maintenant. En revanche, la combinaison de pilote qu'elle a enfilée m'intrigue.

Lorsque les caméras ont enregistré l'arrivée de Lucy ce matin, au moment où elle sortait de son coupé, moteur V-12, bleu électrique de 650 chevaux, elle portait un jean déchiré, un T-shirt trop ample, et des baskets. Je me souviens qu'elle tenait à la main un grand gobelet de café et avait jeté sur l'épaule son sac à dos tactique noir, spacieux, équipé de plein de compartiments, un bureau et une armurerie portatifs.

Maintenant que j'y repense, c'est le sac qu'elle emporte habituellement lorsqu'elle s'envole pour une destination quelconque. Aussi, à un moment de la journée, elle a dû se changer pour enfiler un de ses uniformes de pilote ignifugés, en léger Nomex kaki, orné du blason du CFC rouge et bleu brodé sur la poche de poitrine gauche. Il lui arrive souvent de monter à bord de son oiseau bimoteur, dès que l'envie lui en prend.

Or, là, il est tard. La nuit est d'un noir d'encre. Nous sommes au beau milieu d'une alerte météo maximum et d'une difficile scène de décès. De plus, sa mère ne tardera pas atterrir à Boston. Je ne comprends pas.

— Je me demandais pourquoi tu avais changé de tenue ?

Elle détaille son uniforme de pilote comme si elle avait oublié qu'elle l'avait enfilé.

— Tu comptes aller quelque part ? Ou alors tu es de retour ?

Ça n'aurait aucun sens. Au pire de la journée, la température a dépassé les 38 °C avec une humidité de plus de 70 %. Plus il fait chaud et humide, moins les capacités de l'hélicoptère se révèlent optimales. Lucy se montre toujours très vigilante en ce qui concerne les conditions de vol. Elle doit prendre en compte la charge utile, le couple, la température des moteurs. Je tente de me souvenir des moments où je l'ai croisée aujourd'hui.

Lors d'une réunion du personnel, dans l'ascenseur, mais également dans la salle de repos alors que je cherchais Bryce. Notre dernière rencontre remonte peut-être aux environs de 16 heures, après que j'ai quitté la salle d'autopsie accompagnée de mon assistant-chef, le Dr Zenner, et que nous avons longé le TIP.

Lucy se trouvait à l'intérieur afin de remplacer plusieurs projecteurs et nous avons un peu bavardé avec elle. Elle ne portait pas encore son uniforme de pilote.

22.

Elle semble s'en moquer complètement, et prétend avoir renversé son café sur ses vêtements du matin et changé pour son uniforme.

Lucy est évasive. C'est aussi évident que ses cheveux d'or rose, ou que le nez mince planté au milieu de son très joli visage. Je vérifie mon téléphone, consciente de l'écoulement des minutes. Toujours rien de la part d'Harold ou de Rusty concernant la progression du montage.

En temps normal, Lucy offrirait aussitôt d'aller vérifier auprès d'eux. Ses compétences d'ingénieur ne l'empêchent pas de mettre la main à la pâte si elle peut aider. Or ce soir, elle ne le propose pas. J'en déduis qu'elle a un but précis en tête et qu'elle est arrivée sans prévenir pour une excellente raison. Autant attendre qu'elle la révèle, en tentant de juguler mon impatience, tout en jetant des regards insistants à mon téléphone.

Je ne veux pas harceler Rusty et Harold. Il serait contre-productif que je continue de les interrompre alors qu'ils *se bagarrent avec leur érection*, comme l'a si élégamment formulé Marino lors de ma dernière vérification. Peut-être ne devrais-je pas rester à l'extérieur, environnée par l'obscurité, pour discuter avec ma nièce. La meilleure idée consisterait sans doute à rejoindre la clairière afin de constater de mes propres yeux comment les choses avancent. Je pourrais ainsi m'assurer que personne ne risque l'hyperthermie, ni n'a besoin de quelque chose, d'autant que je suis attentive aux rumeurs.

Je n'ai aucune envie qu'un venimeux ragot se propage, me décrivant assise dans le camion climatisé, me relaxant, les jambes un peu surélevées, alors que mon équipe travaille dur dans ce qui ressemble à la Vallée de la Mort après la tombée du jour. Je ne veux pas que l'on puisse dire que je me la coulais douce en papotant avec ma nièce qui venait de débarquer en trombe au volant d'une Ferrari d'un prix supérieur à bon nombre de maisons. Ma mère répète à l'envi que les apparences sont cruciales. Elle ignore à quel point notre époque lui donne raison.

Il n'en faut pas beaucoup aux gens, notamment aux flics, pour remettre en question vos compétences et votre crédibilité. Il en faut encore moins pour qu'ils doutent de votre honnêteté, et il suffit d'un cheveu pour que votre décence d'être humain soit raillée. Un jury pourrait être influencé de façon très négative à la moindre insinuation que je suis paresseuse, ou que je me crois tout permis. En vérité, presque tout peut être utilisé comme arme dans ce domaine.

— Lucy, il faut que j'y aille, que je vérifie certaines choses... Mais elle se rapproche et me frôle le bras d'une façon qui m'incite à me taire.

— Allons nous rafraîchir un peu, boire un truc, réplique-t-elle, et il ne s'agit pas d'une simple suggestion.

Je distingue plus loin les faisceaux lumineux des torches qui trouent les ténèbres. Je me retourne pour suivre du regard les lumières des véhicules, étincelantes tels des joyaux, qui s'écoulent le long de la John F. Kennedy Street et, au-dessus de nos têtes, sur le pont. J'enregistre le nombre croissant de voitures de police garées un peu partout. Les habitacles sont déserts. Je ne remarque personne d'assez proche de nous pour saisir des bribes de notre conversation.

Cependant, je suis bien certaine que Lucy sent le souffle de l'ennemi sur sa nuque, et ce que je dirais ne changerait en rien ses impressions. C'est un peu comme les gens qui souffrent d'un stress post-traumatique. Vous ne parviendrez jamais à les convaincre qu'ils n'ont aucune raison de se sentir anxieux. Vous n'aurez jamais les arguments pour les extirper de leurs cauchemars et de leurs phobies. Ça ne sert à rien de leur souhaiter de beaux rêves ou des pensées réjouissantes.

Les passions, triomphes, désastres et amours de jeunesse de Lucy font maintenant partie de sa programmation. Son expérience à Quantico est gravée de façon indélébile en elle parce qu'il s'agit des meilleurs et des pires moments de la fin de son adolescence. Avec ma bénédiction, et grâce à ma recommandation, elle a emprunté une route peu fréquentée pour percuter de plein fouet un monstre. Cette collision a eu des conséquences dévastatrices et je n'ai rien vu venir. Lucy n'est plus la même, moi non plus. Quoi d'étonnant ?

Les blessures psychiques peuvent se transformer en anomalies qui, telles les erreurs de disque dur ou autres bugs, ne sont pas toujours réparables. Il est assez perturbant de constater que les réponses à fleur de peau de ma nièce ne sont, le plus souvent, pas justifiées par ce qu'elle est convaincue de percevoir. La plupart du temps, je ne dis pas grand-chose. J'attends qu'elle retrouve sa clarté d'esprit, sa lucidité, pas aussi souvent que jadis. Il est devenu si difficile d'être sûr, d'accorder sa confiance. Qu'est-ce qui est réel ? Qu'est-ce qui ne l'est pas ? Même ma nièce semble ne pas être toujours capable de distinguer les deux. Pour cela, je serais capable d'effacer la monstrueuse psychopathe Carrie Grethen de la surface de la Terre.

Elle a réussi à dérober à ma fille *de facto* toute la tranquillité d'esprit qu'elle aurait pu éprouver et je me sens impuissante devant cela. Dieu sait que j'ai essayé. Dieu sait que je déplore les dégâts occasionnés. Si j'étais véritablement la mère de Lucy, je serais un échec. Elle est, en réalité, la chose la plus importante que j'aurais dû réussir.

Je ne le pardonnerai jamais à Carrie Grethen non plus et, dans ces moments-là, j'admets que je veux qu'elle soit éradiquée, coûte que coûte. Complètement et pour toujours. Comme la peste. Comme un fléau.

— D'accord, on va sortir de cette chape de chaleur et s'offrir une boisson, mais je ne peux pas m'attarder. Tu as probablement compris que la phase d'installation s'éternise bien plus que je ne l'avais prévu.

J'ai accepté la requête de Lucy d'une façon assez évasive, ne révélant rien d'important dans le cas, peu probable, où l'on nous épierait. Elle observe :

— La loi de Murphy.

— Dès que nous serons prêts, il me faudra y aller.

— Tout vient à point.

Lucy bavarde, véritable salve de clichés. Il est évident qu'elle donne le change pour l'unique bénéfice de la personne qui nous surveille, selon elle.

J'ai l'impression de n'entendre parler que d'espionnage, de filatures, de trolls, de voyeurs, d'usurpation d'adresse IP ou d'identité, de harceleurs, de snipers, de pirates, de fouineurs. D'un autre côté, peut-être Carrie Grethen est-elle réellement tapie dans l'obscurité, s'amusant comme une folle en détaillant nos moindres gestes, nos moindres mots.

Plus je pense à elle, plus ma rage bouillonne. Je me tais. Je tape mon code d'accès personnel sur le boîtier digital scellé contre la portière latérale du camion.

— Fais attention.

L'haleine parfumée à la cannelle de ma nièce effleure mon oreille. Je suis consciente que des téléobjectifs pourraient permettre de reconstituer les nombres et les symboles de mon code.

S'ajoutent les différents types de skimmers qui récupèrent des données volées à une distance considérable. Je suis très consciente que Carrie est une adepte de ce genre de choses, et de bien d'autres aussi, et suis épuisée par toutes ces mises en garde. En plus des supputations mortifères de ma nièce, je dois supporter les continuelles hypothèses hystériques de Marino, qui a établi une liste complète des dangers qui me guettent, des gens qui pourraient me suivre, me harceler, pour un nombre incalculable de raisons, toutes plus improbables les unes que les autres.

— Je fais toujours attention, lui dis-je en ouvrant le panneau d'aluminium. D'accord, pas infaillible mais jamais désinvolte, j'ajoute en pénétrant à l'intérieur.

L'air très frais me fait frissonner. Lucy me suit, et ferme la porte derrière elle. Elle insiste :

— Je persiste à penser que nous devrions équiper les véhicules de serrures à empreintes digitales.

— Je sais, et peut-être qu'un jour ce sera réalisable plus facilement.

L'air conditionné m'apporte un véritable soulagement, même si j'ai l'impression que je vais bientôt grelotter.

— Je voudrais juste que ces bébés soient blindés. Ils devraient l'être.

— Ce serait encore moins pratique. Janet et Desi vont bien ?

Je ne les évoque que maintenant, où nous sommes dans la cage de l'escalier métallique du camion. Il n'est pas blindé mais du moins ne peut-on surprendre notre conversation.

— Ils sont déjà arrivés à Logan, et tournent en rond. Impossible de stationner là-bas plus d'une nano-seconde. (Elle tire à nouveau la poignée de la porte pour s'assurer qu'elle est bien fermée.) J'ai conseillé à Janet de ne pas se mettre en route trop tôt, mais elle ne m'a pas écoutée, ne me demande pas pourquoi. Ma mère n'est pas près d'atterrir.

— La raison ?

Je commence à gravir les marches.

Lucy se tient juste derrière moi et explique :

— D'abord, il y a eu un bagage suspect déposé non loin de la porte d'embarquement de ma mère à Fort Lauderdale. L'avion a décollé avec une heure de retard et elle a dû attendre sur le tarmac durant un moment.

— Comment tu sais ça ? Je doute qu'un bagage oublié à proximité de la porte d'embarquement de ma sœur fasse la une d'Internet.

— Ma mère envoie des e-mails à Janet, me renseigne Lucy.

Ce détail me remet à l'esprit que ma sœur est incapable de la même courtoisie à mon égard.

— Je suppose que ça fait partie de ces situations où on n'a même pas assez de temps pour rentrer chez soi. À la limite, je suis certaine qu'elle aurait préféré faire demi-tour, pour revenir un peu plus tard.

La peine que je ressens est si ancienne, mais je ne la laisserai pas transparaître.

— Et puis, le trafic dans l'espace aérien de New York est à la peine depuis une semaine à cause de la vague de chaleur. La brume maritime, et les conditions thermiques sont un gros problème parce que l'air est bien plus chaud que l'eau en ce moment, et pas mal de vols sont cloués au sol ou détournés. En fonction des réserves en kérosène, ma mère ne devrait pas atterrir avant au moins 22 h 30.

Je vérifie ma montre et il est presque 22 heures.

— En plus, elle charrie des tonnes de bagages, précise ma nièce.

— On dirait qu'elle a l'intention de séjourner chez toi un certain temps.

— J'espère juste que sa foutue batterie de téléphone ne va pas la lâcher. Je m'inquiète que Janet ne parvienne pas à la contacter. Il semble que Logan soit sens dessus dessous, et tu connais ma mère, déclare Lucy alors que nos pas résonnent sourdement sur la marche supérieure. En général, c'est la dernière à monter dans l'avion et bonne chance avec ses bagages ! Ce serait un miracle qu'ils répondent tous présents. Et Janet ne peut pas pénétrer à l'intérieur pour l'aider.

— Ça fait une très longue soirée pour Desi.

— Il m'a envoyé des textos pour me dire que la circulation était affreuse. La police de l'État est partout, surveille tout le monde, et c'est la galère de s'arrêter quelques secondes, pour décharger ou prendre quelqu'un.

— Oh, je suis sûre qu'il doit être ravi de la visite de Dorothy, dis-je sans enthousiasme.

Nous pénétrons dans la kitchenette lumineuse en Formica blanc et acier inoxydable.

— Bien sûr, puisqu'elle le gâte de façon insensée. Tu as pu discuter avec Benton ? me demande-t-elle.

— Pas depuis que nous nous sommes quittés au Faculty Club.

Les yeux verts de Lucy ont adopté ce regard lointain que je ne connais que trop bien et redoute maintenant. Elle est peut-être là en chair et en os, mais son esprit est ailleurs, dans un espace très privé, très émotionnel, qu'elle ne partage pas. Elle est belle, extrêmement intelligente, âgée de trente-cinq ans, mais tellement plus jeune que cela dans pas mal de domaines, et comparée à la majorité d'entre nous. Lucy possède tous les atouts. Qu'il est triste qu'une obsession soit devenue le point faible d'un être aussi brillant, aussi exceptionnel, de si haute volée qu'elle. Elle ne ressemble à personne et son originalité est une des causes de la tragédie.

C'est une catastrophe qu'elle soit naturellement attirée par l'univers haineux de Carrie, comme l'eau qui rejoint l'eau. Lucy est convaincue d'être le capitaine de son propre navire, la maîtresse de son sort. Elle est certaine d'être la seule à décider de sa vie. Je n'en suis plus aussi sûre.

— Pourquoi ? Tu lui as parlé ?

— Oui.

Je ferais tout ce qui est en mon pouvoir pour détruire ce sortilège qui pèse sur elle, si je le pouvais. Rien ne m'arrêterait si je savais que cela libérerait Lucy. Je serais capable d'à peu près n'importe quoi. Étrangement, je repense à la femme sur sa bicyclette et à ce qu'elle m'a lancé avant de s'éloigner dans la chaleur étouffante :

Ce qui ne vous tue pas vous rend plus fort.

Oui mais, et si cela *vous tue* ? C'est la question que nous devrions nous poser, parce que Carrie ne nous rend pas plus forts. Il est trop tard pour cela. Nous avons dépassé ce stade il y a deux ans, lorsqu'elle nous a fait savoir, de la pire façon imaginable, qu'elle était toujours en vie. Depuis lors, nous sommes impuissants. Elle nous grignote, nous saigne, nous mutile alors que nous nous agitons dans un état de stupeur permanent.

Nous ne voyons ni n'entendons Carrie. Nous n'avons aucune prescience d'elle, hormis lorsqu'elle le souhaite et son plus grand atout est l'inexistence à laquelle elle s'applique. Affirmer qu'elle a fait quelque chose de monstrueux se révèle à peu près aussi convaincant que si on prétend que le diable existe. À cela près que les cicatrices que je lui dois et le nombre de gens dont elle a signé et exécuté l'arrêt de mort n'ont rien d'une vue de l'esprit.

— Je me suis demandé ce que faisait Benton, dis-je d'un ton calme, qui ne trahit en rien ce que je ressens vraiment. Il a reçu un appel de Washington au moment où Marino m'appelait pour cette affaire. Il semblait en forme ?

— Difficile à dire. Je suis presque sûre qu'il était en voiture lorsque je l'ai contacté, m'explique ma nièce.

— Une voiture ? Ou sa voiture ?

Je m'appuie contre le comptoir qui nous sépare et poursuit :

— Est-il en compagnie d'autres agents du FBI ? Quelque chose de nouveau est survenu ? Il a juste mentionné que l'alerte antiterroriste avait été revue à la hausse et qu'elle incluait maintenant Washington D.C. et aussi la région de Boston.

— Il ne m'a pas expliqué ce qu'il faisait, ni avec qui il était, précise-t-elle.

Sous la vive lumière, je distingue la bosse légère de son pistolet à hauteur du revers de sa jambe droite de pantalon.

23.

Le holster est fixé au-dessus de son boot.

Je ne sais pas au juste pour quelle arme elle a opté, probablement son Korth PRS 9 mm. Je ne veux même pas imaginer celles qui se trouvent dans sa voiture, probablement un pistolet avec chargeur de grande capacité, et peut-être une puissance de feu encore supérieure à cela.

Lucy se laisse aller contre le comptoir situé derrière elle et s'y appuie de la paume des mains.

— Je ne sais pas s'il conduisait ou était conduit mais, à son ton, j'en ai déduit qu'il n'était pas seul, poursuit-elle.

Elle se hisse à la force des bras, s'assoit sur le comptoir, le dos appuyé contre un placard, les pieds se balançant, révélant à peine le holster noir du pistolet. Elle croise ses belles mains puissantes sur ses cuisses et je remarque l'alliance en platine Tiffany qu'elle porte à l'annulaire gauche.

Aucun d'entre nous n'a été invité à son mariage avec Janet, une cérémonie civile au cap Cod l'année dernière, juste après le décès de Natalie. Ainsi que nous l'ont expliqué Lucy et Janet, il ne s'agissait pas pour elles de prouver leur amour ou leur engagement. Nul besoin de démonstration, ont-elles souligné. Le seul objet de ce mariage était de pouvoir adopter Desi.

— Pour quelle raison as-tu appelé Benton ? À quelle heure ?

— Il y a peu de temps. Juste après avoir écouté les dernières fantaisies de Serrefile Charlie, répond-elle, à ma plus grande consternation.

Je ne peux pas le croire.

— Mais enfin, pourquoi le déranger avec ça surtout en ce moment, au milieu tout le reste ?

— Nous sommes confrontés à des faits nouveaux dont tu n'es pas au courant. D'anciens éléments ont refait surface aussi. C'est important, sinon je ne te dérangerais pas.

Et pourtant, j'ai des doutes.

Lucy me cache quelque chose. Je le lis sur son visage. Je peux le sentir. Benton est impliqué et je lui demande à nouveau s'il va bien. Elle me répond qu'il est très occupé et je rétorque que c'est le cas de nous tous. Elle continue ensuite en expliquant que le dernier clip audio de Serrefile Charlie a été envoyé à l'heure habituelle, à 6 h 12 de l'après-midi. Il y a plus de trois heures, et mon exaspération menace de déborder. Je ne vois pas en quoi cela mériterait notre pleine attention au beau milieu d'une enquête, probablement criminelle.

— Je ne veux pas être désagréable, lui dis-je, mais il ne s'agit pas d'un scoop, Lucy. Chacune des communications de cet allumé est envoyée à 6 h 12 de l'après-midi. Et ainsi que tu le soulignes, c'est intentionnel. Laisse-moi deviner. Le nouvel enregistrement est en tout point semblable aux autres, excepté le message. Il est préenregistré et sa durée est de deux minutes et vingt-quatre secondes.

— Et le deux-vingt-quatre était le numéro de rue de votre maison lorsque toi et ma mère étiez enfants à Miami, assène Lucy qui n'a pas l'intention de revenir sur ce qu'elle a décidé, sans aucune preuve.

— Deux-vingt-quatre et vingt-deux puis quatre ce n'est pas la même chose.

— D'un point de vue symbolique, si.

— Je ne suis pas certaine qu'il faille se précipiter pour dénicher un symbolisme calculé là-dedans. (J'ai choisi mes mots avec soin pour ne pas la mettre sur la défensive.) Les messages sont toujours envoyés à six heures douze, la durée de l'enregistrement est de deux minutes et vingt-quatre secondes et cela pourrait n'être qu'une coïncidence sans signification, due à un code de programmation.

— Et 6-12, c'est exactement l'heure à laquelle cette connerie de plainte au 911 est parvenue à la police de Cambridge, me rappelle Lucy comme si elle n'avait pas entendu ce que je viens de dire.

— C'est exact. Mais il pourrait s'agir, là aussi, de coïncidences...

Je ne finis pas ma phrase, consciente que tel n'est sans doute pas le cas.

Je vérifie à nouveau mon téléphone. Rien de la part de Rusty et Harold, et j'envoie un texto à Marino :

Comment on s'en sort ?

— Écoute, tante Kay, attaque Lucy. Je n'aime pas admettre que je me suis retrouvée dans une position difficile parce que de multiples choses ont déboulé en même temps.

Je surveille l'écran de mon portable dans l'attente d'une réponse du grand flic.

Elle tapote les poches de son uniforme de vol, extrait de l'une d'elles une petite boîte renfermant ses bonbons favoris à la cannelle. Elle ouvre le couvercle et les petites pastilles glissent dans un son doux. Elle me tend la boîte alors que je repense à son choix de mots. *Multiples*, ça veut dire beaucoup. Je prends une pastille, certaine que ma nièce omettra de me confier quelque chose. Le goût très épicé me monte aux narines, et me met les larmes aux yeux.

— Quand on s'est parlé, il y a environ deux heures, j'étais préoccupée par cet appel au 911. (Lucy replace la petite boîte dans une poche de son treillis et boutonne le revers.) Je me démenais pour essayer de comprendre ce qui se passait, qui était derrière, et pourquoi. Je ne peux pas tout faire à la fois.

Je pousse la pastille vers l'autre joue, avale une gorgée d'eau, et renchéris :

— Pas même toi.

Elle continue de se justifier, m'affirmant qu'en début de soirée, nous avons été attaqués simultanément sur de multiples fronts. À nouveau le même mot.

Multiples.

— Le minutage des événements est délibéré. Je pense que nous sommes en train d'affronter des attaques liées, qui impliquent la même ou les mêmes personnes. Et j'en conclus que nous ne sommes pas au bout de nos peines, ajoute-t-elle.

Cependant, le véritable problème n'est pas ce qui a déjà été fait ou ce qui ne tardera pas. Ni comment. Ni pourquoi. L'essentiel est le *qui* de l'équation. Je m'obstine à maintenir qu'il est à la fois dangereux et obsessionnel de partir du principe que le même marionnettiste diabolique s'agite derrière tous les actes et événements aberrants que nous constatons.

Je ne suis pas naïve au sujet de Carrie Grethen. Je connais dans le détail ses infâmes penchants et ses monstrueuses capacités. Je sais ce que signifie d'être physiquement meurtrie par elle, d'échapper d'un cheveu à une mort qu'elle a planifiée et de travailler sur les scènes de crime et les autopsies des victimes qu'elle sème autour d'elle.

En d'autres termes, elle n'a rien d'une abstraction. Malheureusement, elle n'est pas non plus la seule pourvoyeuse d'horreur. J'ouvre le texto qui vient juste d'arriver. Marino y écrit :

Un feu d'artifice de me*de. Restez où vous êtes pour l'instant. Vous pouvez rien faire.

J'aurais préféré qu'il n'appelle pas la scène « un feu d'artifice de merde ». J'espère que ça ne se retournera jamais contre nous.

— Il suffit de préciser que le peu que j'ai déchiffré sur le fichier audio est pire qu'à l'accoutumée, continue Lucy, en me narrant le dernier harcèlement de Serre-file Charlie. Ça se rapproche beaucoup trop, et il est impossible de prévoir le reste.

— Qu'en dit Benton ?

— Je n'avais pas l'intention d'en discuter par téléphone, pas avec d'autres personnes autour de lui, surtout s'il s'agit de fédéraux, répond-elle. (Je suis surprise qu'elle sache qui accompagnait mon mari, s'il ne le lui a pas précisé.) Et je n'allais certainement pas évoquer l'aspect Natalie, poursuit-elle à mon grand étonnement.

— Tu veux dire Janet, pas Natalie ?

Sa langue a dû fourcher.

— Non, Natalie. Tu vas comprendre si tu te remémores ses derniers mois, quand Janet et moi allions fréquemment en Virginie. Benton et toi êtes passés un certain nombre de fois, notamment lorsque la fin s'annonçait et que Natalie a été admise en soins palliatifs. Tu te rappelles les choses qu'elle répétait ? Elles prennent maintenant une signification bien différente, assez répugnante.

— Pourquoi Benton et toi évoqueriez-vous Natalie dans ce contexte ?

Une sorte d'inquiétude diffuse m'envahit. J'attends qu'elle poursuive.

— Tu te souviens des bagarres entre toi et ma mère lorsque vous étiez petites ? ajoute Lucy, renforçant mon incompréhension. Et le surnom que tu lui avais donné quand la coupe avait été pleine ?

— Sœurette-pincette. À cause de sa sale manie de te pincer, en plus de ses autres vacheries. Elle te pinçait et te tirait les cheveux et même elle te les a coupés durant ton sommeil. J'en passe et des meilleures. Bien sûr, quand tu écoutes sa version, c'était toi la véritable peste.

Voilà des années que je n'avais plus pensé à cela.

— Après tout, c'est Dorothy l'écrivain de fiction.

Je n'en dirai pas plus. J'ai passé la plupart de ma vie adulte à faire preuve de la plus grande circonspection lorsque je révélais des choses à Lucy à propos de sa mère.

— Il faudrait identifier qui aurait eu connaissance de ce qui se passait dans votre maison de jeunesse à Miami.

Lucy insère son téléphone dans le chargeur qui trône sur le comptoir sur lequel elle est perchée.

— Qui, hormis ma mère et Dorothy ? Et moi, bien sûr ? Aucun nom ne me vient à l'esprit, mais je réfléchirai plus tard.

Je frissonne et ouvre un placard pour en tirer un coupe-vent bleu marine du CFC que j'enfile sur mon uniforme de morgue.

— J'en viens à soupçonner que pas mal de choses sont liées et que cela ne date pas d'hier, mais de bien plus longtemps que nous ne l'avions subodoré, déclare Lucy. Avant l'été, il y a un an, alors que Natalie était à l'agonie, et sans doute encore plus loin.

— De quel ordre ? Quelles choses ?

Je remonte la fermeture Éclair du coupe-vent, si ample qu'il me tombe à mi-cuisses, avant d'ouvrir le petit réfrigérateur en acier inoxydable réservé aux denrées comestibles. Aucun indice n'y est admis.

— Eau ou Gatorade ?

— Commençons par le fait que je ne crois plus que son décès se résume à une affaire de famille intime, contrairement à ce que nous pensions. Gatorade, ce serait parfait. En bouteille, pas en canette.

— Cool-Blue ou citron-citron vert ?

— Pas de parfum orange ?

Je fouille le petit réfrigérateur à la recherche de Gatorade orange et demande :

— La mort de Natalie n'était pas une affaire intime ? Tu veux dire que quelqu'un l'espionnait ? Tu n'as jamais fait allusion à ça de façon aussi formelle. Je sais juste que Natalie était devenue très paranoïaque. Elle s'inquiétait d'être sous surveillance.

— Et elle avait de bonnes raisons. C'est là que je veux en venir. Je pense que quelqu'un essayait de l'espionner au cours de ses dernières semaines, jours, heures, de ses moments intimes avec nous tous, fulmine Lucy dont les yeux verts flamboient. Je ne sais pas avec certitude jusqu'où c'est allé, parce que aucun de nous ne craignait d'être épié, et que nous n'avons pas investigué cette piste. Du coup, on a pu passer à côté de certaines choses.

— Parce que nous n'avons pas assez pris au sérieux les craintes de Natalie.

— En effet. Je ne peux pas affirmer qu'il y ait eu d'autres appareils d'espionnage chez elle, et ensuite dans l'unité de soins palliatifs. Je ne cherchais pas.

— D'autres appareils ?

— En dehors des ordinateurs de Natalie, et notamment son portable, énumère Lucy en ouvrant la bouteille que je lui ai tendue. Personne ne peut dire ce qui s'est réellement passé. Je ne vérifiais pas la présence éventuelle de mouchards à chaque fois que je lui rendais visite en Virginie. Pas plus que Janet. Nous jugions cela superflu.

— Pourtant, aujourd'hui, tu es sûre que la surveillance était réelle ? Alors qu'elle agonisait ?

Ma nièce hoche la tête en signe d'acquiescement.

— Du moins à un certain stade de son agonie, je suppose. Il se peut que nous ne le sachions jamais.

— Faire un truc pareil sous-entend que l'auteur est d'une variété peu commune de dégénéré, je commente.

— Et qui correspond parfaitement à cette description ? J'ai la tenace impression qu'elle est en train de préparer quelque chose de très spécial cette fois.

Lucy pense à Carrie Grethen. J'en reviens à la même supposition, de façon encore plus insistante. Quelque chose d'autre s'est produit. Elle ne partage pas cette information, pour une raison que j'ignore, et je ne cesse de penser à Benton. Elle s'est entretenue avec lui un peu plus tôt. À quel sujet ? Lucy ne lâchera rien si mon mari lui a recommandé le silence. Je la ramène au début de notre conversation.

Je lui demande si Natalie aurait pu être au courant du surnom que j'avais forgé pour Dorothy lorsque nous étions gamines. Aurait-elle pu entendre un jour mentionner le « sœurette-pincette » ?

Lucy penche la tête vers l'arrière et avale une gorgée de sa boisson avant de répondre :

— Pas la moindre idée.

— Je me demande si le sujet aurait pu être abordé en présence de Carrie, il y a des années, lorsqu'elle était encore amie avec Janet, Natalie et toi.

— Je ne crois pas.

— Je ne vois pas d'autre explication. De quelle façon une cyber-menace anonyme aurait-elle appris des détails personnels, qui ne traînent nulle part, au sujet de ma famille ? Sauf à penser que ça vient directement de la source.

— Tu veux dire de sœurette-pincette en personne ? Ma mère, la pinceuse folle ? s'étonne Lucy, et je ne la détrompe pas.

En vérité, pincer et tirer les cheveux ne font pas partie des crimes les plus graves de Dorothy, mais je n'en dirai pas plus à Lucy, ni ne rentrerai jamais dans les détails de la violence, de la sournoiserie, ou des mensonges de sa mère. Ma sœur pouvait agripper un bras, une cheville, tourner la peau de sa victime avec force, à droite puis à gauche. Elle s'était fait une spécialité de ce que l'on appelait une « morsure de serpent » ou un « coup de soleil indien » à l'époque.

Lorsque cette méchanceté est exécutée avec assez d'adresse et de force, c'est plutôt douloureux mais ne laisse qu'une légère trace, une rougeur que j'ai vite appris à ne pas mentionner. Dans le cas contraire, Dorothy expliquait que j'avais pris un petit coup de soleil. Ou que je souffrais d'une réaction allergique. Et que, bien sûr, je l'accusais de façon honteuse. J'essayais de lui attirer des ennuis. Lorsqu'on l'interrogeait, elle inventait les mensonges les plus échevelés afin d'expliquer pourquoi ma peau était enflammée et irritée.

J'étais en train de lire à proximité du rebord de fenêtre, et mon bras ou ma cheville avait pris un coup de chaud, racontait-elle à notre mère. Ou alors, je dormais, et le soleil m'avait brûlée. Sans doute commençais-je à être un peu fiévreuse, ou alors une éruption de boutons menaçait. Il n'était pas non plus exclu que j'aie été mordue par une araignée ou que je sois en train de faire une allergie aux gardénias ou aux mangues. Ou alors j'avais « attrapé » le cancer, comme mon père.

L'intrépidité de Dorothy n'a plus connu de limite lorsque la maladie de celui-ci a progressé. Elle a décidé qu'il n'était plus de taille à se dresser entre elle et *la chouchoute de papa*. Elle s'est convaincue que je restais sans défense. Ce n'était pas vrai. Et pourtant, je n'ai jamais cafté, ni ne me suis laissée aller à des vengeances physiques.

Il existe de bien meilleures façons de contrer les tyrans domestiques et, d'une certaine façon, je remercie aujourd'hui ma sœur. Grâce à elle, j'ai appris l'art du silence, la force de l'écoute, et la puissance de l'attente. Ainsi que notre père avait l'habitude de dire :

A volte la vendetta è meglio mangiata fredda.

La vengeance est un plat qui se mange froid.

— Je me demandais si Dorothy avait mentionné un jour ce surnom ridicule à Natalie, ou à Janet.

Je fais cette suggestion parce que je commence sérieusement à m'interroger sur les gens à qui elle a pu parler, et pas seulement récemment.

— Je ne sais pas, répète Lucy. Mais il est impossible que ma mère ait jamais révélé cette histoire, ou quoi que ce soit d'autre, à Carrie.

— Hormis si on se trompe depuis le début en pensant qu'elles ne se connaissent pas. Est-ce qu'on peut l'affirmer ?

— Elles ne se sont jamais rencontrées. Ma mère ne sait rien d'elle.

Lucy est inflexible. Toutefois, je n'ai pas l'intention de laisser tomber.

24.

— Et au tout début ? je demande à ma nièce. Es-tu certaine de n'avoir pas mentionné l'existence de Carrie lorsque tu as commencé l'internat à Quantico ? Ce ne serait pas étonnant. Tu rentrais à Miami ou tu discutais avec ta mère par téléphone. Tu aurais pu évoquer ton superviseur du FBI, ton mentor, d'autant qu'elle t'accordait une telle attention.

Carrie se montrait d'une telle générosité, si charmante. Lucy était flattée au-delà du possible. Elle n'avait pas une chance contre cette femme. Je ne veux pas jeter de l'huile sur le feu et me contente de rappeler :

— Je sais bien que ça t'ennuie d'y repenser. Tu étais tellement fascinée par elle, au début. Tu ne cessais de parler d'elle. Du moins à moi.

— Tu sais très bien pourquoi je n'ai jamais mentionné son nom à ma mère, articule Lucy dont le regard s'est fait dur, mais aussi nerveux. Je ne lui ai jamais parlé de Carrie ni de quiconque, pas même d'une connaissance avec laquelle j'aurais bu une bière.

Dorothy est affreusement déçue par le « mode de vie » de sa fille unique, puisque c'est ainsi que ma sœur continue d'évoquer le fait d'être gay. Peu importe que je lui aie répété jusqu'à plus soif que lorsque nous tombons amoureux et choisissons un partenaire, il ne s'agit pas d'un mode de vie, comme d'appartenir à un country-club ou de préférer s'installer en banlieue. Ma sœur ne comprend rien. Selon moi, c'est un choix délibéré de sa part parce qu'il est plus simple pour elle de définir Lucy comme une bohème où un garçon manqué, l'euphémisme de Dorothy pour parler d'homosexualité. Il est plus simple de penser que Lucy et moi souffrons d'une envie de pénis, un autre euphémisme de ma sœur pour expliquer que nous ne soyons pas dépendantes des mâles de la même façon qu'elle.

« L'envie de pénis » est réelle, aime-t-elle à déclarer, de préférence devant notre mère. Ou, plus récemment, devant Marino lorsque nous étions à Miami en juin dernier et qu'il baladait Dorothy sur sa moto et que sais-je d'autre.

— Il y a beaucoup de choses dont Benton et moi ne discutons pas avec Dorothy, dis-je pour la rassurer. Elle n'a aucune idée de qui est Carrie Grethen, sauf si tu lui as révélé cette partie de ta vie. Ou alors quelqu'un d'autre.

Marino me traverse l'esprit et j'espère que Benton a tort.

Un désagréable malaise m'envahit lorsque je pense que Marino a le béguin pour ma sœur, qu'il discute peut-être de nous avec elle, ou de tout autre chose qui ne la concerne pas et pourrait se révéler dangereux. Une pensée trop irritante pour que je m'y attarde.

— Et donc, Serrefile Charlie a mentionné sœurette-pincette.

Je reviens au sujet précédent afin de m'assurer que j'ai été très claire quant à l'origine de ce détail.

— Comme tu le sais, Lucy, je n'ai pas encore écouté l'enregistrement. Je pars du principe qu'il n'a pas été transcrit ou traduit, à moins que tu aies trouvé quelqu'un pour le faire.

— Non, et je n'en ai pas l'intention, répond-elle. Il est important que tu t'en charges puisque tu es la cible désignée. Cet enregistrement a été réalisé à ton seul profit.

— Pas de traduction, donc, mais tu as compris le contenu ?

Elle avale une autre gorgée de Gatorade et déclare :

— Des petits bouts par-ci, par-là. Les plus simples. Mon italien est sans doute rouillé et malaisé, mais je sais que *sorella* veut dire sœur et que *Sorella Twisted* signifie Sœurette-Pincette. J'ai reconnu le surnom des histoires que ma mère s'amusait à me raconter sur son effroyable sœur.

Une bouffée de ressentiment m'envahit, aussi nouvelle qu'elle est vieille.

— J'ai reconnu ton nom, tes initiales, et le mot *chaos*. Apparemment, *chaos* en italien ressemble au mot anglais.

Lucy continue de me décrire ce qu'elle a pu comprendre de notre dernier harcèlement par clips audio interposés.

— En italien, il n'y a pas de *h*. Ça s'épelle c-a-o-s, et je le prononce pour elle.

— Oui, acquiesce Lucy. C'est exactement ce que j'ai entendu, *le chaos est en chemin*, quelque chose de ce genre.

Elle poursuit en m'expliquant que le fichier audio est cohérent avec ce que j'ai déjà reçu depuis le premier jour de l'automne.

— Des petits vers de mirliton ringards, insultants, qui annoncent ta mort, poursuit Lucy.

À chaque fois, la même voix synthétisée s'exprime en italien, un baryton lyrique qui ressemble à celui de mon père, décédé lorsque j'avais douze ans.

Elle retrouve le fichier audio sur son téléphone et augmente le volume autant qu'elle le peut. La voix numérique, familière, résonne avec force :

Torna di nuovo, K.S. A grande richiesta !

Les cyber-menaces en vers m'accueillent toujours avec la même introduction. Traduire par : *De retour, K.S. À la demande générale, rien de moins !* Alors que j'écoute, je sens mes vaisseaux sanguins se dilater, mon pouls s'accélérer.

Je refuse d'entendre une voix qui m'évoque celle de mon père parce que alors, il envahit mon esprit. Comme s'il était toujours là. Comme s'il était toujours en vie. C'est faux. Ce que j'entends n'a rien à voir avec lui parce qu'il ne pourrait jamais me parler d'une façon aussi malfaisante. Il ne pourrait jamais souhaiter que je sois morte. Et la souffrance explose. Je me sens vidée de l'intérieur.

J'indique à Lucy de mettre un terme au défilement et elle s'exécute.

— Je n'ai pas de temps à consacrer à ça maintenant. Tu penses que Serrefile Charlie n'est autre que Carrie Grethen. C'est ce que tu es venue me dire.

— Je pense qu'elle est derrière ça, que ce n'est qu'une partie de son plan, quel qu'il soit. Oui, c'est pour ça que je suis là, rétorque Lucy, un air de défi sur le visage.

— Tu en as décidé ainsi.

— Parce que je sais.

Je m'efforce de remplir les blancs :

— Et il fallait que j'en sois immédiatement informée parce que si Carrie n'est autre que Serrefile Charlie, peut-être est-elle aussi l'individu qui a porté plainte au 911 à mon sujet, en déguisant sa voix. Peut-être est-elle aussi responsable de tout ce qui foire en ce moment, même d'interventions surnaturelles sur cette foutue tente qui nous résiste, et implique que je ne puisse pas travailler sur cette foutue scène !

— Évite de te mettre en colère, surtout par cette chaleur. Ce n'est pas bon pour toi.

— Tu as raison, c'est mauvais.

— Je pense qu'elle fait équipe avec Serrefile Charlie, quel qu'il soit, poursuit Lucy, qui me fixe sans même cligner des paupières. Carrie a trouvé quelqu'un de nouveau pour l'aider. C'est son mode opératoire. Elle procède toujours de la même façon lorsqu'elle met en place sa future offensive d'envergure. Elle recrute une armée composée de deux sbires.

— La dernière version de Temple Gault, de Newton Joyce ou de Troy Rosado.

Ma gorge est aussi desséchée que du papier et j'avale une autre gorgée d'eau, prenant garde à ne pas ingérer un volume trop important. Cela m'évitera d'avoir recours à nos poches à pipi.

— Il lui a fallu presqu'une année pour se remettre en selle après son dernier bain de sang, lors duquel elle a abattu le père de Troy. Ensuite, lorsqu'elle en a eu assez de Troy, elle a failli le tuer. Carrie s'ennuie très vite, débite Lucy comme si ces choses s'imposaient d'elles-mêmes. Tu ne croyais quand même pas qu'elle était restée peinarde depuis, toute seule, sans rien faire, n'est-ce pas ?

Je soutiens son regard et ne dis rien. Que pourrais-je ajouter ? Soit elle a tort, soit elle a raison. Elle répond à ses propres questions :

— Bordel non ! On connaît Carrie bien mieux que ça maintenant. Elle s'est activée depuis qu'elle a disparu du radar. (Le ton de ma nièce est devenu cinglant.) Et son nouveau laquais doit être un ver de terre anonyme, un allumé fou de technologie, qui se fait appeler Serrefile Charlie, ajoute-t-elle.

Durant un fugace instant, je suis stupéfaite par la jalousie que je perçois en elle.

Lucy se sent remise en question par mon dernier cyber-harceleur en date parce que, jusqu'à présent, elle a échoué à le prendre en chasse, et Lucy n'échoue jamais. Pourtant, elle s'est systématiquement plantée, à chaque tentative, dès que les communications railleuses de Serrefile Charlie ont commencé. L'échec est la kryptonite de Lucy. Elle est incapable de le supporter.

— J'ignore qui il est, mais je sais que Carrie ne travaille pas seule, affirme Lucy.

Je suis distraite par mon portable posé sur le comptoir, son écran s'est soudain illuminé, sans raison apparente.

Je le récupère, le déverrouille, l'examine. La sonnerie est activée, en position vibreur, exactement comme je l'ai programmée. À l'évidence, je n'ai pas raté d'autres appels à cause d'un bug quelconque et rien ne semble sortir de l'ordinaire.

Je repose l'appareil sur le comptoir contre lequel je m'appuie, assez surprise que Ruthie Briggs ne m'ait pas rappelée. Elle ne m'a pas non plus envoyé de texto ni d'e-mail.

— Avec du recul, certaines choses deviennent plus compréhensibles.

Lucy fait référence à la mort de Natalie, il y a un an, le 18 septembre.

Cette fichue tente commence à virer à l'obsession chez moi. Il est maintenant plus de 22 heures et je n'ai reçu aucune nouvelle de Rusty et d'Harold. Tout le monde semble avoir disparu de la surface de la Terre. Enfin, qu'est-ce qui peut prendre aussi longtemps ? Je commence à taper un autre message à destination de Marino puis me ravise. Inutile de les rendre tous dingues. Quand ils seront prêts, ils me le feront savoir.

Lucy en arrive à l'équipement électronique de Natalie :

— Janet s'était assurée de récupérer les mots de passe nécessaires. J'ai pensé qu'à cause du choc, elle avait oublié, ou alors qu'elle les avait notés de façon erronée.

Après le décès de Natalie, Janet et Lucy se sont rendu compte qu'elles ne pouvaient pas accéder à l'appareil le plus important : l'ordinateur portable de Natalie, celui de sa chambre, qui l'avait accompagnée plus tard en unité de soins palliatifs. Le mot de passe qu'elle avait confié à Janet ne fonctionnait pas.

— Et pénétrer dedans ne fut pas une partie de plaisir, déclare Lucy en évitant avec soin le mot *piratage*. Natalie travaillait dans le management de comptes numériques. Elle touchait sa bille en matière d'informatique.

Je détaille ma nièce, alors qu'elle parle, et ses yeux sont des fenêtres ouvertes sur les ravages qui se propagent en elle. Cela ne se verrait pas sur un CT scan. Ce serait imperceptible lors d'une autopsie. Néanmoins, l'évidence du massacre se trouve juste sous la surface, comme ces tombes que l'on découvre des siècles plus tard recouvertes par des couches de sédiments et d'humus. Lucy a reconstruit une vie de puissance et d'assurance sur les ruines laissées par Carrie. Si elles se trouvaient toutes les deux face à face, engagées dans un combat mortel, je ne me demande plus qui en émergerait, libérée et entière.

Je sais maintenant que ni l'une ni l'autre n'y parviendrait.

— J'ai véritablement pensé que Natalie était en train de perdre les pédales lorsqu'elle s'inquiétait d'être espionnée. Qu'elle devenait folle, quoi, que le cancer avait migré jusqu'à son cerveau, continue d'expliquer Lucy et, à sa voix, je comprends qu'elle se sent coupable.

— Rien d'étonnant.

Au fond, je suis convaincue que certaines choses ne peuvent jamais être réparées. Il existe des batailles qu'on ne peut pas gagner. Et lorsque j'imagine Lucy et Carrie engagées dans un duel, je m'interroge : qui tuerait qui ? J'espère avoir tort. J'espère que cela ne démontrerait jamais qu'elles ne peuvent pas survivre l'une sans l'autre. En effet, quelle serait leur motivation à chacune, durant cet interminable match sanglant, si l'autre n'était pas l'ennemie ? J'ignore la réponse, mais ainsi que Benton aime à le répéter lorsqu'il évoque la dysfonction : *il est toujours difficile de renoncer à son poumon d'acier.*

— Tu m'avais raconté que Natalie recouvrait les caméras de son ordinateur avec du Scotch, j'observe. Beaucoup de gens font ça, à ce que l'on m'a dit. Or, elle n'a pris cette précaution que lorsqu'elle a su qu'elle était mourrante.

— Oui, elle a occulté les webcams de son ordinateur de bureau, d'une tablette, et aussi de son portable. C'est un moyen artisanal, à la portée de tout le monde, qui permet d'éviter que quelqu'un se serve de ton ordinateur pour t'espionner. Natalie déconnectait systématiquement toutes les caméras de ses appareils électroniques personnels, parce qu'elle les savait activables à distance. Et si le pirate est assez compétent, il peut modifier la puce de la caméra, neutraliser le témoin lumineux de sorte qu'il ne s'allume plus lorsqu'on t'enregistre en douce.

— Et donc, scotcher la lentille de la caméra était une précaution supplémentaire.

— Sur le moment, ça m'a paru complètement dingue.

— Mais peut-être était-ce sensé ?

— D'où notre conversation, souligne Lucy. J'aurais dû prêter plus d'attention à ce qu'elle affirmait. Si elle n'avait pas été si malade, à dire des trucs sans queue ni tête, je l'aurais fait.

— Est-ce qu'elle a jamais mentionné Carrie ?

— Aucune raison. Nous pensions tous, à l'époque, qu'elle avait dégagé pour de bon.

— Parce qu'elle avait été bouclée dans une institution médico-légale pour les criminels psychiatriques. Et ensuite parce qu'elle avait été tuée après son évasion. Du moins était-ce que nous croyions.

— Natalie était convaincue, comme nous, que Carrie s'était explosée avec Newton Joyce, lorsque son hélicoptère s'était écrasé en mer, au large de la côte de Caroline du Nord, déclare ma nièce.

— En ce cas, selon elle, qui l'espionnait ?

— Les fédéraux. Ou alors peut-être un gouvernement étranger, d'autres avocats, des lobbyistes, des journalistes. N'importe qui. Le cabinet d'avocats pour lequel elle travaillait s'occupait de beaucoup de politicards redoutables, des poids-lourds.

— Et quand elle a été admise en unité de soins palliatifs, elle a emporté son ordinateur portable avec elle.

Je me souviens de l'avoir vu sur la table de chevet où Lucy l'avait installé.

25.

Je revois le cadre argenté de l'ordinateur de Natalie. Je ne me souviens pas d'avoir remarqué des bouts de Scotch noir collés sur la lentille de la caméra. Toutefois, d'autres souvenirs de cette époque émergent.

Presque simultanément, Lucy découvrait des choses étranges dans le système informatique du CFC. Puis, au fil des semaines, elle confirmait que quelqu'un avait pénétré dans notre messagerie et peut-être même dans notre base de données. Des mois après le décès de Natalie, Lucy débusquait d'autres raisons d'alarme, me raconte-t-elle.

— J'ai passé en revue les fichiers et le journal d'intervention de son ordinateur, en vérifiant les opérations et à quelle heure du jour et de la nuit elles avaient été effectuées. J'ai trouvé des indices possibles de chevaux de Troie, de logiciels malveillants, qui se présentaient comme des programmes légitimes, et plein d'autres trucs.

C'est la première fois qu'elle entre dans les détails au sujet des vérifications qu'elle a faites à cette époque. Elle n'en a jamais parlé avec moi, aussi, je lui demande :

— Tu avais mis Janet au courant ?

— Je lui avais dit que je n'étais pas sûre. Il peut y avoir énormément d'explications derrière un registre corrompu. En fait, il peut exister plus d'une raison expliquant pas mal de choses. Et puis, le moment n'était pas au soupçon. Nous étions beaucoup plus inquiètes de perdre une femme que nous aimions et de l'avenir de son fils de sept ans. Du coup, nous n'avons pas vraiment cherché.

— Mais aujourd'hui, tu as des soupçons.

— Ça va bien au-delà.

— Tu as décidé que le pirate n'était autre que Carrie. C'est Carrie qui espionnait Natalie, et nous tous, d'ailleurs.

Il ne s'agit pas d'une question de ma part.

— Elle avait probablement recours à un RAT, un outil d'administration à distance, pour contrôler les ordinateurs de Natalie. (Lucy va et vient dans la kitchenette tout en parlant. Elle ouvre des placards, les meubles de rangement, prise d'une sorte de bougeotte enfantine.) Et qui peut dire depuis combien de temps ça durait ?

— L'ordinateur portable de Natalie était ancien ?

— Elle remettait à neuf, optimisait ses appareils personnels, et les gardait pas mal de temps. Celui dont on parle avait six ans et quelques-uns des fichiers douteux remontent à ce moment-là. Il est donc possible qu'elle ait été piratée bien avant de s'en douter. Je ne peux pas le vérifier parce que ses ordinateurs ont été balancés.

— Si Carrie a surveillé Natalie durant six ans, ça n'était donc pas à cause de sa maladie, ni de ta relation renaissante avec Janet.

Je ne parviens pas à comprendre la durée de cet espionnage. Janet et Lucy se sont séparées il y a plus d'une dizaine d'années. Pourquoi Carrie aurait-elle continué d'espionner Natalie ? Je me souviens très bien qu'elle trouvait la compagne de ma nièce ennuyeuse et l'avait surnommée *La Vieille Godasse*. À l'évidence, j'en ignore beaucoup, et je ne souhaite pas soumettre Lucy à un interrogatoire.

Elle ne m'a jamais expliqué de façon convaincante pour quelle raison elle et Janet s'étaient revues il y a quelques années, après avoir été séparées plus d'une décennie. Sont-elles restées en contact durant tout ce temps, et qui a décidé de donner une autre chance à leur relation ? Un beau jour, Janet a refait surface avant que j'apprenne que Nathalie venait d'être admise en unité de soins palliatifs et que Desi vivait avec sa tante et ma nièce.

Lucy fait quelques pas et débouche dans la zone principale du camion. Ses pieds chaussés de bottines claquent sur le plancher en métal brillant. Elle lâche :

— Carrie est une *junkie*, tu sais. Sa drogue, c'est nous. D'une façon extrêmement malsaine, nous sommes tout ce qu'elle a.

— Non, elle ne nous a pas. Elle ne nous a jamais eus.

Ma voix est tendue de colère.

Ma nièce s'installe à un poste de travail et sort de sa torpeur l'ordinateur scellé sur un bureau encastré.

— Il y a un désir insatiable, féroce d'être important pour quelqu'un au milieu de son alchimie déviante, continue-t-elle en tapant un mot de passe. Et lorsqu'elle contrôle enfin sa victime – parce que tous ses partenaires sont des victimes – elle devient l'être le plus important aux yeux de cette personne. Pendant un moment, elle peut se prendre pour Dieu. Bien sûr, ça se termine toujours de la même façon. Et elle se retrouve à nouveau seule. L'ironie de l'histoire, c'est qu'elle a besoin de nous.

Je me dirige vers la chaise rivetée au plancher que j'occupais un peu plus tôt et proteste :

— Elle n'est pas Dieu et je me fiche de ses besoins.

— Benton affirme que lorsqu'on ne parvient pas à se convaincre qu'elle est humaine, on est incapable de la comprendre. Et si tu ne la comprends pas, tu ne pourras jamais l'arrêter, me lance Lucy en me fixant.

Je jette un autre coup d'œil à mon téléphone. Rien. Que se passe-t-il, à la fin ? J'en viendrais presque à croire que lorsque nous sortirons du camion, nous découvrirons que le parc entier s'est volatilisé. Comme si nous avions plongé dans une monstrueuse quatrième dimension, comme si nous étions contrôlés à distance de la même façon que le fut, peut-être, l'ordinateur portable de Natalie.

Je repense alors à l'enregistrement réalisé avec une voix altérée qui m'évoque celle de mon père et tape un texto à destination de Marino tout en demandant :

— Même en admettant que Carrie soit derrière tout cela, explique-moi comment elle pourrait savoir quoi que ce soit de mon père ? Si elle a recruté un nouvel acolyte, aussi dérangé qu'elle, comment celui-ci ou celle-ci serait au courant ? On n'a jamais enregistré la voix de mon père, à ce que je sais, et Carrie ne l'a pas rencontré. Elle n'était pas née lorsqu'il est décédé.

— Ce qui me porte à croire que quelque chose doit traîner quelque part, déclare encore Lucy.

— En tout cas, pas à ma connaissance.

— Tu n'as jamais écouté d'enregistrement de lui mais tu peux toujours te souvenir de sa voix.

— Comme si c'était hier.

— Et ma mère ?

— Je ne suis pas au courant.

— Elle ne pourrait pas avoir conservé un enregistrement de la voix de votre père, ou savoir où le trouver ?

— Elle n'a pas été d'une grande aide. Je lui ai posé la question il y a quelques jours, quand on passait en revue les détails de son voyage.

Je ne lui ai pas expliqué les raisons de ma curiosité.

— Il doit bien y avoir un enregistrement quelconque, quelque part, répète ma nièce. C'est évident, et alors... Il suffisait juste que quelqu'un mette la main dessus, en tire des blocs phonétiques afin de fabriquer des phrases. La même manipulation permettrait de synthétiser une voix s'exprimant en italien.

— Et pourquoi ne peut-on pas remonter jusqu'à cette personne ? je lui demande de but en blanc. Qu'est-ce qui est si différent cette fois-ci, au point que tu n'aies pas réussi à identifier la source d'une seule des communications de Serrefile Charlie ?

— Je pense que nous avons affaire à un individu qui installe des machines virtuelles. Exactement ce que je ferais à sa place.

— Explique-moi ce que cela signifie.

— Ça veut dire qu'on est assez mal barré.

Lucy entre un peu dans les détails de ce qu'elle croit être la stratégie de Serrefile Charlie :

— L'idée, c'est de pénétrer dans un système ouvert ou un réseau. Les campus universitaires sont des cibles de choix pour ce genre de manipulations et nous n'en manquons pas autour de nous. Une fois que tu as créé ta propre machine virtuelle, tu l'utilises pour générer un serveur de messagerie virtuelle. Dès que tu as expédié un message électronique, tu éradiques le serveur pour en concevoir un nouveau, et ainsi de suite. Ça peut durer très longtemps.

— Il n'y a pas de trace, pas d'adresse IP, rien ?

— Peut-être trouvera-t-on une IP dans les journaux des routeurs. À la métaphore de l'aiguille dans la meule de foin s'ajoute une fausse piste. À chaque fois que tu remontes jusqu'à un mail, il a disparu et un nouveau surgit d'une localisation différente.

— Ça ressemble à ce que Carrie pourrait faire, admets-je. Je suis certaine qu'elle maîtrise ce type de technologie.

— Tu peux être certaine qu'elle connaît les mêmes choses que moi, déclare ma nièce, non sans réticence.

Il lui est difficile d'accorder autant de mérite à Carrie. Et c'est encore plus difficile pour moi de l'entendre. Lucy change de sujet et aborde le problème Bryce, et j'attendais qu'elle y vienne. Elle souligne qu'il n'a pas la moindre idée des informations qu'il laisse échapper au cours de ce qu'il considère n'être que des conversations banales.

— Notamment les détails de son tatouage éphémère. Il n'était pas visible par quelqu'un vous observant. (Elle récupère son téléphone.) Il aurait fallu pour ça que Bryce descende sa chaussette et même ainsi, le tatouage est petit, très atténué après son acharnement à l'effacer.

Elle m'explique que lorsqu'elle a entendu parler de cette plainte au 911, elle a demandé à Bryce de prendre le tatouage en photo et de la lui expédier par e-mail. Elle me tend son téléphone. La feuille de marijuana, de la taille d'un œuf de caille, appliquée juste au-dessus de la cheville droite de Bryce, est du vert des crayons de couleurs pour enfants, mais délavé.

Alors que je scrute l'image, je ne m'étonne plus qu'aucun d'entre nous au centre aujourd'hui n'ait remarqué le discret tatouage temporaire. Personne n'aurait pu, à moins de se trouver tout près de mon chef du personnel et s'il avait enlevé ou baissé ses chaussettes. Ou alors, peut-être un individu louche a-t-il entendu la petite blague ratée de Bryce. Cela expliquerait que le détail en question ait été utilisé afin d'étayer la plainte bidon adressée au département de police de Cambridge un peu plus tôt.

— Le nombre de suspects est limité, conclut Lucy. Il s'agit nécessairement de quelqu'un qui était au courant de la réception de Bryce la nuit dernière.

— Qu'est-ce qu'il t'a dit ?

— Qu'il avait appliqué le tatouage lors d'un dîner avec des amis. Il n'a absolument rien posté sur les réseaux sociaux. Il n'a aucune idée de la façon dont quiconque aurait pu l'apprendre, hormis les copains invités. Voilà ce qu'il m'a expliqué par écrit puisque je ne me suis pas entretenue avec lui.

— Peut-être qu'on devrait.

J'avale une autre gorgée d'eau, m'efforçant de ne pas penser à quel point mon estomac est vide, et qu'il est très tard.

Je m'efforce d'oublier le chablis grand-cru que Benton et moi n'avons pas eu l'occasion de boire et les chaussures humides qui collent à la plante de mes pieds nus.

Je ne cesse de vérifier mon téléphone. Si j'en crois le dernier rapport de Marino, quelques minutes auparavant, la tente n'est pas complètement montée parce qu'il n'est pas aisé de tendre les barrières d'intimité autour de quelques arbres imposants. Une portion de l'échafaudage s'est effondrée. Ensuite, le dais qui surmonte la tente n'était pas parfaitement dimensionné. Quelque chose comme ça.

— As-tu, un jour, raconté à Bryce qu'à Miami certains des élèves de l'école t'avaient surnommée la Cinglée de Floride ? me demande ensuite Lucy, et je me sens atteinte par des boules puantes issues de mon passé.

— Tu plaisantes, là ?

— Serrefile Charlie à nouveau. Il a dû trouver ça quelque part. C'est pour ça que je te pose la question.

— Sœurette-Pincette et la Cinglée de Floride sont mentionnées dans sa dernière saloperie ?

— Oui, lâche Lucy, et l'indignation naît en moi.

Une certaine honte, ensevelie, se réveille. La colère que je ressens est très réelle alors que mon intimité, mon passé, sont envahis par un salopard anonyme qui les déforme, les vandalise.

Assise sur ma chaise de métal, les mains enfouies dans les poches de mon coupe-vent, je déclare :

— Bien, allons au fond de tout cela. Bryce est au courant de quelque chose même s'il ne le sait pas. Il faut le lui demander.

Lucy joue de la souris et ouvre un fichier. En quelques instants, mon chef du personnel, Bryce Clark, apparaît en vidéo directe grâce à une application qu'elle a créée, son interprétation de Skype ou de FaceTime. Elle ne prend pas de gants et lui demande ce qu'il sait de mon enfance en Floride du Sud. En a-t-il discuté avec quiconque ? Surtout récemment ?

— On sait tous qu'ils étaient aussi pauvres que Job, réplique-t-il. D'un autre côté, je ne me souviens pas au juste de ce qu'elle aurait pu mentionner lorsqu'on papotait ensemble. Elle est avec vous ?

— Oui.

C'est moi qui réponds.

— C'est pas qu'on ait trop l'occasion de bavarder au centre, vu le travail, hein, docteur Scarpetta ? (Il fait un coucou de la main, son beau visage juvénile un peu trouble sur l'écran de l'ordinateur.) Allez, on met tout sur la table ! (Il brandit une bouteille de cidre brut Angry Orchard avec son étiquette représentant un pommier échevelé et renfrogné.) C'est la deuxième, mais je ne bois pas au boulot puisque je suis chez moi. Même si je vous parle ?

Sa remarque m'est destinée, je crois, et je ne suis pas certaine qu'il s'agisse d'une question, s'il fait une plaisanterie ou pas, non que ce soit très étonnant de sa part.

Lucy, le menton posé au creux de sa paume, s'adresse à l'écran comme si Bryce était installé de l'autre côté du bureau :

— Ces amis dont vous m'avez parlé plus tôt ? Discutez-vous parfois du travail avec eux ?

— Jamais de façon inappropriée.

De l'ameublement derrière lui, je déduis qu'il est installé dans son salon et qu'il a passé la télévision en mode pause.

— Et à son sujet ? insiste Lucy en me jetant un regard.

— Suggérez-vous que je me montre déloyal ? proteste mon chef du personnel. Insinuez-vous que je déblatère sur le Dr Scarpetta dans son dos ?

— Je n'insinue rien, je vous pose juste des questions. Vous êtes certain qu'un de vos invités d'hier soir n'a pas posté une référence à votre tatouage quelque part en ligne ? Je n'ai encore rien vu, mais...

— Et vous ne verrez rien, parce qu'il n'y a rien à voir, rétorque-t-il. Pourquoi ça se retrouverait sur Internet ?

— C'est exactement ce que nous tentons de cerner. Comment quelqu'un aurait-il pu apprendre l'existence du tatouage ? répond ma nièce.

J'offre à Bryce une chance de sauver la face :

— Peut-être une personne qui ne se doutait pas que cela poserait des problèmes.

— Certainement pas ! Ceux qui ont un peu d'importance dans ma vie savent qu'un truc pareil me porterait préjudice à cause de ma patronne, se défend-il, comme si je n'étais plus présente. Ils savent que n'importe quoi peut-être utilisé contre n'importe qui au tribunal.

Il radote durant un long moment, avec son style alambiqué, et déclare qu'il est régulièrement appelé à témoigner lors de procès, et sa crédibilité attaquée. C'est faux. Il n'est jamais convoqué, hormis pour effectuer son devoir de juré. Il est alors récusé.

— Où avez-vous dîné ? reprend ma nièce.

— À la maison. Nous avions invité deux couples d'amis pour partager un repas mexicain, notre spécialité, vous le savez. (Bryce sourit au souvenir de ce bon moment.) Notre fameuse trempette mexicaine à sept couches, avec des haricots frits, des *jalapeños* frais, mon délicieux guacamole et des tacos, sans oublier des margaritas à tomber, concoctées avec cette superbe tequila añejo que nous avions gardée depuis Noël dernier. Celle que nous a offerte votre mère.

Après un instant de flottement, je comprends qu'il parle de Dorothy. Surtout, je saisis ce que ça implique.

26.

Au cours des vacances de l'année dernière à Miami, j'ai été gavée jusqu'à plus soif de remarques au sujet de la merveilleuse générosité de ma sœur. *Tout simplement un véritable amour*, pour citer Bryce.

À chaque fois que nous discutions travail par télé-phone, la conversation revenait presque toujours à Dorothy. S'il la croyait à portée de voix, il me deman-dait de lui dire à quel point ils appréciaient la tequila. Il lui criait un bonjour, comme si elle pouvait l'entendre. Ou encore, il me priait de lui transmettre une question ou un commentaire. C'était assez exaspérant.

Bryce claque des doigts à plusieurs reprises à l'écran et s'agace.

— Oh, c'est quoi le nom déjà ? Cette Patrón très raffinée et en plus protégée dans un étui de cuir. Doro-thy a cette fantastique recette de cocktail réalisée avec du sirop d'agave et du jus frais de citron vert, sec, comme un Cosmopolitan, servi dans un verre glacé. Je lui ai promis de m'entraîner avant que nous l'invitions durant son séjour dans le coin. Et comme vous vous en doutez, on s'est amusés comme des fous avec nos quatre invités. (Il roule ses yeux.) Demandez à notre affreux voisin.

— De quels amis s'agit-il ? Ceux avec qui vous avez dîné hier ? veut savoir Lucy. Et quand avez-vous dit cela à ma mère ?

Bryce énumère quatre noms que j'ai souvent enten-dus au fil des années, et Lucy tape les informations dans les champs de recherche. Mon chef du personnel, un peu éméché, persiste à défendre ce qu'il perçoit comme une atteinte à l'honneur de ses meilleurs amis, qu'il connaît « depuis toujours ? », insiste-t-il d'un ton interrogatif.

— Et vous savez quoi ? Je peux vous garantir qu'ils n'ont rien à voir avec cette merde de menteur qui a appelé le 911 pour déclarer que le Dr Scarpetta me maltraitait en public, ajoute-t-il avec conviction.

— Je ne vous ai pas maltraité. Je vous en prie, Bryce, faites attention à ce que vous dites, aux mots que vous prononcez.

— Je me contente de répéter ce qu'un abruti de citoyen prétendument concerné a révélé à la police.

Il respire la sincérité avec son grand regard bleu et

fixe, et ses cheveux blonds hérissés avec soin. Lucy revient à sa question :

— Quand avez-vous proposé à ma mère de lui préparer des margaritas ?

— On est aujourd'hui mercredi. Ça devait être lundi soir, quand nous avons passé en revue les détails de son vol et d'autres bricoles.

— Et le faux tatouage ? Où vous trouviez-vous lorsque vous avez fait l'idiot avec ça hier soir ? Qui vous a vu ?

— Wow ! L'interrogatoire commence ! Si je ne réponds pas, vous m'amenez dans la salle de torture ?? Dans notre salon. Il n'y avait personne d'autre que nous à ce moment-là. Nous étions bien tranquillement chez nous. Il fait trop chaud pour sortir et je ne suis pas du genre à faire des scènes. De plus, la dernière fois que j'ai vérifié, un tatouage temporaire et quelques margaritas n'étaient pas un crime.

— Vers quelle heure ? insiste Lucy.

— Voyons voir. La nuit était tombée, nous avions dîné. Je dirais à peu près la même heure que maintenant. 21 h 45, 22 heures, au plus tard 22 h 30 et c'est à ce moment-là que j'ai réalisé avec effroi que le tatouage n'était pas temporaire, contrairement à ce qui était indiqué. Ça refusait de disparaître et j'ai même pensé à contacter la boîte qui les vend pour me plaindre.

— Parlons un peu des surnoms, poursuit ma nièce.

— Oh, je suis sûr d'en avoir une tripotée ! Et je n'ai peut-être pas envie d'en connaître certains.

Lucy me jette un regard avant de le détromper :

— Je parlais de votre chef.

Elle l'interroge au sujet de mes surnoms de jeunesse qu'il aurait pu entendre, et il s'enquiert :

— De quel genre ?

Lucy n'a pas l'intention de lui révéler certains détails dérangeants s'il ne les connaît pas. Elle biaise :

— À vous de me dire.

Bryce fronce les sourcils, comme toujours quand il réfléchit :

— Peut-être qu'on l'appelait mademoiselle-je-sais-tout. Ce qui n'aurait pas été étonnant, selon moi. Enfin, il ne s'agit ni d'une critique ni d'une insulte, ajoute-t-il à mon intention, je suppose.

— Si quelque chose vous revient, n'hésitez pas à me le transmettre, lui dit Lucy. N'importe quel commentaire, aussi innocent soit-il. Quiconque de votre connaissance qui vous aurait révélé quelque chose, même sans s'en rendre compte.

Il promet qu'il y pensera et, d'un clic de souris, disparaît de l'écran.

Lucy tourne sa chaise pivotante de sorte à me faire face, et je vérifie à nouveau mon téléphone.

— Cela réduit les possibilités même si je ne me sens pas mieux pour autant, avoue ma nièce. Si cette histoire de faux tatouage avait eu lieu dans un bar, un restaurant ou un autre endroit public... déclare-t-elle alors que je découvre un texto d'Harold :

La tente est dressée et vous attend.

— ... on aurait pu comprendre qu'un individu ait surpris Bryce. Mais dans son propre salon ? poursuit ma nièce.

La scène m'attend. Je l'informe que je dois y aller, et lui demande ensuite de dénicher les informations qu'elle peut au sujet d'Elisa Vandersteel. Je lui explique rapidement que j'ai rencontré cette jeune femme dont je pense maintenant qu'elle est morte. Si Lucy est surprise, elle n'en laisse rien transparaître. Pourtant, j'intercepte une lueur dans le vert de ses yeux, comme une lumière réfléchie sur une émeraude.

— Comment connais-tu ce nom ?

Elle est repassée en mode interrogatoire, et je lui raconte ce que je sais au sujet du permis de conduire britannique.

— Où a-t-il été découvert et pourquoi pense-t-on qu'il s'agit de l'identité de la morte ?

— Sur la piste cyclable, entre le corps et la bicyclette. Marino peut t'envoyer une photo par e-mail.

— La plupart des affaires ne sont pas compliquées, tante Kay. La plupart finissent par n'être que ce qu'elles semblent être. Celle-ci ne va pourtant pas être simple.

Elle paraît posée, raisonnable, mais sous son débit calme tourbillonne quelque chose de beaucoup plus menaçant. Je me lève.

— Tu me caches quelque chose.

Mes mots semblent si banals. J'ai le sentiment d'être naïve, presque risible, parce que Lucy dissimule toujours quelque chose. Certes, moi-même j'occulte pas mal de détails, notamment au sujet de sa mère.

Elle me lance un regard que je connais bien, celui qui indique qu'elle ne veut pas que je continue à la pousser dans ses retranchements sur un sujet particulier. Elle reste évasive :

— Disons que j'ai une intuition. Et je m'en tiendrai là pour l'instant. Dès que j'aurai des informations vérifiables, je t'en parlerai.

Je me souviens de ce qu'elle m'a expliqué un peu plus tôt. Elle a fait référence à *des choses multiples qui survenaient en même temps*. Je l'informe de l'appel qu'a reçu Marino, d'un soi-disant enquêteur d'Interpol. Ma nièce se contente de murmurer *encore un peu plus du même truc*. J'opte alors pour la franchise :

— Lucy, ne pars pas du principe que Carrie est à la source de tout.

— Je n'ai pas de principe en la matière, réplique-t-elle.

Je perçois son obstination, aussi inébranlable qu'un mur.

— Bien, tu sais où me joindre, le cas échéant. Et tu te doutes qu'il y a fort peu de chances que je puisse accueillir ma sœur ce soir. (J'évite d'en parler comme de la maman ou de la mère de Lucy, du moins si possible.) Sois gentille de lui dire que Benton et moi sommes désolés de n'avoir pas pu aller l'attendre à l'aéroport.

J'en arriverais presque à épiloguer sur l'impatience que nous ressentons de la recevoir chez nous, de passer du temps avec elle, de cuisiner pour elle, de l'emmener au théâtre. Ce serait faux et Lucy le sait fort bien. Je ne peux tolérer l'idée de mentir, notamment à un être qui a été trompé, traité avec bien peu de cas par une mère qui n'est pas une femme gentille, sauf lorsque ça l'arrange. Mais peut-être ne suis-je pas non plus quelqu'un de bien puisque je ne parviens pas à pardonner certaines choses. Je ne peux pas pardonner à ma sœur. Jamais.

J'ouvre la porte en bas de l'escalier métallique. Elle m'évoque des souvenirs de bus d'écoliers. La seule chose que je parviens à ajouter se résume à :

— Dis-lui que j'espère qu'elle ne sera pas trop épuisée par ce voyage sûrement pas très agréable.

Je me souviens d'avoir manqué le car parce que Dorothy avait pensé très amusant de modifier l'heure de chaque horloge de la maison. Elle trouvait hilarant de planquer mes devoirs et cela aussi me faisait rater le bus scolaire.

— Je vais travailler ici encore un moment.

La voix de Lucy me suit dans l'air chaud qui m'accueille. La nuit vorace semble tapie, m'attendant telle une sorte d'entité insatiable, drapée d'un noir suffocant.

Le bourdonnement incessant du générateur du camion et les échos de la circulation s'estompent derrière moi alors que je progresse dans une obscurité d'encre.

Je me dirige à nouveau vers la clairière que je ne parviens plus à voir, sorte de gouffre de ténèbres en raison de la tente noire montée un peu plus loin. Ce que je viens d'entendre tourne dans mon esprit. Voilà un moment que je n'avais pas repensé à ce qui s'est passé dix mois plus tôt, lorsque Dorothy a offert une bouteille de tequila très onéreuse à Bryce et Ethan.

Je me souviens d'avoir trouvé surprenante la soudaine générosité assez extravagante de Dorothy, surtout vis-à-vis de gens pour lesquels elle n'avait jamais manifesté d'intérêt, bien que ma sœur soit une icône pour les hommes gays. Elle adore South Beach, qui le lui rend bien. Elle trouve gratifiant et très amusant de *s'habiller à tuer* comme elle dit, pour tenir en haleine sa cour d'admirateurs dans les bars gays, de participer à des gay prides, ou de grimper sur des chars de carnaval, de préférence vêtue d'une robe très courte et moulante au possible – qui lui permet d'exhiber ses courbes très avantageuses. Elle salue de la main ses fans, se la jouant Sofía Vergara, son idole.

Ma sœur s'est arrangée pour oublier le peu d'italien qu'elle avait réussi à apprendre enfant, à tel point qu'elle parvient à peine à prononcer *ciao* ou à commander des pâtes, mais ça ne la gêne pas. Je ne sais quand est survenu le déclic, mais à un moment quelconque de sa vie, Dorothy a décidé qu'elle était sud-américaine.

Elle parle couramment l'espagnol, et adore tout ce qui est latino. Le Miami Sound. La scène hip-hop. Elle adore les cuisines cubaine et mexicaine et ne voilà-t-il pas que, brusquement, Bryce se découvre également une passion pour elles. J'avoue n'avoir pas accordé énormément d'importance à sa tequila, faite à la main et vieillie, jusqu'à il y a quelques minutes.

Je n'avais pas compris ce que cela pouvait signifier, d'ailleurs pourquoi m'en serais-je préoccupée ? Rien d'extraordinaire à ce que ma sœur ait soudain un grand geste lorsque l'humeur lui prend. Il n'est pas non plus inhabituel que ses moments de générosité se fassent à mes dépens. Je me trouvais à Miami avec Dorothy et ma mère lorsque Bryce et Ethan ont reçu la Gran Patrón, la Burdeos, qui signifie « bordeaux » en espagnol, puisqu'il s'agit du bois dont sont faits les tonneaux dans lesquels l'alcool mature. Je n'y vois plus vraiment une coïncidence.

En d'autres termes, j'en ai entendu parler et reparler *ad nauseam* et, alors que j'y repense, je me souviens d'avoir songé à ce moment-là que le but de Dorothy consistait à me surpasser ou à m'agacer. Peu m'importait, car je n'allais pas lui donner satisfaction. Maintenant, toutefois, la détestable possibilité que sa folie de Noël n'ait été ni spontanée ni juste capricieuse, me traverse.

Il ne s'agissait pas simplement pour elle de frimer ou de retourner le couteau dans la plaie. Pas au cours de ces vacances, ni même plus tard à Pâques, ou encore lors des anniversaires de Bryce et d'Ethan et plus récemment, de manière bien plus évocatrice avec Desi. Elle a envoyé un panier d'épicerie fine, du potpourri, des bougies parfumées, et des douceurs pour leurs animaux de compagnie. Elle a offert à Desi un blouson Miami Heat et un chèque, et je me souviens qu'elle a également appelé.

Tout cela, alors qu'elle ne nous a jamais prêté attention. Elle n'avait que faire de mon chef du personnel lors des rares occasions où elle me téléphonait au bureau. Il n'y a encore pas si longtemps, elle se montrait assez condescendante, pour ne pas dire dédaigneuse, avec lui lorsqu'il prenait son appel. Elle n'a jamais manifesté le moindre intérêt pour Desi jusqu'au décès de sa mère. Dorothy n'a jamais voulu faire l'effort d'une visite dans le nord, jusqu'à aujourd'hui, et je me demande quelle est la fréquence de ses conversations avec Bryce.

Je me contrains à chasser ces pensées de mon esprit. Chaque pas sur la surface sableuse du chemin me rapproche d'une jeune femme qui ne devrait pas être morte, quelle que soit la cause de son décès. Toujours anonyme, mystérieuse, elle m'attend patiemment à l'intérieur d'une tente montée derrière les bois, en bordure éloignée de la clairière.

Maintenant que je découvre avec quoi Rusty et Harold se sont bagarrés pendant près de deux heures, je comprends l'ampleur de la corvée. L'enceinte rectangulaire pourrait accueillir un petit mariage ou une cérémonie d'obsèques. La silhouette trapue et sombre occulte la vue des hauts et vieux arbres et des arbustes, ainsi que la lueur un peu floue des étoiles et de la lune. Je ne vois plus non plus les bavures lumineuses projetées par les lampadaires, les lumières qui se réfléchissaient à la surface de la rivière ni l'étalement des quartiers bostoniens ou les gratte-ciel qui s'élèvent sur l'autre berge.

J'ai le sentiment de parvenir à l'autre bout de la Terre au fur et à mesure que je me rapproche, ou alors de plonger d'un récif peu profond qui, soudain, m'entraîne à des centaines de mètres de la surface, vers les abysses obscurs de l'océan. J'éprouve la sensation presque surnaturelle de flotter dans le vide sidéral, d'être larguée pour atterrir dans un endroit épouvantable que je connais déjà, et refuse de retrouver. Un souvenir ne cesse de tourner en boucle dans mon esprit, un commentaire de Benton, au début de notre relation, une éternité auparavant, semble-t-il.

Je me souviens avec précision de ses mots, formulés longtemps avant que nous ne découvrions à quel point ils se révéleraient plats, très en dessous de la vérité.

Carrie Grethen n'a pas fini de ravager la vie des autres.

Telle était la prédiction de Benton Wesley, profileur légendaire du FBI, bien avant que nous ne sachions qui elle était au juste, bien avant qu'elle soit arrêtée. Ensuite, il n'a pas cessé de mettre en garde contre sa malfaisance après qu'elle a été inculpée et condamnée, bouclée dans le quartier des femmes du centre psychiatrique de haute sécurité de Kirby, à New York.

27.

Psychopathe, considérée inapte à subir un procès, Carrie avait été incarcérée sur Wards Island, située au milieu de l'East River. Une erreur calamiteuse.

Je ne comprends pas que son évasion ait créé une telle surprise. Benton l'avait prédite, et il avait souligné que le tordu qui l'avait aidée à s'échapper par hélicoptère, Newton Joyce, n'était ni le premier ni le dernier Clyde de Carrie-Bonnie. Enfant, Joyce avait été horriblement défiguré lors d'un incendie. Après sa mort, la police avait fouillé sa maison et découvert un congélateur rempli des visages de ses victimes. Carrie l'avait encouragé à garder des petits souvenirs. Sans doute l'idée venait-elle d'elle.

Je suis bien certaine qu'elle a eu d'autres partenaires dans le crime après lui, qui peut dire combien, avant qu'elle n'exploite Troy Rosado, puis ne s'en lasse. Les relations criminelles de Carrie suivent toujours le même schéma. Elle choisit des individus qu'elle parviendra à contrôler, en général de sexe masculin, et pourris jusqu'à la moelle comme Troy, comme Joyce, et avant cela Temple Gault, que Carrie adulait et n'est jamais parvenue à dominer.

Gault, une rare variété de monstre illustre, était une sorte de Caligula flamboyant et complaisant avec ses tares, à cela près qu'il était également capable de discipline et particulièrement intelligent. Menu, agile, adepte du kickboxing, il était aussi mortel qu'une lame de rasoir. Il frappait, avec la rapidité d'un cobra, privilégiant les égorgements, ou les meurtres à coups de pied. Les effroyables morsures qu'il infligeait à ses victimes le comblaient.

Alors que je progresse dans l'étouffante chaleur, je revois ses cheveux blond clair, ses grands yeux bleus, saisissants, fixes, comme ceux d'Andy Warhol.

Voilà des années que je n'avais que très occasionnellement pensé à Temple Gault et, soudain, j'ai presque l'impression de percevoir sa présence maléfique autour de moi. Durant un troublant instant, je la sens dans la nuit figée. Quel soulagement que lui et Newton Joyce soient morts pour de bon. Malheureusement, ce n'est pas le cas de Carrie. Elle s'impose à moi, avec ses cheveux teints en brun, sa casquette de base-ball, sa peau d'une pâleur de spectre, qu'elle protège avec un soin pathologique des ultraviolets et des toxines. Du moins était-ce ce à quoi elle ressemblait il y a un an. Nous n'avons, bien sûr, aucune idée de son apparence aujourd'hui. Elle pourrait avoir opté pour n'importe quoi.

Quoi qu'il en soit, je reconnaîtrais ses yeux partout, d'un bleu presque surnaturel, inquiétant, une radiation de cobalt, comme si sa décomposition mentale émettait une lueur saphir. Celle-ci s'assombrit lorsque l'humeur de Carrie se fait meurtrière, pour devenir d'un violet féroce, qui m'évoque ce joli poisson, la demoiselle bleue, lorsqu'il attaque. Carrie a été ravissante, dotée d'attributs physiques exceptionnels et d'un intellect prodigieux. Cette stupéfiante splendeur fait également partie de sa malédiction.

On peut mettre le reste au compte de sa mère mentalement instable, fanatique religieuse et d'une jalousie pathologique à laquelle s'ajoutait pléthore de désordres de la personnalité et d'idéations délirantes. Carrie était son seul enfant survivant. Après sa naissance, sa mère avait fait deux fausses couches. Le petit frère, né à la troisième grossesse, devait décéder peu après l'emprisonnement du père. Je me souviens d'avoir feuilleté les rapports d'autopsie et de laboratoire lorsque j'étais médecin-expert en chef en Virginie.

J'avais alors pensé que pas mal de décès mystérieux, dont celui de Tailor Grethen, âgé de onze mois, avaient été classés à tort en mort subite du nourrisson.

Je me suis souvent interrogée sur la façon dont l'enfant était véritablement mort, imaginant la jeune Carrie, avec ses allures d'ange, se débrouiller pour se débarrasser définitivement de son précieux petit frère. Lui maintenir la tête entre le matelas et le flanc du lit d'enfant. Le positionner de sorte à ce qu'il ne puisse plus respirer. L'étouffer. Pour citer Benton lorsqu'il cite Gilbert O'Sullivan :

Seul à nouveau, bien entendu.

Carrie restait enfant unique dans un univers corrompu. Éduquée à la maison, elle n'avait pas de petits
camarades de classe, ni d'amis, ni d'activités classiques
pour son âge. Elle n'allait pas au cinéma, ne prenait pas
de leçons de musique, ne s'adonnait à aucun sport, ni
ne lisait jamais pour le plaisir. Sa mère ne l'autorisait
à regarder qu'un type de programmes de télévision,
ceux enregistrés par des religieux fondamentalistes,
ne parlant que de Jésus et du Jugement dernier, de
qui serait, ou non, sauvé. Elle écoutait des prêcheurs
médiatiques menacer de damnation éternelle et des
flammes de l'enfer. À six ans, Carrie connaissait tout
du péché.

Sa mère s'en était assurée. Benton pense que non
seulement elle n'a rien fait pour protéger sa fille d'abus
sexuels mais que, au contraire, il s'agissait d'une volonté
maternelle. Elle les a planifiés, attirant des hommes
grâce à sa ravissante fillette qui se transformait en
cadeau de soirée. Carrie était le bonus, un petit extra
que sa mère offrait bien volontiers pour la punir ensuite
sévèrement. La fillette était contrainte de supplier pour
obtenir un pardon, promettait qu'elle abandonnerait
ses vices et devait accepter des pénitences dégradantes
après chaque viol, chaque agression, chaque volée de
coups.

Son implacable discipline mentale, son aptitude à se
dissocier du monde réel en ont fait une psychopathe
particulièrement redoutable, probablement parmi les
plus achevés que Benton ait jamais rencontrés, selon
lui, puisqu'il l'a étudiée et poursuivie durant la plus
grande partie de sa carrière. Elle peut se transporter
mentalement, se détacher de toutes choses de façon
si efficace qu'elle ne ressent plus ni souffrance ni
angoisse. De surcroît, elle connaît la patience. Carrie est capable de retarder ses gratifications sur des
décennies, si la récompense en vaut le coup à ses yeux.
La vérité et le mensonge sont, selon elle, les deux faces
de la même réalité. Si elle affirmait que la Terre est

plate et la Lune verte, elle parviendrait quand même à déjouer un détecteur de mensonges.

La peur, le remords ou le chagrin manquent à sa palette émotionnelle. Quelle malchance pour Lucy que cette perfection de malfaisance, de malveillance soit devenue sa directrice dans le département de recherche en ingénierie du FBI. Carrie a été désignée pour prendre en charge l'internat de mon innocente et très immature nièce, un stage que j'avais obtenu en usant de mon influence et de mes relations. Lucy était encore une enfant à cette époque.

Elle n'a pas eu la possibilité de tomber amoureuse de la bonne personne, ce qui aurait peut-être été le cas sans ma brillante idée de l'envoyer à l'académie du FBI. Si seulement elle n'avait jamais posé un pied à Quantico, en Virginie. Peut-être sa première relation importante n'aurait-elle pas impliqué un être qui allait la séduire, lui démolir le cœur et, d'une certaine façon, dérober son identité et son âme. Peut-être Lucy aurait-elle éprouvé des sentiments différents pour Janet, à l'époque et aujourd'hui. Je détesterais être à la place de la jeune femme.

Je n'aimerais pas du tout être celle qui a réconforté Lucy après que Carrie a failli tous nous détruire. Le jeu n'est pas équitable. Il ne l'a jamais été, et Janet est assez intelligente pour comprendre qu'il n'y a que quelques degrés de séparation entre la haine meurtrière et le désir, l'amour charnel. Ils sont les deux extrêmes de la même passion violente et elle ne la suscite pas en Lucy.

Janet oscille en permanence entre le meilleur et le pire de toutes choses dans sa vie avec ma nièce. Je le déplore profondément, bien que je me taise à ce sujet. Ce ne sont pas mes affaires. Pourtant, je crains d'être à blâmer. Peut-être la vie de ma nièce aurait-elle pris un tour plus faste si je ne m'étais pas acharnée à faire du mieux que je pouvais pour elle, si je ne m'étais pas entêtée à la sauver de l'impuissance, du manque, et des autres fantasmes de peur qui ont pourri mon enfance.

Peut-être Dorothy a-t-elle raison lorsqu'elle affirme que je suis la véritable responsable des dégâts occasionnés chez ma nièce, cette nièce que je ne pourrais pas aimer davantage si elle était ma propre fille. L'ironie de la chose est que ma sœur n'est même pas au courant de la pire erreur que j'ai commise. Elle ne connaît pas Carrie Grethen. Dorothy pourrait être installée sur le siège voisin dans l'avion et ignorer ce qu'elle est et l'importance que cela revêt.

Je me rapproche de la silhouette de la tente en forme de gros cube. Je me rends compte que la visite inattendue de ma nièce m'a troublée, parce qu'elle a concrétisé ses pires terreurs. Alors que je marche dans la nuit d'encre, je m'en veux de permettre à Carrie d'envahir mon esprit. Je commence à lui résister, ainsi que je l'ai fait d'innombrables fois.

Mes pieds moites de sueur, recouverts de protections en Tyvek, arrachent des sons étouffés au chemin qui s'étire devant moi. Je lance à l'un des policiers en uniforme :

— Comment ça se passe ?

— On tient bon.

— Gardez votre calme et rafraîchissez-vous, je conseille à un autre.

— Vous aussi, chef.

— Si quelqu'un a besoin d'eau, prévenez-nous, je précise en m'adressant au troisième que je dépasse.

— Hé, Doc, vous avez une idée de ce qui lui est arrivé ?

— Je vais voir.

J'échange quelques mots avec chacun des policiers que je croise.

Environ deux fois plus de policiers en uniforme montent la garde alentour, et je suis certaine que Marino s'est assuré que le parc serait surveillé de tous côtés et bouclé. Personne ne peut ni entrer ni sortir sans autorisation, et je ne cesse de tendre l'oreille, à l'écoute de l'arrivée d'hélicoptères des chaînes d'information, heureuse de n'en entendre aucun jusque-là. Inutile qu'ils fassent du surplace à basse altitude, retournant la scène avec l'air déplacé par leurs rotors.

J'atteins enfin la tente et pour la seconde fois ce soir, je suis surprise par une silhouette qui semble crachée par l'ombre.

— Marino est à l'intérieur, il vous attend, déclare l'enquêteur Barclay d'un ton impérieux, comme si j'étais en retard à un important rendez-vous.

Le Velcro crisse alors que je pénètre par une des parois latérales de l'enceinte. Durant un bref instant, je suis aveuglée par les projecteurs d'appoint, qui illuminent la scène avec la crudité d'une salle d'opération. Je m'immobilise, dépose ma sacoche d'épaule et place mon téléphone dessus. Je détaille la surface de cent-dix mètres carrés du John F. Kennedy Park que nous avons réquisitionnée. Elle inclut le lampadaire d'acier avec ses ampoules brisées, le vélo, et le corps, le tout éclairé comme en plein jour. Marino et moi sommes seuls, personne d'autre n'est admis à pénétrer sans notre invitation. Il va et vient, emmitouflé dans ses vêtements de protection blancs qui contrastent sèchement contre les barrières d'intimité noires, le dais suspendu à près de quatre mètres de hauteur, soutenu par un échafaudage de tubes d'aluminium couleur gris de poudre.

J'observe le grand flic alors qu'il prend des notes et des photographies. J'ai presque l'impression que nous sommes les sujets d'un cliché postmoderne en noir et blanc. Les touffes d'herbe verte, la piste cyclable d'un brun roux, les pictogrammes rouges mettant en garde contre les risques biologiques et le short bleu clair de la morte semblent être les dernières couleurs perceptibles. D'où je me tiens, je n'aperçois pas le sang. Cependant, il sera coagulé, poisseux, d'un marron rouge foncé, qui virera peu à peu au noir mat.

Je fonde ma supposition sur ce que j'ai remarqué plus tôt, lorsque je me suis approchée, mais également sur les conditions météorologiques, qui restent exceptionnelles. L'humidité de la rivière est piégée dans l'enceinte. L'air chaud, collant, et les pressions basses évoquent un court de tennis sous bulle. Une odeur de plastique flotte dans l'air et dans peu de temps, l'atmosphère étouffante laissera place à la puanteur. Les bactéries pulluleront, la chair morte et les fluides corporels se décomposeront.

— J'ai fouillé les sacs à dos, m'informe Marino.

Je suppose qu'il parle de ceux d'Enya et d'Anya. Je m'assieds sur une caisse d'équipement afin de passer mes vêtements de protection. Marino reprend d'une voix retentissante, encore amplifiée par l'enceinte :

— Des petits trucs à manger, des sodas. Flanders s'en occupe et j'ai envoyé deux uniformes prendre des nouvelles de la mère.

— Elle ne répond toujours pas au téléphone ?

— Ni à la porte. Je suis vraiment désolé pour les gamines.

— Pourtant, elles affirment que leur mère est à la maison ?

— Endormie dans sa chambre quand elles ont quitté le domicile et je crois savoir ce que ça signifie. Elle est bourrée au dernier degré, vous pariez ? Je vais demander aux services sociaux d'intervenir parce que c'est clair qu'il y a un problème.

Les services sociaux, le DCF – qui s'occupe des enfants et des familles – est l'agence de l'État du Massachusetts chargée des enfants maltraités ou négligés. Quoi qu'il se passe avec cette affaire, je conseille à Marino de s'assurer que les jumelles iront bien. Elles ne semblent pas être sous la surveillance d'un adulte responsable. De la façon dont les choses se profilent, elles finiront par en souffrir, ou pire. Je pense qu'elles ne comprennent pas le genre d'ennuis qui pourraient leur tomber dessus.

— Ouais, voler, par exemple. Altérer des pièces à conviction, faire obstruction à la justice, approuve Marino. Y'a pas à tortiller, c'est comme ça que ça s'appelle quand on ramasse quelque chose qui ne vous appartient pas sur une scène de crime et qu'on décide de le garder. Et devinez quoi ? (Il essuie la sueur de son menton sur son épaule.) Il s'avère qu'elles étaient en possession des lunettes de soleil de la dame morte. Trop bête, parce que j'aurais vraiment voulu savoir où elles les avaient trouvées. À quelle distance du vélo, ou du casque, ce genre de choses.

Il baisse son appareil photo et se dirige vers moi. Je commence à retirer les protège-chaussures que j'ai utilisés pour venir jusqu'ici.

— Puis-je vous demander ce que vous avez découvert d'autre dans leur sac à dos ?

C'est regrettable lorsque les enfants déboulent sur une scène de violence, pour toutes sortes de raisons.

— Des restes de leur dîner, m'informe Marino planté devant moi. Des bouts de pain enveloppés dans des serviettes en papier, des petits sachets de parmesan, de flocons de piment, de sel, de vinaigrette.

Son gros visage, ses joues rouges suantes et rebondies sont cernés par du Tyvek blanc comme celui d'une religieuse en robe. Je lui jette un regard de mon siège improvisé et résume :

— Elles ne doivent pas être nourries de façon convenable. Vous ne pourrez le vérifier que lorsque vous pénétrerez chez elles. Ça va, Marino ? Vous avez l'air d'avoir très chaud.

— Bon, d'un autre côté, on peut pas dire qu'elles ont l'air affamées. Ouais, j'ai chaud. Ça craint, ce truc.

— On peut être en surpoids et souffrir de malnutrition. En réalité, c'est souvent le cas, surtout lorsque le régime est composé majoritairement de sucres et de fast-food. Les enfants en raffolent et peuvent en manger matin, midi et soir, si on les laisse faire.

— Il semble qu'elles nous aient dit la vérité sur leur petite expédition-pizza du dîner et la raison pour laquelle elles traînaient dehors, commente-t-il. J'ai l'impression que c'est une habitude pour elles, quel que soit le temps, sans doute parce que vous avez raison. Leur mère ne s'occupe pas d'elles.

— Hum... il se peut même que ça ait toujours été le cas, déjà lors de sa grossesse.

En effet, les jumelles pourraient avoir été victimes d'un syndrome d'alcoolisme fœtal.

— Ça expliquerait pourquoi elles seraient infoutues d'allumer une ampoule dix watts à elles deux, renchérit Marino. D'accord, elles se montrent plutôt débrouillardes, mais c'est tout. Et c'est vraiment dégueulasse. Les petits enfants ne devraient pas avoir besoin d'être débrouillards.

— Et les lunettes de soleil qu'elles ont ramassées, à quoi ressemblent-elles ?

— Maui Jims, le style sport.

— Sans monture, avec des verres ambrés ?

J'ai l'impression d'être aspirée de l'intérieur à nouveau.

— Ouais, tombées à côté du corps, selon Enya. Les verres sont poussiéreux et salement rayés. Je pense que la victime devait les porter lorsqu'elle a été attaquée. À moins qu'elles aient été déjà pas mal endommagées.

Je n'aime pas du tout lorsqu'il me pousse dans le rôle de la mégère.

— Nous devons nous montrer très prudents lorsque nous affirmons qu'elle a été attaquée.

— Quand vous avez rencontré la dame sur son vélo plus tôt, avez-vous remarqué si ses lunettes de soleil étaient endommagées ?

— Non, du moins si nous avons affaire à elle.

Il retire ses gants et les jette dans le sac-poubelle destiné aux déchets biologiques, accroché à son support de métal.

— J'crois qu'on le sait. Difficile de penser que nous sommes en présence de deux femmes qui se ressemblent vachement, sont à peu près du même âge,

portaient toutes les deux des Converse et un T-shirt
d'un concert de Sara Bareilles, non ? Et en plus avec
le même genre de lunettes de soleil. Pour faire bonne
mesure, elles sont apparues dans le même coin de
Cambridge, au même moment.

— Même s'il s'agit de la même personne, ça ne signifie
pas que nous connaissons son identité.

Je continue à lui rappeler qu'il doit rester très prudent, même s'il ne m'écoute pas.

— Et l'autre chose sur laquelle les gamines ont fait
main basse ? (Il ramasse un rouleau d'essuie-tout, en
déchire plusieurs feuilles pour s'éponger le visage.)
Un pendentif. Un crâne en or, à peu près de la taille
d'une grosse pièce de monnaie, sans doute provenant
d'un collier. De la chaîne brisée, selon moi.

— Où a-t-il été découvert ?

— D'après les jumelles, sur le chemin, non loin de la
bicyclette. De ce qu'elles m'ont montré, il semble que
ce soit dans la zone où nous avons trouvé les morceaux
de chaîne.

Il chiffonne les feuilles de papier essuie-tout et les
balance dans le sac-poubelle rouge vif. J'y jette mes
protège-chaussures souillés.

— La jeune femme que j'ai rencontrée plus tôt portait un collier assez inhabituel, avec un pendentif de
ce genre, un crâne en or. Il avait l'air assez lourd, pas
un médaillon plat mais une forme en trois dimensions.
Elle l'a fait glisser vers sa nuque, l'a fourré sous son
débardeur avant de filer vers le Yard.

— Ça doit être elle, et j'apprécie vraiment moyen
que vous l'ayez rencontrée à deux reprises juste avant
qu'elle soit butée. J'arrête pas de me demander si elle
avait un lien avec vous, Doc. Ça m'inquiète.

— Là, je ne vois vraiment pas. Je ne pense pas l'avoir
jamais vue avant aujourd'hui.

Je l'informe ensuite de mes recherches Internet au
sujet d'Elisa Vandersteel. Je ne suis pas parvenue à
remonter sa trace, ni à Londres ni ailleurs.

28.

— Le permis de conduire pourrait être un faux, lâche le grand flic. De nos jours, la technologie permet de contrefaire des pièces d'identité les doigts dans le nez. Elles ont l'air tout ce qu'il y a d'authentique.

— C'est quand même étrange que cette Elisa Vandersteel, quelle qu'elle soit, reste introuvable sur les réseaux sociaux. Enfin, tous les jeunes ont des comptes, non ? Certes, je n'y ai consacré que quelques minutes, mais je n'ai pas vu la moindre mention d'elle sur Internet.

— Ouais, bizarre. Sauf si elle avait de bonnes raisons de rester sous le radar. (Il repousse son heaume blanc et essuie son crâne à l'aide de serviettes en papier.) Bon sang ! Je transpire comme une pute sur un banc d'église. Ou alors, c'est un permis bidon, et il n'existe aucune Elisa Vandersteel avec cette date de naissance et cette adresse. Ça expliquerait qu'on ne la trouve pas sur les réseaux sociaux.

— Lucy s'y intéresse. Attendons de voir ce qu'elle dénichera.

J'ouvre la pochette d'une combinaison intégrale.

— Eh ben, j'espère qu'elle dégottera plus d'infos que jusque-là.

La pique, peu élégante, vise les tentatives infructueuses de ma nièce à propos de Serrefile Charlie, et je n'ai nulle intention de lui donner la réplique en la matière.

Je fouille du regard la zone illuminée du parc, prisonnière de la tente cubique à toit plat : l'herbe, le chemin de gros sable tassé, le vélo sur le flanc, enfin le corps. La scène semble si paisible qu'on douterait qu'une femme est décédée de mort violente en ce lieu.

Je demande à Marino de m'informer des développements depuis notre dernier échange.

— Ça avance ? Avez-vous découvert quelque chose d'intéressant que nous aurions raté lors de notre première inspection ? Il faut en terminer ici, aussi vite et aussi parfaitement que possible. On étouffe sous cette tente et je ne veux pas que nous risquions un coup de chaleur, ni personne d'autre, d'ailleurs.

— Dans l'ensemble, j'ai surtout recueilli les trucs dont nous étions informés. Les bouts de chaîne en or, le permis de conduire. Et son casque, qui ne m'a pas paru abîmé.

— Selon vous, Enya et Anya auraient-elles pu subtiliser d'autres indices ?

— Pour les cacher où ? J'ai fouillé leurs sacs à dos. Il n'y avait que le pendentif, les lunettes et le portable. En plus du débardeur dans lequel l'une a vomi, celui qu'on a retrouvé dans les massifs de rhododendrons.

— À moins qu'elles aient trouvé une autre cachette. De l'argent, par exemple ? Des cartes de crédit, du liquide ? La victime, à vélo, seule, n'aurait eu ni argent ni clefs ?

— Ce que je peux vous dire, c'est qu'elles ont juré n'avoir rien *emprunté* d'autre. Elles ont retourné leurs poches à ma demande. Rien.

— Tout dépend si les jumelles vous font assez confiance pour avouer la vérité, lui fais-je remarquer.

Marino ôte ses gants et descend la fermeture Éclair d'une petite glacière noire, Harley-Davidson, qui lui appartient en propre. Il en tire une bouteille d'eau dégoulinante de condensation et me l'offre.

— Non merci, pas pour l'instant. Ça dépend aussi de la confiance que vous leur accordez. C'est le cas ?

— Mince, j'ai réussi à les convaincre qu'on allait les assermenter en tant qu'enquêteurs juniors. Du coup, si elles avaient détenu quoi que ce soit d'autre, elles me l'auraient donné.

J'entreprends d'enfiler les jambes de mon pantalon en synthétique blanc, sans enlever mes odieuses chaussures, et persiste :

— Ce qui m'intrigue aussi, c'est la raison pour laquelle elles n'ont pas ramassé le permis de conduire. L'enquêteur Barclay l'a trouvé sur le chemin à son arrivée. D'une part, comment a-t-il atterri là, et d'autre part, pourquoi les jumelles ne l'ont-elles pas embarqué ?

— Sans doute parce que, de la façon dont elles réfléchissent, une pièce d'identité appartenant à un mort les aurait fait immédiatement pincer, la main dans le sac. Attention, croyez pas qu'elles ont pensé que c'était super cool de piquer des effets personnels sur un cadavre. Je veux dire par là que, d'une certaine façon, elles distinguent le bien du mal. Elles se sont juste dit que celui qui trouve, garde. En plus, elles ont compris que la dame morte n'aurait plus besoin de lunettes de soleil, d'un portable et d'un pendentif en or.

— Elles ont dit cela ?

— Grosso modo.

— Elle n'aurait plus besoin d'argent non plus.

Il avale l'eau à grandes gorgées et la bouteille est presque vide lorsqu'il la fourre dans la petite glacière.

— Je sais. Mais, à moins qu'elles l'aient planqué dans leurs sous-vêtements… observe-t-il. Je vais demander à Flanders de le vérifier. Ne comptez pas sur moi. J'ai pas envie qu'on m'accuse de maltraitances.

— J'espère juste qu'elles n'ont rien subtilisé d'autre en songeant que la victime n'en aurait plus besoin.

Je rejoue en mémoire mes rencontres avec la jeune femme, notamment devant le Faculty Club. Je n'ai pas remarqué grand-chose en matière de bijoux, hormis le collier.

— Je n'ai pas vu de montre, par exemple, je précise à Marino. Quoi qu'il en soit, si l'affaire passe au tribunal, nous aurons des problèmes à cause des effets personnels ramassés par Enya et Anya et qu'elles n'avaient pas l'intention de restituer.

Il écarte les doigts pour enfiler une paire de gants neuve et commente :

— Reste qu'à souhaiter qu'elles n'aient pas bousillé un truc important. Remarquez, y'avait pas grand-chose à endommager. Jusque-là, j'ai repéré ni empreintes de pas ni mégots de cigarette récents. Pas de gouttes de sang, rien qui permette de penser qu'il y a eu lutte. On dirait qu'elle était déjà morte lorsqu'elle s'est écroulée au sol.

Je me lève et passe les bras dans les manches blanches qui glissent.

— En effet, il semble qu'elle n'ait plus bougé. De ce que je vois, je pense qu'elle gisait inconsciente, à l'agonie.

À cet instant, la sonnerie de mon téléphone se déclenche.

C'est Lucy. Je mets mon écouteur. Je lui dis que j'espère que ses recherches ont été fructueuses.

— South Audley Street, Mayfair, à proximité de Grosvenor Square, énumère-t-elle.

— Il s'agit donc bien de l'adresse d'Elisa Vandersteel.

Je me réinstalle sur la caisse d'équipement et jette un regard à Marino.

— Une demeure de plus de cinq cents mètres carrés, évaluée à environ trente millions de livres sterling. En effet, l'adresse indiquée sur le permis de conduire. Toutefois, la maison n'appartient ni à elle ni à sa famille, une des raisons pour lesquelles son nom ne ressort pas lors d'une recherche classique.

— L'adresse est fausse, donc ?

— Non. Le propriétaire est le P.-D.G. d'une boîte de technologie, William Portison, citoyen britannique, ancien du MIT, dont la femme se prénomme Diana. Ça t'évoque quelque chose ? résonne la voix de Lucy dans l'écouteur.

— *A priori*, rien.

— C'est lui qui possède la maison dans laquelle Elisa Vandersteel a été engagée comme jeune fille au pair durant ces deux dernières années, assure Lucy. Ça expliquerait pourquoi l'adresse chicos des Portison figure sur son permis anglais. Si elle n'a de compte sur aucun réseau social, c'est sans doute parce qu'elle est au pair. Pas mal d'employeurs ajoutent cette condition s'ils sont vigilants au sujet de leurs enfants.

— Tu as peut-être raison. Cependant, c'est étrange, je remarque.

— De nombreux au pair bossent en échange du gîte et du couvert. Ils finissent par être considérés comme des membres de la famille.

— Bien sûr, mais pas à ce point. Je doute que vivre dans une famille t'autorise à usurper son adresse et à la faire figurer sur un permis de conduire. Si la maison de South Audley Street n'est pas le domicile légal d'Elisa Vandersteel, cette précision ne devrait se trouver sur aucun de ses papiers d'identité. À tout le moins, cela présente une forme de responsabilité pour les Portison.

— En tout cas, ils ne l'ont pas empêchée de l'utiliser lorsqu'elle a déménagé à Londres il y a deux ans et qu'elle a obtenu son permis britannique, remarque Lucy. C'est l'adresse qu'elle a donnée pour pas mal de choses et elle recevait du courrier chez eux. Du coup, je suppose qu'ils étaient au courant.

— Déménagé d'où ?

— Du Canada. Elle a fait transformer son permis canadien en permis britannique. On peut donc imaginer qu'elle avait l'intention de conduire au Royaume-Uni plus de douze mois.

Elle continue avec une certitude qui me laisse perplexe. Pourtant, je ne lui demanderai pas comment elle s'est débrouillée pour dénicher ces renseignements. Lorsque j'ai effectué des recherches Internet sur Elisa Vandersteel, j'en suis sortie bredouille. J'ignore où ma nièce a creusé. Peut-être dans le Web profond, et je refuse de m'aventurer dans le triangle des Bermudes du cyberespace, où rôdent des terroristes et des déviants de tout poil et où des candides se font déposséder, voire anéantir.

Lucy me rappelle, de façon assez obstinée, que plus rien n'est privé. Ce que je constate avec les Serrefile Charlie du monde entier est peut-être devenu le prix à payer pour faire des affaires, mais j'avoue que je déteste ça. Je me sens parfois comme un Rip Van Winkle qui se réveille pour découvrir que des décennies se sont écoulées durant le long sommeil dans lequel l'ont plongé des créatures habillées de façon étrange. À cela près que les décennies me semblent plutôt un siècle. La vie était plus civilisée avant, c'est incontestable.

— Peut-être que son visa de travail a expiré, ou qu'un autre problème est survenu, qui expliquerait qu'elle ait quitté Londres, ajoute ma nièce, dont on pourrait croire qu'elle a eu accès à un dossier.

— La femme que j'ai rencontrée aujourd'hui avait indiscutablement un accent britannique, pas canadien. D'ailleurs, j'ai aussitôt pensé qu'elle était londonienne.

— Elisa Vandersteel a séjourné à Londres, mais elle n'est pas originaire de cette ville.

— Et avant cela ?

— Elle est née à Toronto et y a vécu, avant de faire ses études à la Leicester University, en Angleterre.

— Sait-on pourquoi elle est venue à Cambridge ? *A priori*, elle n'avait rien à voir avec le Repertory Theater, ni avec la comédie musicale *Waitress*, puisque c'est là que je l'ai rencontrée la première fois.

— Elle n'est pas étudiante ici, déclare Lucy comme s'il s'agissait d'une évidence. Son nom ne ressort pas en lien avec l'ART, le Loeb Center, ni en effet avec *Waitress* ou quoi que ce soit d'apparenté ou de vaguement voisin. Peut-être qu'elle est bénévole quelque part, un truc de ce genre. Ça ne devrait pas être difficile à confirmer.

— Je me demande si elle vit chez quelqu'un du coin, comme à Londres.

Je lui parle alors du jeune homme qu'elle a embrassé devant le Faculty Club.

— C'est ce que je pense. Ce qui explique que je n'ai pas pu repérer d'adresse personnelle dans la région du grand-Boston. Rien à son nom, ni en location ni en propriété. Pas de sous-location, ni de chambre d'hôtel non plus, poursuit Lucy, et j'intercepte le regard curieux de Marino.

— On a une identification ? se renseigne-t-il.

Je lui indique que ça pourrait être le cas.

Le permis de conduire britannique retrouvé sur la piste cyclable est authentique. Il appartient bien à une Elisa Vandersteel, vingt-trois ans, diplômée de l'université, auparavant employée au pair, sans doute la morte. Nous ne communiquerons toutefois son identité qu'après avoir obtenu une confirmation par l'ADN ou grâce à son dossier dentaire, et prévenu ses proches. Marino et moi allons partir du principe qu'il s'agit bien d'elle. Je me sens à nouveau assommée.

Je suis dans un état affreux. D'ailleurs, je ne parviens plus à identifier ce que je ressens, ce que je devrais ressentir, comment quiconque devrait prendre les choses. J'ai l'impression qu'il m'a été donné une chance d'incliner le destin d'Elisa Vandersteel et que je l'ai laissée passer. Nous nous sommes retrouvées face à face à deux reprises aujourd'hui, juste quelques heures avant sa mort. Et cela n'a fait aucune différence. Si seulement j'avais pu l'arrêter. Si seulement je lui avais suggéré d'attacher la mentonnière de son casque ou de cesser de pédaler par cette chaleur. Peut-être que j'aurais pu l'inciter à y réfléchir.

Peut-être qu'elle aurait opté pour un autre itinéraire, modifié quelque chose, n'importe quoi. Si seulement j'étais parvenue à la retenir, à détourner son attention, ou à la convaincre qu'elle ne devait pas se balader à vélo en pleine nuit, dans un parc public désert. D'accord, j'ignorais que c'était son intention. Je ne savais rien ou pas grand-chose qui me permette de mettre en garde Elisa Vandersteel, et lui éviter la mort. Et je dois arrêter ce genre de glissades mentales ou je vais devenir folle.

J'entends le cliquettement des touches du clavier en arrière-plan. Lucy poursuit ses recherches.

— Son père, Alexander Vandersteel, s'est suicidé en 2009, à l'âge de quarante et un ans, m'apprend ma nièce. J'ai la notice nécrologique sous les yeux. Il semble qu'il ait dirigé une association caritative, pulvérisée par un investissement d'escrocs à la Madoff. Il s'est pendu à un chevron du garage.

J'ai du mal à imaginer qu'elle ait déniché un détail de cet ordre dans une nécrologie.

Je me redresse et remonte la fermeture de la combinaison intégrale jusqu'au menton, retardant le moment où je vais devoir me coiffer du redouté heaume.

— Et la mère d'Elisa ?

— Pas de certitude pour l'instant. Mais ses parents étaient divorcés.

— Récapitulons : le père est mort, on ne sait rien de la mère et ils étaient divorcés. Il va falloir passer au plan B parce qu'il est peu probable, à ce stade, que les membres de la famille d'Elisa Vandersteel nous soient d'une grande aide en matière d'identification.

Je m'assieds à nouveau, enfile une nouvelle paire de protège-chaussures et poursuis :

— On va sûrement avoir du mal à confirmer qui elle est, du moins tant qu'on n'aura pas récupéré d'objets personnels comme une brosse à dents ou à cheveux.

— Selon moi, elle vivait avec quelqu'un dans le coin, répète ma nièce. Et je peux te promettre qu'un des employés du théâtre aura les réponses à certaines de nos questions. Je vais aller y faire un petit tour avant la fermeture, juste fouiner un peu, dans l'espoir de découvrir où loge le petit ami et où elle habitait. Je trouverai.

Je jette un coup d'œil à l'heure qui s'affiche sur l'écran de mon téléphone. La représentation du soir au Repertory Theater est terminée depuis sans doute plus d'une heure.

— Et de quelle façon vas-tu justifier ton soudain intérêt ? Nous devons faire très attention aux informations qui filtrent.

— Oh, j'avais oublié ! C'est vrai que je débute dans la partie, ironise ma nièce, ancien agent du FBI, de l'ATF, qui a plusieurs années de services secrets derrière elle et n'a pas besoin de mes conseils.

Pourtant, je ne peux pas m'empêcher de lui recommander la prudence.

— Je retournerai au bureau sous peu, ajoute-t-elle. On se verra.

Je ne lui demande pas si Dorothy et sa montagne de bagages sont déjà installées dans la voiture, en compagnie de Janet et de Desi.

Je mets un terme à la communication, peu désireuse d'évoquer ma sœur devant Marino, qui m'a épiée durant toute ma conversation avec Lucy. J'ai l'intuition qu'il pense à elle mais je ne lui fournirai aucun prétexte pour en discuter. Si ce que Benton m'a raconté est exact, Marino et Dorothy ont commencé une relation à mon insu et je n'ai aucune envie d'en entendre parler pour l'instant. J'ai assez à faire.

— Prêt ?

29.

— Température ambiante : 30,5 °C, commence Marino.

Je découvre le thermomètre qu'il a posé sur le couvercle de ma mallette de scène de crime, non loin du corps.

J'enfile des gants de nitrile violet. Je transpire déjà sous mes vêtements de protection. Je repêche mon carnet de notes.

— Merci.

— Vous allez procéder comment pour relever la température corporelle ? Ça m'inquiète, Doc. On aurait dû le faire dès notre arrivée.

— En nous aidant de torches alors que nous ne voyions pas quels indices nous risquions de déplacer ou de contaminer ?

— Je sais et je suis d'accord. Mais bon, j'ai entendu des vacheries. Des flics qui vous reprochaient d'être installée au frais dans le camion et de ne pas trop vous prendre la tête.

— Nous avons déjà dû affronter ce genre de commentaires et ce ne sera pas la dernière fois.

— Faudrait peut-être la retourner, non ? J'vois pas comment vous allez pouvoir placer un thermomètre sous une aisselle, vu qu'elle a les bras étendus au-dessus de la tête.

Il lève les siens en arceau au-dessus de son crâne. Lorsqu'il est emmailloté dans une combinaison intégrale blanche, Bryce le surnomme parfois le yéti.

— Tout va bien. Je n'ai pas besoin de la retourner pour relever sa température.

— D'accord. Mais plus elle reste dehors…

— Je comprends votre souci, Marino, mais comme vous l'avez souligné, ses bras sont étendus au-dessus de la tête. Même si nous modifiions sa position, ce ne serait pas idéal pour prendre la température corporelle.

Me reste l'option rectale. Je ne me résoudrai jamais à introduire un thermomètre par cet orifice, au risque de provoquer une lacération ou de donner du grain à moudre à un avocat de la défense teigneux. J'opte donc pour la solution la moins aisée : pratiquer une petite incision dans l'abdomen, côté droit, de sorte à obtenir la température du foie.

Je vais commencer par là. Je me rapproche du corps. Je m'agenouille à proximité, une lame de bistouri stérile entre les doigts. Des relents de décomposition me montent aux narines mais aussi une autre odeur, surtout perceptible à hauteur de la tête de la victime. Les remugles lourds du sang qui s'hydrolyse sont mêlés à autre chose, que je tente d'isoler.

— Je sens quelque chose d'âcre, je lance à Marino.

Un sang rouge foncé suinte de la petite plaie en boutonnière pratiquée sur l'abdomen. Il tourne la tête alors que j'enfonce un long thermomètre par l'incision et bougonne :

— Je sens que dalle.

Marino n'est pas impressionnable, jusqu'à un certain point toutefois. Certaines situations le dérangent vraiment. Je m'approche encore de la tête d'Elisa Vandersteel afin de déterminer l'origine de cette odeur, à genoux, me penchant pour mieux examiner.

— Rien, Doc. Rien que le sang qui se décompose.

— Ça !

Je désigne des cheveux roussis non loin de la ligne de la nuque et de l'extrémité droite de sa mâchoire.

— Merde ! Alors là, c'est clair que vous avez un chien de chasse dans votre ascendance !

Je remarque aussi de petits éclats de verre. Ils luisent à la manière de grains de sable dans sa queue de cheval en désordre. En revanche, je n'en vois aucun sur ses vêtements, sa peau ni même dans le sang séché accumulé dans son oreille droite.

Marino suit mes moindres gestes et conclut :

— Elle est peut-être blessée à la tête ? Ça peut faire saigner des oreilles.

— Tout dépend de la blessure.

Ses yeux sont à nouveau cachés par l'appareil photo tandis qu'il mitraille alentour. D'un ton très sérieux, il suggère :

— Une blessure par balle ? Après tout, on ignore si elle s'est fait flinguer. On a quand même vu défiler des cas où on était dans l'incapacité de dire s'il s'agissait d'un décès par arme à feu avant que le cadavre atterrisse à la morgue.

— Pour l'instant, nous disposons de peu de certitudes.

En cette étape précoce de l'enquête, le grand flic espère que la victime a été abattue au fusil de chasse, ou qu'on trouvera un poignard planté entre ses omoplates ou encore une hache enfouie dans son crâne.

Ainsi, il saurait exactement à quoi il a affaire et surtout, il veut cette enquête parce qu'il s'est déjà fait sa petite idée. C'est un travers très commun : faire coller les faits avec son intuition. C'est aussi un problème auquel je suis confrontée très souvent parce que les flics éprouvent de grandes difficultés à admettre qu'ils avaient tort. Finis le sentiment de réussite personnelle, la conquête, les félicitations ou même la déferlante d'adrénaline si la mort d'Elisa Vandersteel a été, en réalité, provoquée par des causes naturelles ou accidentelles.

— Elle pourrait avoir été descendue. Et si on vous tire dans l'oreille, à bout portant, l'éclair de feu peut brûler les cheveux.

Il s'acharne avec sa théorie mais, tôt ou tard, il l'abandonnera.

J'étudie une petite mèche, une sorte de duvet qui m'évoque du nylon fondu, et rétorque :

— Ce n'est pas ce que je constate.

Je repense au commentaire d'Enya et d'Anya. Les jumelles ont expliqué avoir senti une odeur, à proximité du corps, qui leur rappelait le sèche-cheveux de leur mère lorsqu'il chauffait trop. Il est probable qu'il s'agisse plutôt de celle de cheveux brûlés. En ce cas, elles disaient la vérité. Plus j'examine de près la dépouille, plus la réalité se modifie.

Ce qui s'est annoncé comme une scène de violence, de vol brutal, d'agression sexuelle meurtrière se métamorphose en quelque chose de radicalement différent. Marino ne voudra pas l'entendre. Pas maintenant. Néanmoins, après toutes ces années de vie professionnelle commune, j'ai l'habitude de le ramener à la lucidité et il me renvoie l'ascenseur. Il m'arrive aussi d'être victime de préjugés. Je ne connais personne qui y échappe.

Marino est sans doute le flic le plus opiniâtre, le plus implacable avec lequel j'ai travaillé. Son réflexe consistera à résister à mon raisonnement. Lorsqu'un enquêteur de son envergure s'arc-boute sur une théorie, il est difficile de lui faire lâcher prise. Si l'on n'y prend garde, une investigation peut vite tourner à la compétition, un concours alors qu'il ne s'agit pas de gagner. L'unique but est la vérité.

— Peut-être qu'elle s'est brûlé les cheveux en les séchant après sa douche du matin, suggère-t-il. Après tout, on ignore ce qui s'est passé. Peut-être que ça n'a rien à voir avec la cause de la mort.

— Elle se serait séché les cheveux après sa douche matinale ? Une information de source sûre ?

— Négatif, puisqu'on sait à peine qui elle est. Ce que j'essaie de dire, c'est qu'on n'a aucune idée de la façon dont les choses se sont déroulées. J'ai vu des gens qui se brûlaient les tifs sur des barbecues, des cuisinières, avec des briquets, me rappelle-t-il.

En réalité, il parle de ce qu'il a lui-même expérimenté, et à maintes occasions. Marino n'a pas tant changé. Il continue à me rendre folle lorsqu'il fait gicler du liquide d'allumage alors que nous sommes en plein barbecue. Je ne me souviens plus du nombre de fois où je lui ai répété : *Comment expliquer que vous ne compreniez pas l'excellent adage « le mieux est souvent l'ennemi du bien » ?*

— À l'époque où j'avais encore des cheveux, je les ai carbonisés en allumant une fusée éclairante, dit-il, et je m'en souviens. Ça m'a pris pas mal de temps pour le faire oublier. (La scène s'est déroulée à Richmond et il ne l'a pas fait oublier.) Ce que je veux dire, c'est qu'on peut pas préciser quand elle s'est cramé les cheveux et encore moins si ça a un rapport avec son décès.

Ses yeux me fixent, morts, au travers la fente de ses paupières entrouvertes.

Si seulement tu pouvais me parler. C'est, à chaque fois, le même regret lancinant. Elle parlera à sa manière, lorsqu'elle jugera le moment venu. Le langage des morts est silencieux, ardu, et le message qui me saute aux yeux est qu'Elisa Vandersteel a l'air propre, indemne. Je ne l'ai pas encore retournée et j'en saurai davantage lorsque je conduirai un examen interne. Cependant, je suis déjà presque convaincue que ses cheveux brûlés ont un rapport direct avec sa mort.

Cela ne signifie pas que nous soyons en présence d'un homicide. Je pense qu'elle a été tuée par un prédateur, peut-être pas humain. Il peut s'agir d'une électrocution. Je scrute les alentours à la recherche de sources possibles de courant électrique. Je regarde si quelque chose a été endommagé, formant un court-circuit avec lequel elle aurait pu entrer en contact.

Mon attention ne cesse de revenir au suspect de premier choix, le lampadaire en acier et ses ampoules brisées. Je m'entête à regarder vers le haut, déçue à chaque fois parce que je ne peux pas voir le ciel à cause du dais. Je pense à des lignes électriques, à la foudre, et je déclare à Marino que la brûlure de ses cheveux est survenue au moment de la mort, ou à peu d'intervalle. Si l'événement avait eu lieu plus tôt, je ne pense pas que nous aurions pu sentir les relents âcres.

Il hausse ses larges épaules et se penche vers le corps en grommelant :

— Sauf que je sens rien.

— Moi si. Et si je parviens toujours à percevoir l'odeur, c'est probablement qu'elle était beaucoup plus forte lorsque Enya et Anya sont arrivées, il y a environ deux heures, et ont découvert la victime.

Marino détaille le cadavre, puis le périmètre encerclé par la tente.

— La chose qui ressort comme le nez au milieu de la figure, c'est ce lampadaire explosé.

Enfin, il y vient, même à contrecœur, et nous allons progresser.

— Exactement. Les dégâts occasionnés à ce lampadaire nous indiquent une chose très importante.

Nous commençons à discuter de lignes électriques. La plupart ne sont pas enterrées, à Cambridge, et Marino affirme que si l'une d'entre elles était tombée, nous l'aurions déjà vue.

— Et j'vous dis pas le coup de jus qu'on prenait ! Ou alors les jumelles se transformaient en sapin de Noël, ajoute-t-il. Pourquoi vous pensez que ça pourrait être une électrocution, Doc ? Il aurait fallu qu'elle entre en contact avec une source électrique sous tension, et je comprends pas comment ça aurait pu se produire.

Il souligne ensuite qu'il ne voit aucun panneau ou boîtier électrique accessible qui renfermerait des circuits sous tension, pas de ligne, ou d'outils qu'on pourrait accuser d'un dysfonctionnement. Il énumère toute la liste :

— Je ne vois pas de câble, de lignes de transmission, rien de ce type sur le sol, nulle part.

Marino connaît bien ce genre de choses. Il a son propre atelier, un énorme garage. Il juge tout naturel de bâtir une extension à sa maison ou de réviser les moteurs de ses véhicules. Je ne compte plus les occasions où il se transformait en homme à tout faire, il y a bien longtemps, lorsque je vivais seule. Je l'appelais à la rescousse lorsque j'avais un problème ou une urgence électrique. Il était toujours fourré chez moi pour une raison ou une autre, installait des éclairages à capteurs de mouvement, réparait la porte de mon garage, renouvelait l'huile de ma voiture, et changeait les systèmes des broyeurs d'ordures.

— Bon, on va pas s'en plaindre, hein ? Sans ça on était frits à la minute où on a commencé à inspecter les alentours.

— Une pensée peu réjouissante.

Je fais quelques pas vers l'arrière et me retrouve sur le chemin, détaille le lampadaire ainsi que la dispersion des éclats de verre.

Les ampoules n'ont pas été simplement brisées. Elles n'ont pas été fracassées. Elles ont explosé avec une telle violence que certains éclats de verre ont été propulsés à plusieurs mètres de distance. Le lampadaire fait à peu près trois mètres de hauteur et je ne parviens pas à voir les dommages occasionnés à la lanterne. Marino, si.

Il contourne le lampadaire, la tête levée, les mains sur les hanches, le visage rouge et luisant de sueur.

— Les vis sont toujours dans les douilles, et les trois ampoules complètement détruites. La plupart des filaments ont fondu.

— Comment vous voyez ça d'ici ?

La lanterne est bien trop haute au-dessus de ma tête pour que j'aperçoive quoi que ce soit.

— Quand ils étaient en train de terminer le montage, j'ai utilisé un escabeau et j'ai pris des photos que je vous montrerai plus tard. Le loquet en métal a disparu, ce qui explique peut-être pourquoi le petit panneau vitré est ouvert, et la question est toujours : quand ? Est-ce que l'explosion des ampoules a brisé le loquet et son crochet ? D'ailleurs, est-ce qu'il y en avait un ? On essaiera de le retrouver mais, pour l'instant, je ne vois rien.

Je m'approche du vélo couché sur le flanc, dont la roue arrière est orientée vers l'entrée du parc par laquelle Marino et moi sommes arrivés. Ça tendrait à suggérer qu'Elisa Vandersteel a pris le même itinéraire que nous. Je me souviens qu'elle s'est élancée dans le Harvard Yard. Je l'imagine quittant la John F. Kennedy Street pour pénétrer dans le parc par l'est.

De là, elle a pu suivre la piste cyclable jusqu'à la clairière, se dirigeant vers l'ouest alors que le soleil se couchait peu à peu derrière les arbres et que les ombres s'allongeaient et s'assombrissaient. Si j'en juge par la position de la bicyclette, quelque chose est arrivé précisément à l'endroit où je me tiens, avec le lampadaire à quelques mètres sur ma gauche. Son corps a atterri à trois mètres de là, et ses cheveux ont recueilli des éclats de verre. Son casque gît encore plus loin.

Je me souviens des décès occasionnés par la foudre sur lesquels j'ai travaillé. De prime abord, on pense presque toujours qu'il s'agit d'une agression violente. Les vêtements peuvent être déchirés, en lambeaux, voire complètement arrachés, ce qui me remet à l'esprit le débardeur retrouvé dans les buissons. Des chaussures ou des bottes peuvent être fendues de part en part, voire quitter les pieds comme les Converse. Des bijoux fondent ou se brisent, et cela ressemble aux bouts de chaîne en or que nous avons retrouvés. Les extrémités cassées paraissaient déchiquetées. C'est cohérent avec l'hypothèse d'une décharge électrique. Le courant passe dans un objet métallique, le surchauffe, jusqu'à le casser ou le désintégrer.

Bien souvent, les victimes portent des blessures importantes lorsque la puissance de l'électrocution ou de la foudre les propulse au sol. Il n'est alors pas inhabituel que la véritable cause de la mort soit un violent traumatisme. Peut-être est-ce ce qui a tué Elisa Vandersteel. Pourtant, j'ai des doutes.

30.

Ma combinaison émet un son de froissement. Le mince matériau blanc glissant semble chuchoter alors que je m'accroupis pour étudier de plus près le chemin et l'herbe alentour.

Il est 23 heures passées et la puanteur de la décomposition rend l'air encore plus épais, plus figé. L'atmosphère confinée devient presque irrespirable. Du moins ne sommes-nous pas pris pour cibles par les mouches. Les parois nous permettent de les retenir à l'extérieur et, en général, elles sont inactives la nuit et ne cherchent pas de blessure ou d'orifice pour pondre.

J'étudie les éclats de verre, aussi petits que des grains de sel, qui ont plu sur le vélo, et étincellent tels des diamants sur le cadre, les pneus, et les brins d'herbe.

Je m'intéresse particulièrement à la roue arrière, et lance à Marino :

— Je ne suis pas experte en explosion d'ampoules, mais à l'endroit précis où la victime est tombée, il y a pas mal de verre pulvérisé à l'état de poussière.

— J'ai déjà vu ça lors de feux d'origine électrique, ou d'arcs. Le verre des ampoules est très fragile et si vous envoyez suffisamment de jus, il éclatera en mille morceaux. (Il s'accroupit à côté de moi et je perçois sa chaleur et l'odeur de sa sueur.) Ce qu'on voit là provient sans doute de la poudre qui tapisse l'intérieur des ampoules.

Nous levons la tête afin d'observer la lanterne et son panneau ouvrant qui bée. Plus bas, une sorte de résidu blanchâtre souille l'acier noir du mât. Lorsque les éclats de verre ont explosé, ils ont abandonné une traînée qui ressemble à une poudre légère. Elle étincelle et scintille en travers de la piste cyclable, de la pelouse, jusqu'aux arbres.

Je l'imagine à la manière d'une animation. Je vois la lampe qui explose avec violence. La bicyclette choit. Les deux événements surviennent simultanément et Elisa Vandersteel est propulsée hors de sa selle. Si les choses se sont déroulées de cette manière, cela expliquerait la poussière de verre sur le haut de la bicyclette. Il pourrait s'agir de l'unique raison pour que des particules aussi fines que du sable parsèment ses cheveux.

Marino tend le cou afin de voir du mieux possible la lanterne noire.

— J'pense que vous avez raison au sujet de ses cheveux brûlés, c'est en lien avec ça. Mais si la lampe a eu une défaillance alors qu'elle passait en dessous, est-ce qu'elle n'aurait pas été coupée par des éclats ?

— Vous avez raison sur ce point. La seule chose sur laquelle je puisse être formelle, c'est que je n'ai jamais vu de blessures de ce genre avant.

Je tente d'évaluer à quelle hauteur se trouvait Elisa Vandersteel alors qu'elle pédalait sur la piste.

Le V.T.C. très léger possède un petit cadre en aluminium, un cintre plat relevé, et une selle en gel, et j'estime
la hauteur du vélo à environ 1,20 mètre. Alors qu'elle
traversait le Yard, elle était penchée sur son guidon
mais pas dans la position presque couchée qu'adoptent
les cyclistes lors de pointes de vitesse. J'estime que la
lanterne devait se trouver à au moins deux mètres au-
dessus de sa tête lorsque les ampoules ont explosé.

— Plus la masse augmente, plus la vélocité devient
importante, j'explique à Marino. Les plus gros fragments de verre ont dû voler au-dessus de son crâne. En
revanche, ceux qui étaient réduits en poudre n'ont pas
dû aller très loin. Ils ont voleté vers le sol. Du moins si
l'on part du principe qu'elle était installée sur la selle
à ce moment-là, et je ne vois rien qui m'indique le
contraire. C'est encore hypothétique, bien que la présence de verre dans ses cheveux soit assez significative.
Ça n'aurait pas pu atterrir sur elle là où elle est allongée.

— Non. Y'a rien là-bas parce que le verre a été
soufflé par l'explosion dans cette direction. (Il indique
la Kennedy School.) Du coup, on peut difficilement
penser que quelqu'un l'a saisie à bras-le-corps pour
l'arracher de sa bicyclette. Nous en sommes rendus
au point où on se dit qu'il n'y avait pas d'agresseur,
qu'elle traversait juste le parc à vélo et qu'elle s'est fait
dégommer par une lampe défectueuse, un éclair de
chaleur, ou quelque chose d'aussi dingue que ça.

Il me regarde et le fait qu'il commence à utiliser le
pronom *nous* est bon signe.

— Un scénario possible. Rien ne me prédispose à
croire qu'il y a eu confrontation physique.

— Alors, on peut plus qualifier ça d'homicide.
Lorsque des gens demanderont la cause de la mort,
vous voyez quelque chose à leur répondre ?

— Pour l'instant : indéterminée. Moins on n'en dit,
mieux ce sera.

— Bordel, ça c'est vrai ! Mais quand même, la balancer à trois mètres, comme la femme-canon ? Je veux
dire que ça sous-entend une sacrée poussée. Je suppose

que si son casque a roulé encore plus loin, c'est parce qu'il est ultraléger.

— Peut-être aussi parce que la mentonnière n'était pas attachée.

Je lui raconte que lorsque j'ai vu Elisa Vandersteel traverser Quincy Street en direction de Harvard Yard, la bride pendait.

— Merde ! Bon, ben ça explique ce point.

— Nous en saurons davantage lorsque nous parviendrons à déterminer avec précision ce qui est arrivé au lampadaire. Ça ne va pas être du gâteau s'il faut le déterrer en entier et le transporter jusqu'aux labos.

— On l'a déjà fait. Et ce sera sans doute pas la dernière fois.

J'explore le contenu de ma mallette de scène de crime, et en extirpe des sachets de plastique et des sacs en papier kraft. Je sors également des rouleaux de Scotch, des marqueurs, et un kit de collecte de résidus de tir que j'utilise lorsque des traces de débris sont destinées au puissant microscope électronique du CFC. Je change de gants et m'approche à nouveau du corps. Je m'agenouille non loin de sa tête. Mes genoux recouverts de polyéthylène blanc, obtenu par filage éclair, luisent sous la lumière intense des projecteurs auxiliaires, saisissant contraste avec le vert de l'herbe.

Je tire la protection d'un feuillet adhésif recouvert d'une mince couche de carbone et le presse sur les cheveux brûlés d'Elisa Vandersteel afin de collecter des débris de verre, des particules, des fibres, tout ce qu'il est possible. Je scelle chaque tampon de prélèvement dans un conteneur stérile et le distingue d'une étiquette que je paraphe. Je prépare tout sur place pour le laboratoire des traces.

Cela rendra la tâche plus aisée à mon ingénieur en chef qui s'occupe de la microscopie, Ernie Koppel, dès qu'il réintégrera le centre demain matin. Les indices l'attendront. Nous gagnerons du temps s'il n'a plus qu'à pulvériser les échantillons avec de l'or. Ensuite, il les montera dans la chambre et fera le vide.

Je palpe le cuir chevelu d'Elisa Vandersteel et plonge les doigts dans ses longs cheveux châtains retenus en queue de cheval. Je suis la courbure de son crâne méticuleusement, avec douceur. Mes gants sont maculés de sang rouge sombre.

— Je sens une blessure, située à la base.

Sa joue tiède presse contre ma jambe. La victime est encore aussi chaude que si elle était vivante. À nouveau, j'éprouve une sorte de pincement au cœur. Comme si l'haleine de Dieu m'effleurait, un rappel de la raison pour laquelle je suis là, et je m'efforce de recouvrer mon calme. Je ne peux me permettre une réaction personnelle en ce moment. Je repousse les cheveux collés de sang pour mesurer la lacération à l'aide d'une petite règle en plastique.

La plaie, située au-dessus de l'os occipital, est longue d'un peu moins de cinq centimètres. J'explique à Marino qu'elle a été causée lorsque la peau s'est fendue à la suite d'un traumatisme violent et qu'il s'agit probablement de l'origine de la presque totalité du sang répandu, avant d'ajouter :

— Peut-être lorsqu'elle s'est cognée contre la piste cyclable.

Marino détaille les pieds d'Elisa Vandersteel couverts de légères chaussettes de vélo à rayures gris et blanc.

— Et la raison de la présence de sang sous son dos, c'est qu'elle a été traînée. On sait maintenant comment ça s'est produit et qui a déplacé le corps.

Il prend d'autres photographies des stries abandonnées dans le sable tassé. Elles ne mesurent pas plus de quinze centimètres de longueur et se terminent à l'arrière des talons. Les jumelles ne l'ont pas tirée très loin. Elles n'ont pas réussi à atteindre leur but : s'assurer que la victime ne serait pas écrasée, ainsi qu'elles l'ont dit.

Le corps gît encore partiellement sur le chemin sableux et je suis tracassée par l'impulsion qui a saisi Enya et Anya. Je me demande s'il ne s'agit pas d'une habitude qu'elles ont prise chez elles, peut-être lorsque leur mère a bu jusqu'au coma, où est tombée par terre, ivre morte.

J'effleure la blessure située à la base du crâne, et écarte ses bords irréguliers, déchiquetés, pour apercevoir les minces fibres de chair qui relient toujours les deux berges de la plaie. Il s'agit d'une indication claire que je ne suis pas face à une incision causée par une arme tranchante. J'informe Marino que le cuir chevelu et les tissus sous-cutanés, au-dessus de la proéminence osseuse de l'arrière du crâne, ont été fendus par une force d'écrasement.

— Elle devait être encore vivante à ce moment-là. Sans ça elle n'aurait jamais saigné, souligne-t-il.

— Certes, mais l'hémorragie est discrète, ce qui suggère qu'elle n'a pas survécu très longtemps. Le cuir chevelu est très vascularisé. On retrouverait beaucoup de sang un peu partout si elle avait été consciente assez longtemps pour bouger, marcher, ou tenter d'échapper à quelqu'un.

Je poursuis la palpation, à la recherche de tissus spongieux ou de fractures. Je ne mets en évidence aucune autre plaie du cuir chevelu ou du crâne. Je demande à Marino de me rapporter la loupe fourrée dans ma mallette de scène de crime. Je l'entends s'écarter. Puis il ouvre les petits tiroirs, et l'instant d'après me tend la loupe. Aidée d'une torche, j'examine de plus près l'oreille droite d'Elisa Vandersteel, grâce au grossissement.

— Pas d'abrasion, de carbonisation, de pointillage. Aucun autre signe de blessure. Rien que du sable et du sang sec. Je ne connaîtrai pas la raison exacte de ce saignement tant que je n'aurai pas les résultats du CT scanner.

Je passe les deux mains sous son crâne et le soulève un peu pour l'incliner sur la droite. Du sang a coulé dans son oreille gauche.

— Si elle a été électrocutée, pourquoi y'aurait du sang dans ses oreilles ?

— La perforation tympanique est la cause la plus commune.

Je soulève ses paupières et examine les yeux à la recherche de brûlures, d'hémorragies. Les iris bleus deviennent vitreux. J'extrais le long thermomètre par l'incision abdominale et essuie le sang qui le macule. La température corporelle d'Elisa Vandersteel est de 34,5 °C, et cette mesure est cohérente si elle est morte depuis plusieurs heures.

— La *rigor mortis* débute, ce qui concorde aussi. Je sens une légère résistance au niveau du cou. Toutefois, sa main et son poignet droits sont complètement raides, ainsi que l'a noté l'enquêteur Barclay. Et cela commence à devenir logique.

Je soulève son bras et aperçois une étrange ligne de brûlure blanchâtre au poignet, longue d'un peu plus de sept centimètres, si fine que l'on croirait un ardent fil d'araignée. Elle n'était pas repérable lorsque ses bras étaient étendus au-dessus de sa tête et je la découvre à l'instant. Sa main droite se trouvait-elle à proximité de ses cheveux lorsqu'ils ont été roussis ? Si tel était le cas, avec quoi la victime est-elle entrée en contact ? Marino prend d'autres clichés et je lui montre que la main et le poignet droits sont aussi rigides que de l'acier.

— La rigidité cadavérique n'est avancée que modérément dans l'épaule et le coude droits, je précise en levant le bras en question pour en faire la démonstration. C'est à peine discernable dans les autres petits muscles et pas encore apparent ailleurs, notamment dans le bras gauche. Je suppose que lorsque l'enquêteur Barclay a cherché le pouls, il n'a fait qu'effleurer sa main droite.

— J'vais lui demander. En tout cas, c'est la seule chose qui tienne debout. Et il a conclu de cette simple palpation que la rigidité cadavérique était complète.

— Ce qui n'est pas le cas, et le processus devait être moins avancé il y a quelques heures. La victime était sans doute encore complètement souple à l'exception de cette partie du corps. (Je désigne la main et le poignet droits.) Souvenez-vous de ce que l'on voit classiquement lors des électrocutions, quand la victime semble avoir touché un fil électrique chaud. C'est ce que m'évoque la marque blanche sur la face antérieure du poignet. Le genre de brûlure qui survient si on frôle le brûleur chauffé à blanc d'un poêle ou d'une cuisinière, par exemple.

— Ouais, mais d'un autre côté, une brûlure n'induirait pas une rigidité cadavérique instantanée, objecte le grand flic. Or c'est ça qu'on constate. Je suis pas sûr d'avoir déjà vu ça avant.

Un spasme cadavérique, une *rigor* instantanée, peuvent supposément advenir lorsque la mort est précédée par une décharge violente d'énergie qui prive brutalement les muscles d'adénosine triphosphate (ATP) et d'oxygène. La conséquence en est la rigidité. Ce phénomène est très rare et beaucoup d'experts doutent de sa réalité. Quoi qu'il en soit, une chose très étrange est survenue ici.

— Sa main droite est entrée en contact avec un courant électrique. Théoriquement, cela aurait pu provoquer des contractions musculaires continues, une tétanie en somme.

Je bascule le corps pour qu'il repose davantage sur le flanc, juste assez pour vérifier l'installation de la *livor mortis*, autrement dit le dépôt du sang qui a cessé de circuler sous l'effet de la gravité. Je ne remarque qu'une coloration rose pâle. Lorsque j'enfonce mon pouce, la peau blanchit sous la pression. Les lividités en sont à un stade précoce, ce qui est cohérent avec le fait qu'elle n'est pas morte depuis très longtemps.

L'autre conclusion que l'on peut tirer est qu'au moment où elle a atterri sur le sol, elle n'avait plus son débardeur, ou alors qu'il lui était remonté sous le menton. Son dos porte les égratignures et les abrasions auxquelles je m'attendrais après un accident de bicyclette et un peu de sable du chemin s'est accumulé sur son soutien-gorge de sport blanc.

Je retourne le corps un peu plus et suis surprise par ce qui me semble à première vue un tatouage nécrotique.

— C'est quoi cette merde ? s'exclame Marino.

— Son pendentif.

J'y songe soudain.

31.

La brûlure a la forme d'un petit crâne.

— On peut presque voir la face antérieure et distinguer un œil et une trace de sourire.

Je désigne la marque à Marino pendant que nous changeons nos gants qui rejoignent le sac rouge de déchets biologiques, bourré de paires souillées.

— Elle portait le pendentif dans le dos lorsque vous l'avez rencontrée ?

Il essuie la sueur qui perle à son menton à l'aide d'un carré de papier absorbant et prend garde de ne pas dégouliner sur une zone sensible et surtout pas sur le corps.

— Pas au début puisque j'ai remarqué qu'il s'agissait d'un crâne en or assez humoristique. Mais en partant, elle l'a balancé dans son dos.

— Ben ouais, fallait bien qu'il pende de ce côté pour la brûler à cet endroit. Et sous le T-shirt, en contact direct avec la peau.

Il en décide ainsi parce qu'il veut que ce soit la vérité. Marino refuse de s'attarder sur des événements de nature à nourrir sa phobie des choses qui craquent, grincent, grognent ou cliquètent la nuit. Il commence à avoir la trouille. Rien d'étonnant après cette journée, qui est loin d'être terminée. Il s'obstine :

— Si vous voyiez une blessure de ce genre, sans avoir d'idée au sujet de son origine ? À l'époque de Salem, vous finissiez au bout d'une corde pour sorcellerie. Ils auraient affirmé que seule une sorcière avait pu tuer cette femme et que vous possédiez le mauvais œil.

— Fort heureusement, cette époque est révolue, mais vous avez raison. J'aurais probablement été pendue.

Je ramasse ma loupe et il prend d'autres clichés de la blessure en gros plan. Sèche, d'un rouge-marron sombre, l'impression partielle du crâne souriant résulte de l'échauffement considérable du bijou. La bouche, gravée en creux, et un des yeux n'étaient pas en contact avec la peau de la victime, et ces détails ne se sont pas incrustés. Ces zones sont restées pâles, ce qui explique les contours vagues qui ressemblent à un emoji grotesque tatoué dans le haut du dos d'Elisa Vandersteel. J'admets que je serais la première à trouver cela étrange. Les yeux de Marino vont et viennent.

— Ça ressemble à une tête morte, un truc surnaturel, presque un stigmate.

Il veut dire une tête de mort et des stigmates. En réalité, la brûlure ne peut évoquer cela que si on sait ce qui l'a causée.

— Pouvez-vous m'aider à la maintenir, s'il vous plaît ?

La sueur dégouline le long de ma poitrine, de mon ventre, à l'intérieur de mes cuisses et les vêtements de morgue, sous ma combinaison, sont trempés. Accroupi en face de moi, Marino retient le corps alors que je le retourne complètement sur le flanc pour l'examiner mieux de la tête aux pieds, de face et de dos.

Il désigne les délicates brûlures linéaires blanches que je découvre sur son épaule droite et à la base de sa nuque et murmure :

— C'est bizarre, ça aussi. Identique à ce qu'elle porte sur le poignet droit, et donc, du même côté du corps. En même temps, si c'est bien des brûlures, ça n'a rien de commun avec celle-là, conclut-il en faisant allusion à la marque rouge causée par le pendentif.

Je lui explique que lorsque des brûlures apparaissent blanches et comme parcheminées, cela indique en général un troisième degré, la peau étant atteinte en profondeur. Selon moi, ces marques linéaires blanchâtres résultent du contact direct de la victime avec ce qui a pu l'électrocuter. J'avance une hypothèse :

— Des fils électriques, peut-être. À cela près qu'il aurait fallu qu'ils soient très fins, du diamètre d'un cheveu.

— Quels fils ?

Marino regarde avec nervosité autour de lui comme s'il redoutait qu'ils lui sautent dessus.

— Aucune idée, si tant est que j'ai vu juste. L'autre brûlure, la rouge, a été occasionnée par le pendentif entré en contact avec la même source électrique, selon moi.

J'ai senti quelque chose dans la poche intérieure de son short bleu. Je faufile les doigts sous la ceinture et sens une forme dure et plate. J'extrais un porte-clefs en plastique noir sur lequel est gravé un numéro.

— Bingo ! C'est peut-être la clef de son logement ? s'exclame Marino alors que je laisse tomber l'objet dans un sachet à indices que je lui tends.

Je me redresse et jette un regard aux arbres, au lampadaire, à la traînée d'éclats de verre. J'essaye de repérer de longs fils électriques linéaires et très minces qui auraient pu effleurer la peau d'Elisa Vandersteel juchée sur sa bicyclette. Je l'imagine pédalant dans la pénombre, dans la chaleur étouffante, fatiguée, s'inquiétant peut-être alors que la nuit tombait et qu'il se faisait tard.

Et soudain, une sorte de fer rouge frôle son épaule droite nue, sa nuque, la brûle entre les omoplates. Sa souffrance et sa terreur ont dû être affreuses alors qu'elle tentait d'empoigner, de sa main droite, ce qui en était la cause. Elle a dû croire qu'elle était attaquée par un essaim invisible de frelons. Peut-être fut-ce sa dernière pensée consciente alors que le vélo se couchait et qu'elle était projetée de la selle.

Un tel scénario expliquerait les brûlures linéaires, et pourrait justifier l'installation asymétrique de la *rigor*. Un courant électrique de grande puissance frappe le pendentif en or, puis se diffuse au travers de son corps. Cela aurait été de nature à échauffer l'humidité, à la transformer en vapeur, ce qui pouvait expédier et endommager ses chaussures et son débardeur. La chaleur aurait pu faire fondre la chaîne en or que nous avons retrouvée. Je vérifie à nouveau la nuque pour contrôler s'il existe des signes de brûlures à l'endroit où la chaîne a cassé.

Armée de la loupe, je repousse ses cheveux et découvre ce qui ressemble à plusieurs petites marques rouges en forme de dièse, de minuscules brûlures pas plus grandes que des tirets sur les deux faces latérales du cou. Rien devant. Je revois Elisa Vandersteel, rouge, en nage, mais vivante et cordiale sur le trottoir du Faculty Club. Elle portait une sorte de bandana.

Je me souviens d'avoir eu l'impression que le petit foulard bleu à motif cachemire semblait un peu passé, un peu élimé, comme s'il était ancien. Je demande à Marino s'il a refait surface et le lui décris. Les jumelles l'avaient-elles fourré dans leur sac à dos ? Il aurait pu penser qu'il leur appartenait.

— Nan, rien vu de tel, mais j'demanderai à Flanders de vérifier pendant qu'elle leur tient compagnie dans la salle-pâquerette.

— En ce cas, il devrait toujours traîner alentour, à moins qu'elle ne l'ait ôté après que je l'ai vue dans Quincy Street. Le point important, c'est que si elle l'avait porté, cela aurait pu protéger un peu la face antérieure de son cou. Du moins, si la chaîne reposait sur le tissu, lorsque la température du métal s'est élevée. Si nous retrouvons le bandana parsemé de brûlures, cela tendrait à prouver cette théorie.

Je lui explique que nous devons vérifier l'activité orageuse du début de soirée, dans cette zone de Cambridge, et que le fait qu'elle ait balancé son collier dans son dos a sans doute été la plus mauvaise idée.

— Elle devait être en nage et l'électricité adore la sueur. Cependant, même ainsi, la peau n'est pas le meilleur des conducteurs. En revanche, en présence d'un morceau d'or, c'est une autre histoire. Peut-être est-ce la raison pour laquelle elle est morte.

Marino me regarde pendant que j'enfile un petit sac en papier kraft marron autour de l'une des mains d'Elisa Vandersteel.

— Parce que le courant a frappé le cœur de plein fouet, renchérit-il. Il y a pas mal de résistance avant ça, ce qui explique que certaines victimes s'en sortent avec de simples brûlures. J'ai connu un gars qui avait perdu un doigt, mais c'est tout.

— Si le courant n'avait pas traversé son corps, elle aurait peut-être pu survivre, effectivement. Je parie que nous allons découvrir que la blessure à la tête n'est pas la cause du décès.

— C'est pour ça que je fais vraiment gaffe aux bijoux quand je suis à proximité d'un truc qui peut m'envoyer un coup de jus. Ça foutait Doris en rogne parce que je ne voulais pas porter la grosse gourmette en argent, avec mon nom gravé, qu'elle m'avait offerte. Et je mettais pas non plus mon alliance, alors elle prétendait que c'était parce que je voulais m'envoyer en l'air en douce, me confie Marino, et ça n'est pas un scoop, d'ailleurs peu de choses pourraient l'être.

Il n'a jamais cessé d'évoquer son ex-épouse depuis leur séparation, laquelle remonte à au moins vingt ans. Doris était une femme facile à vivre. Elle n'a pas été heureuse jusqu'au moment où elle en a eu vraiment assez et qu'elle est partie avec un autre homme. Il s'agissait de la petite amie de collège de Marino, et il ne s'en est jamais remis. J'espère juste que sa rémission ne sera pas seulement due à ma sœur.

Je sécurise les sacs que j'ai enfilés sur les poignets et les chevilles de la victime grâce à de l'adhésif, m'assurant qu'aucun indice ne sera ajouté ou perdu durant le transport jusqu'au CFC.

— Quoi encore ? braille Marino.

Des voix masculines se font entendre derrière le panneau d'entrée de la tente.

Je me retourne alors que le Velcro crisse, et l'inspecteur Barclay passe la tête à l'intérieur.

— Vous avez besoin de quelque chose ? crie-t-il.

— Ouais, ça tombe bien, *Clay*, hurle Marino en retour. J'ai besoin que tu arrêtes de te pointer ici pour nous poser la même question !

Il lève les yeux au ciel et secoue la tête d'un air exaspéré. Il attend que Barclay se soit éloigné pour m'interroger sur le motif bizarroïde que nous voyons parfois lors des foudroiements, en général sur la poitrine et le dos de la victime. Ça lui rappelle un de ses vols au-dessus du Low Country dans l'hélicoptère de Lucy. Tous ces chenaux de marée, leurs ramifications dans les marais salants et les étendues marécageuses, ce que Marino appelle l'arborisation.

C'est ce que l'on nomme les *figures de Lichtenberg*, qui dessinent des fougères, un motif rougeâtre particulier, souvent retrouvé sur la peau après un foudroiement. Si on ne sait pas de quoi il s'agit, cela paraît assez étrange et son origine n'est pas complètement établie. Une possibilité fréquemment avancée est que les capillaires se rompent le long de la décharge électrique, lors de son trajet au travers du corps. Or, je n'en vois pas la moindre trace sur Elisa Vandersteel.

Une chose m'intrigue encore plus : plusieurs milliers de volts se sont abattus sur elle, transitant par le pendentif en or, et provoquant un arrêt cardiaque. Par où sont-ils sortis ? La foudre est à la fois prévisible et ne l'est pas. On pourrait presque croire qu'elle a une volonté, qu'elle est vivante. Elle a envie de rejoindre le sol, comme une bête sauvage qui s'enfoncerait sous terre, et il n'est pas rare de trouver une brûlure de sortie sur la plante d'un pied de la victime.

Je ne vois rien de cela, rien que du sable sur ses socquettes. Pas de brûlures de sortie. J'informe Marino que je voudrais examiner le crâne en or qu'Anya et Enya ont ramassé. Le grand flic rejoint sa mallette de scène de crime.

Un son de froissement accompagne l'ouverture d'un grand sac en papier qui ressemble à ceux offerts par les supermarchés. Je le glisse sur la tête d'Elisa Vander-steel, jusqu'à la base du cou, et le serre grâce à du ruban adhésif que je déchire de mes mains plutôt que d'utiliser une lame de bistouri.

J'apprécie que les protections s'enlèvent sans résister une fois que le corps est allongé sur une table de la salle d'autopsie. Un cheveu, une particule, une fibre, de l'ADN, n'importe quoi. Je remuerais ciel et terre pour ne rien perdre et ne rien contaminer. Si on ne comprend pas ce raisonnement, on pourrait penser que ce que je fais subir à la victime est proprement scandaleux. C'est ce que Marino a surnommé le *cogné-empaqueté*. Voilà toute votre récompense pour avoir été assassiné, tué dans un accident d'avion ou pulvérisé par un train. *Mordoc déboule et fourre vos pièces détachées dans des sacs comme des détritus ramassés sur la chaussée*, se plaît-il à répéter.

Je repositionne ses bras étendus au-dessus de sa tête et les allonge contre ses flancs de sorte qu'elle puisse être glissée dans un dernier sac, le plus grand, une housse à cadavre. Pour la millième fois, je me souviens que mort et dignité ne riment pas. J'ouvre les tiroirs de ma mallette de scène de crime, récupère une aiguille stérile. Marino est revenu vers moi. Je reconnais le pendentif en or aux contours sommaires, avec ses orbites creuses noircies, et son sourire édenté.

Je perçois le poids du bijou au travers du sachet à indices paraphé. Il ne semble pas abîmé, juste poussiéreux. Je le caresse de l'aiguille sous le plastique et ressens une infime secousse magnétique.

— Il doit être en acier plaqué or, ou alors nous sommes en présence d'un autre alliage. L'or est un excellent conducteur d'électricité mais non magnétisable lorsque pur.

Je rends le petit sachet à Marino. Ma fatigue vire à l'épuisement. Je ne me sens pas bien. Il faudrait que je me repose quelques minutes, mais le temps presse.

— S'il s'agit bien de la foudre, comment ça se fait que j'aie pas entendu de coups de tonnerre dans les parages en fin d'après-midi ou en début de soirée ? Il peut pas y avoir d'éclairs sans tonnerre, souligne Marino.

C'est la vérité puisque ce sont eux qui causent les déflagrations sonores. L'un ne peut exister sans l'autre. Peut-être ne percevrions-nous pas le moindre grondement si l'orage était distant de trente ou quarante kilomètres. Il se peut alors que nous n'ayons aucune idée du danger qui persiste jusqu'à ce que nous sortions pour une balade, quelques longueurs de piscine, ou une partie de golf. Toutefois, la foudre peut voyager à une grande distance de l'orage qui la génère.

— C'est d'ailleurs pour ça que nous avons cette expression *un coup de tonnerre dans un ciel bleu*. Et lorsque l'on contemple une scène de décès aussi chaotique que celle-ci, on comprend soudain pourquoi certaines personnes croient encore dur comme fer à un *acte de Dieu*, ou à la *combustion spontanée*. En réalité, ils sont confrontés à un fichu foudroiement.

Mon débit devient pâteux. L'irritation monte en moi et je me sens un peu à cran. Je poursuis :

— Ce serait particulièrement déroutant si l'orage le plus proche était déjà passé et à de nombreux kilomètres d'ici.

— Sauf qu'y a pas eu d'orage.

Serrefile Charlie envahit à nouveau mon esprit. Je me souviens d'avoir vérifié l'origine du mot qu'il utilise comme surnom après la réception du premier enregistrement audio railleur qu'il m'a expédié.

Le pronom *il* est abusif puisque j'ignore s'il s'agit d'un homme. J'utilise ce raccourci plus aisé, d'autant que

Benton le croit. Mon profileur de mari affirme que mon cyber-harceleur-poète est de sexe masculin, un homme d'un certain âge, intelligent, d'excellente éducation, et dès le début la question a été de comprendre pourquoi il s'était attribué un surnom tiré de l'argot britannique assez désuet.

Un serre-file Charlie, puisqu'on l'écrit en général avec un tiret, peut signifier le dernier batteur au jeu de criquet. Ça peut également se référer au mitrailleur installé à l'arrière d'un avion de combat, à un soldat qui reste à l'arrière afin de couvrir ses camarades ou à une super cellule orageuse de queue. Alors que j'explique ça à Marino, je me rends compte que je risque surtout de renforcer sa crainte que le ciel nous tombe sur la tête.

— En d'autres termes, alors que vous pensez qu'un truc est fini, le pire est foutrement encore à venir, se plaint-il.

Une bouffée d'alcool médical me parvient aux narines. Je regarde le grand flic alors qu'il ouvre des sachets de lingettes antimicrobiennes, et qu'il nettoie les décimètres que nous utilisons en étalon pour nos photographies.

— Une autre coïncidence étrange, lors d'une journée qui n'en manque pas, renchéris-je, et mon estomac proteste.

— Ouais, mais c'est vraiment une coïncidence ? (Marino replace chacune des petites règles désinfectées dans un sachet stérile, pour les ranger dans le tiroir étiqueté de l'étui de son appareil photo.) C'est ce que vous affirmez, hein ? Parce que vous avez commencé à recevoir ces enregistrements il y a pas plus d'une semaine. Et voilà où on en est arrivés !

Ses yeux ne cessent d'aller et venir et la sueur dégouline de son gros visage rouge et luisant, encadré par le Tyvek.

Je ne dis rien, ni dans un sens ni dans l'autre, et ne lui réponds pas parce que ma patience s'amenuise. Tout semble me rattraper. J'ai presque l'impression de

sentir le sol se dérober sous mes pieds, et qu'un gouffre
ne va pas tarder à s'entrouvrir.

— Parce que si vous y pensez, Doc, un coup de tonnerre dans un ciel bleu, c'est une super cellule orageuse
de queue. C'est la fin d'un orage qui s'est éloigné, n'est-ce
pas ? Le dernier éclair pour faire bonne mesure.

Il jette les petites lingettes roulées en boule dans le
sac de déchets et s'obstine :

— Ce que je veux dire, c'est que le dernier coup de
foudre, en d'autres termes littéralement un serre-file
Charlie, aurait pu tuer cette fille. Bien sûr, ça pourrait être une coïncidence dans une journée aussi mer-
dique que celle-ci... pour vous citer. Ça pourrait n'avoir
aucun lien avec votre troll amoureux de rimes. Ouais,
mais si ça en a un ? me lance-t-il, ses yeux injectés de
sang rivés à moi.

Je ne réponds pas parce que c'est exactement ce que
je redoute. Je ne veux pas attribuer un nom ou une
forme à ma peur. Je ne veux pas y penser, ni le ver-
baliser. Marino continue sur sa lancée :

— Et si tout était lié, d'une façon ou d'une autre,
hein ? Et si tout ça avait la même origine ? Je veux
dire, on peut pas faire l'impasse là-dessus, pas plus
qu'au sujet de tout ce qui est arrivé jusque-là.

Ce serait effarant d'imaginer un lien entre Serrefile
Charlie et Elisa Vandersteel puisque tous deux ont une
sorte de relation avec moi, de façon différente. Cela
signifierait-il que Carrie Grethen est derrière tout ça ?
Je suis trop exténuée pour m'amuser à lire dans le marc
de café, ou à spéculer davantage. Au lieu de ça, je suggère à Marino de nous en tenir à la science. Puisque
rien ne semble très fiable, le mieux serait, selon moi,
qu'il vérifie auprès de la National Oceanic and Atmos-
pheric Administration.

— La NOAA devrait pouvoir nous dire ce qui s'est
produit en matière de météo. (Je déverrouille mon téléphone et ma vision se trouble.) Ainsi, nous saurons s'il
y a eu une quelconque activité orageuse dans un rayon
de soixante-dix kilomètres autour de Cambridge.

Affamée, presque hébétée, j'envoie un texto à Rusty et à Harold pour les informer que nous sommes prêts pour le transport du corps.

Minuit approche et le moment est venu de quitter les lieux. J'ai fait tout ce que je pouvais pour l'instant. Le montage de la tente a viré au casse-tête, et nous n'avons plus pris de pause alors que le travail, stressant et éprouvant au possible, traînait en longueur. Nous sommes en retard et la chaleur a produit ses conséquences. Je me sens déshydratée, mon humeur se détériore à vue d'œil, et ma migraine empire.

J'entends à nouveau des voix familières et le crissement du Velcro. J'ai des vertiges, et je suis sur les nerfs. Lorsque je me retourne d'un mouvement vif, je perds presque l'équilibre.

— … Ils terminent à l'instant… annonce l'enquêteur Barclay en s'encadrant dans l'ouverture.

Je ne peux pas voir Benton mais je l'entends mentionner quelque chose qui bloquerait plusieurs voitures de police. D'une voix impérieuse et grave, il précise qu'il dégagera le chemin dans quelques minutes, et une bouffée d'angoisse m'envahit.

32.

— Je vous l'ai dit. Préparez-vous parce que ça pue comme l'enfer là-dedans… annonce Barclay dans un murmure très mélodramatique.

Il s'impose avec un zèle agaçant et maintient ouvert le panneau de la tente pour mon important mari du FBI, le saluant presque. Il l'introduit dans notre antre illuminé de façon aveuglante, surchauffé, confiné, et dont l'odeur devient insupportable au point que je suis à deux doigts de me trouver mal.

— Si vous avez besoin de quoi que ce soit, vous savez que je suis là.

— Je prends la relève, déclare mon mari qui en a par-dessus la tête.

— J'ai toujours été du côté du FBI. J'ai aucun problème à travailler avec vous, assure Barclay comme s'il s'agissait d'une exception. Bon, vous avez mon numéro si jamais d'autres questions vous venaient.

— Ce sera tout pour le moment.

La courtoisie de Benton devient cassante alors qu'il congédie l'enquêteur obtus et particulièrement lourd en lui indiquant qu'il peut nous laisser et que tout le monde s'en fiche.

J'écoute leur conversation et suis distraite. Il me devient difficile de m'agenouiller sur l'herbe, de me concentrer. Je range ma mallette de scène de crime. Je me sens presque enivrée, et me demande quelles questions Benton a posées à Barclay. De quoi discutaient-t-ils pendant que le présomptueux enquêteur l'escortait jusqu'ici ? Je claque le couvercle de ce qui n'est rien d'autre qu'une grosse boîte à outils noire.

— Je parie que vous connaissez pas beaucoup d'agents qui ont commencé comme enquêteur de police ? Parce que je pense que ça doit être une sacrée ambition...

— Merci de nous laisser, lâche Benton d'un ton sec.

Les fermetures de ma mallette claquent et mon cœur rate quelques battements. Je me sens tremblante, trop émotionnelle.

Respire ! Remue-toi !

Depuis que nous nous sommes quittés, Benton a ôté sa veste de costume et sa cravate. Les manches de sa chemise blanche sont roulées jusqu'aux coudes et le pistolet dans son holster de hanche est exposé à la vue de tous.

Sa visite surprise n'a rien à voir avec le fait qu'une très agréable bouteille de chablis français nous attend à la maison. Il est ici en mission officielle, pour le Bureau, et mon pouls s'accélère alors que je pense à Lucy. Je lui demande si elle va bien et la nausée me remonte dans la gorge.

Immobile à l'entrée de la tente, à côté des caisses d'équipement, Benton m'observe.

— Oui, répond-il.

Mon agitation grimpe d'un cran, de plus en plus virulente. L'hostilité remonte à la surface, renaît de ses braises, dragon exaspéré qui n'attend qu'une étincelle pour s'éveiller alors que je tente d'agir comme si tout était normal.

— Il faudrait qu'on parle un peu, Kay.

Je me demande comment il peut savoir si ma nièce va bien, sauf à imaginer qu'il lui a parlé récemment. Et dans ce cas, pourquoi ? Inutile de redorer le blason doré. Inutile de rajouter une couche de glaçage au glaçage. Dis-moi juste ce que je ne veux pas entendre, raconte-moi la foutue vérité pour une fois.

Alors même que je connais la réponse, je demande :

— Elle travaille toujours dans le camion ?

— Non, répond Benton en me dévisageant.

Ça fait des heures que nous avons discuté dans le véhicule climatisé. La puanteur envahissante devient vomitive. Je suis isolée au beau milieu, avec le sentiment qu'une gaze putréfiée est enfoncée au fond de ma gorge et le dragon salive, déglutit avec peine.

Je t'en prie, ne vomis pas.

Je ne le supporterai pas. L'enquêteur Barclay disparaît par l'ouverture de la tente, métamorphosée en trou de ver jusqu'à un univers parallèle. Barclay n'ira pas très loin. Je parie qu'il va traîner à portée d'oreille, comme il l'a fait pendant que Marino et moi travaillions en confinement, conversions en privé, spéculions en secret, cancanions entre nous, sans comprendre qu'un connard qui se la pète était dehors et nous épiait.

Qu'a pu raconter Barclay à mon mari, c'est-à-dire au FBI ? Après tout ce que Marino et moi avons enduré sur cette scène, ne voilà-t-il pas que la plus grande menace qui pèse sur nos têtes vient de l'un des nôtres. Mon cœur s'emballe à cette pensée cinglante et les larmes me montent aux yeux. J'inspire lentement, avec effort et cligne des paupières à plusieurs reprises, bien consciente qu'un symptôme classique de l'épuisement est l'irritabilité. Le savoir ne change rien à l'affaire une fois que l'on est pris dans un tourbillon de fureur incontrôlable.

— Alors, Benton ? Dorothy est bien arrivée ?

Logique. Marino s'inquiète, suave et attendri, d'une femme qui dévore les hommes comme du steak tartare.

Innamorato pazzo ! répétait mon père.

Marino est dingue amoureux. Depuis que je suis vigilante à ce sujet, ça me saute aux yeux et je tends l'oreille lorsque Benton lui répond d'une voix pesante que oui, Dorothy va bien.

Hormis le fait que l'un de ses sacs griffés, gigantesques et ostentatoires a été perdu, je rectifie pour moi-même.

Elle a atterri avec presque tous ses bagages, nous informe Benton en évoquant ma vaniteuse, suffisante et inopportune sœur, qui a toujours traité la chair de sa chair comme de la merde.

C'est insuffisant pour Marino, qui veut s'assurer que sa future maîtresse est véritablement saine et sauve :

— Bon, alors elle est enfin dans la voiture. Parce que je n'ai pas reçu de texto d'elle au cours des deux dernières heures. Elle a cessé de me répondre.

Sotto l'incantesimo ! aurait déclaré mon père. Marino est totalement sous le charme. Il a échangé avec Dorothy alors même que j'étais à ses côtés, travaillais sur cette foutue saloperie de scène, et ne m'a pas avertie. Soudain, je suis horrifiée à l'idée que j'ai peut-être prononcé ces mots. Peut-être pas. Peut-être ai-je cru le faire et me suis-je retenue à temps.

En tout cas, Marino se conduit comme si je m'étais contentée de penser. Je le dévisage. Soudain, deux silhouettes blanches comme des bonshommes de neige se tiennent devant moi, deux Marino. Aucune ne paraît vexée. D'un autre côté, je n'en suis pas certaine et je ferme les yeux. Lorsque je les ouvre à nouveau, Marino est redevenu unique et agit d'une façon normale pour lui. J'espère n'avoir pas prononcé les mots *foutue salo-perie*. Je ne suis pas bégueule, mais je parle rarement de façon crue. J'ai l'impression que tout s'emmêle dans mon esprit, que je vais entrer en éruption à la manière d'un volcan. Mes électrolytes sont tombés au fond de mes chaussures, une sensation très déconcertante.

— Tant qu'elle va bien, dit Marino à Benton. Mais l'aéroport est un vrai cauchemar à cause de l'alerte terroriste élevée, et qui sait quoi d'autre.

Il essaie de se montrer nonchalant, avec un piètre résultat.

— Elle est en compagnie de Janet et de Desi, précise mon mari, qui ne me quitte pas du regard.

— Et ils sont en route pour leur maison ? s'obstine Marino, mais l'attention de Benton est ailleurs.

— Il faut qu'on parle, Kay. Tu veux bien m'accompagner ?

Je détecte du chagrin sous sa coutumière volonté de fer. Je repousse mon heaume. Mes cheveux collent à mon crâne. Je ramasse ma mallette de scène de crime, qui me paraît soudain incroyablement lourde, et me rapproche de lui.

— Qu'est-ce qui se passe, Benton ? braille Marino. Vous en avez marre de la compagnie de vos petits gratte-papiers ? Vous supportiez pas de rater ce cirque ? Vous vouliez débouler ici pour observer comment bossent les véritables enquêteurs ?

Le grand flic se tient juste derrière moi, et sa voix de stentor pourrait faire exploser la barrière du son. Il ne comprend visiblement rien à ce qui se passe. Marino est trop occupé à balancer des vacheries contre le FIB, le Federal Incompetent Bureau, ainsi qu'il appelle le FBI. Et encore, il s'agit là d'un des surnoms presque aimables dont il les affuble. Il remarque enfin le masque sinistre de Benton et s'interrompt soudain, au milieu d'une pique. Mon mari semble ne voir que moi. Marino comprend enfin que quelque chose ne va pas du tout et demande :

— Merde ! Hé ? Qu'est-ce qui se passe ?

— Ça n'a pas l'air d'aller fort, Kay. J'aimerais que tu t'asseyes, conseille Benton, qui ne pourrait être à la fois plus gentil et sombre.

Il pose la main sur mon bras mais je me recule. Du sang macule les poignets de mes manches. Je dois me décontaminer. Il faut que j'ôte ces vêtements synthétiques avant de suffoquer. Le sentiment d'être emmaillotée des pieds à la tête me rend claustrophobe et ma respiration s'est faite plus rapide et laborieuse.

Je m'efforce de dissimuler que je suis à un cheveu de m'écrouler. Je ne connais que trop les signes avant-coureurs de danger. J'en subis déjà un : je ne transpire plus assez. Toujours aussi attentionné, mon mari suggère :

— Et si tu t'asseyais et buvais quelque chose ?

Il s'est toujours montré très prévenant, depuis le jour où nous nous sommes rencontrés dans la même salle. Je ne pouvais détacher mon regard de lui. Il a toujours fait preuve de considération, de bienveillance, alors que rien ne l'y contraignait et que la plupart des gens n'adoptaient sûrement pas cette attitude à mon égard. Il n'a pas suivi l'exemple de ses congénères de sexe masculin qui me voyaient en paire de seins et en cul sous une blouse de labo. Il ne m'a jamais appelée *m'dame* ni *Mrs*. Il prononçait à l'époque mon prénom de la même façon qu'aujourd'hui. Comme si cela revêtait une importance particulière.

— Il y a du Gatorade quelque part, ou une boisson de ce genre… ? demande-t-il, parce qu'il ferait n'importe quoi pour moi.

— Pas que je sache, mais je vais continuer à chercher, lance Marino accroupi devant sa petite glacière Harley-Davidson.

Ses doigts épais soulèvent la languette de métal. Je vois trouble et me laisse choir sur le couvercle de ma mallette de scène de crime. Je commence à m'extraire de ma combinaison de protection et chaque geste me coûte.

— Il faut qu'on parle de Briggs, Kay.

— Il annule la conférence, c'est ça ?

Je me sens godiche en posant cette question, comme si j'espérais une confirmation.

Je me doute que mon mari, l'agent spécial Benton Wesley, ne m'a pas rejointe ici pour cette raison. Il ne vient pas pour m'informer des détails de ma conférence avec Briggs mais pour m'embarquer parce que le gouvernement des États-Unis veut ce que je suis seule capable de donner. Ou d'abandonner. La seconde hypothèse me semble la plus vraisemblable. Quoi qu'il en soit, ce qu'exigera le FBI ne sera pas dans mon intérêt. Ça ne l'est jamais.

Je me penche pour retirer mes protège-chaussures maculés de taches vertes d'herbe et Benton poursuit :

— Je suis désolé. Je ne veux pas que tu l'entendes de qui que ce soit d'autre.

— Ruthie a essayé de me joindre. Elle semblait bouleversée. (Le sang cogne contre mes tempes.) J'ai pensé qu'elle m'appelait parce que Briggs ne pourrait pas m'accompagner demain soir.

Ce n'était pas le cas et j'aurais dû m'efforcer de la recontacter afin de découvrir ce qu'elle voulait réellement me dire.

— Il est parti. Je suis désolé, Kay.

— Bordel de merde ! hurle Marino en décapsulant une bouteille d'eau qu'il me tend, le visage rouge brique. Mais qu'est-ce que vous racontez, là ? Il est *parti* ? Le général Briggs est mort ?

— Je suis vraiment désolé, Kay, répète Benton.

Quelle ironie qu'il ait recours à un euphémisme. *Parti. Son dernier soupir. Plus à nos côtés. Plus ici.*

C'est impossible. Ce n'est pas ce qu'il veut dire. Pourtant, je sais que c'est vrai, et la terreur m'éperonne à nouveau. Elle me balance un coup sec dans le plexus solaire, m'interdisant le déni.

Mort.

Briggs a rejoint sa piscine à 18 heures. Quarante-cinq minutes plus tard, on le retrouvait noyé, flottant sur le ventre, et j'essaye de comprendre.

Mort.

L'air stagnant et puant me paraît enfumé comme si je regardais à travers un voile. J'avale une autre gorgée d'eau, si tiède que je pourrais m'y baigner. J'en renverse un peu sur mes mains, m'en asperge le visage. Je la fais dégouliner sur mes bras nus. J'appuie mes doigts contre mes tempes pour tenter d'alléger une affreuse migraine. Je regarde en haut, puis en bas, clignant des paupières à plusieurs reprises.

Je me relève. Marino est un feu roulant de questions. Il exige de connaître ce que le FBI pense de la noyade de Briggs, et *est-ce en lien avec la femme morte du parc* ? C'est imprudent de la part de Marino. Il vient juste de leur offrir une autre opportunité de tirer le tapis sous ses pieds. Il le fait de plus en plus.

Le visage de Benton me paraît flou alors qu'il conseille :

— Kay ? Tu devrais t'asseoir. Je t'en prie, calme-toi. Je veux m'assurer que tu peux rentrer. On devrait te raccompagner. Tu veux un fauteuil roulant ?

— Certainement pas. Accorde-moi quelques minutes, dis-je, nauséeuse.

— Assieds-toi et bois, je t'en prie.

— Je vais bien.

Pourtant je chancelle, et ça ne devrait pas s'arranger si je n'y prête pas garde. Je ne veux pas être malade et mon regard se tourne au loin, abandonnant Benton, Marino. Ne fixe pas. C'est une recette pour le désastre. Mes yeux se posent ici et là, en haut en bas. Rien ne doit retenir mon attention plus d'une seconde ou deux, et mon regard passe d'un point à un autre. Ne fixe rien parce que c'est à ce moment-là que tout arrivera.

C'est à ce moment-là qu'on perd les pédales et je ne compte plus le nombre de gens que j'ai ramassés sur le sol en résine époxy de la salle de morgue, ou à qui j'ai tendu le seau en plastique que nous conservons à portée de main. En général des flics qui se massent autour de la table d'autopsie en inox comme s'il s'agissait d'une promenade de santé, et je sais toujours ce qui va survenir.

Leur regard lointain dès que la lame de scalpel découpe le torse, dessine l'incision en Y, descend, tourne autour du nombril, repousse des tissus. Gestes adroits et rapides de lame.

La cavité gastrique, les intestins sont exposés et il ne s'agit pas d'aromathérapie, pour citer Marino. À cela près qu'il le prononce, et même l'écrit, Romathérapie avec un R majuscule comme dans la ville éternelle. Comme dans Romulus et Remus.

Deux
Quatre
Six
Huit
Souviens-toi
De ne
Pas
Fix-er !

Mon petit refrain de morgue. Un excellent moyen mnémotechnique. Regarde ici. Regarde là-bas. Ne fixe pas. Je me récite ma petite comptine parce que cette fois-ci, c'est moi qui en ai besoin. Je contrains mon regard à aller, venir. Mon attention s'égare...

Sur l'herbe.

De l'autre côté de la piste cyclable en gros sable de couleur fauve.

À nouveau vers la femme morte, abandonnée, allongée sur le dos.

Avec son soutien-gorge de sport blanc.

Son short bleu.

Et ses socquettes à rayures grises.

Sa tête, ses mains, ses pieds sont enfouis dans des sacs en papier kraft comme un arbre déraciné dans sa toile de gros chanvre.

Morte.

Enveloppée comme un indice, dépersonnalisée, presque déshonorée et cela ne peut pas être la jeune femme fière, intrépide et vive que j'ai rencontrée un peu plus tôt. À deux reprises. Attirante, avec de l'esprit, en excellente forme, sûre d'elle et de la vie. Elle me fait penser à Lucy. Comment se peut-il qu'elle ait été réduite à cela ? Un déchet embarqué et dans lequel on va tailler ?

Ce qui ne vous tue pas vous rend plus fort.

Pourtant, ça l'a tuée. Quelle étrange chose à dire, à croire qu'une part d'elle-même savait et tentait d'en rire. J'aurais dû m'interposer, d'une façon ou d'une autre. Nous nous sommes croisées deux fois et je n'ai rien pu empêcher.

Je jette un regard circulaire à la tente noire, cubique, et à son squelette en aluminium gris. Puis au corps, et je me souviens de ses épaules musclées, de son sourire éclatant alors qu'elle scotchait des recettes sur les murs du Loeb Center. Je me souviens qu'elle avait fait tomber sa bouteille d'eau sur le trottoir devant le Faculty Club.

Vous êtes la dame à la tarte au beurre de cacahouète.

Elle avait chaud, sa peau bronzée luisait de sueur. Le soleil se couchait. L'horizon était coloré de traînées couleur pêche et rose et je l'avais suivie du regard alors qu'elle traversait Quincy Street.

Morte.

Je lève les yeux vers les arbres. Leurs lourdes branches vertes immobiles dans l'air figé et chaud. Il se métamorphoserait en bruyante symphonie si les odeurs se transformaient en instruments de musique, s'accordaient dans un orchestre de puanteur. J'entendrais des notes en mineur, les dièses et les bémols, les percussions accompagnant un chaos qui va *crescendo*. Lourd de basses, qui montent à la façon d'une coda suffocante.

Et puis la salle de théâtre plongerait dans l'obscurité, après les rappels de la mort. Et la foule grouillante et boursouflée enflerait tant, puerait tant que je ne pourrais plus me frayer un passage.

Chercher une issue. N'en trouver aucune. Il n'en existe aucune. C'est la première chose que dirait Briggs. Je ne peux pas rejoindre la morgue de Baltimore pour lui.

Ça ne ferait qu'offrir aux sales types quelque chose à déterrer qui ne doit pas voir la lumière du jour, Kay.

Je peux l'entendre comme s'il se tenait devant moi avec ce grand sourire, ces fossettes profondes. Il n'existe qu'une règle dans la vie, assenait-il. Faire ce qui est juste. Pourtant, il ne l'a pas toujours fait, et j'essuie mes yeux du dos de mes mains.

33.

Je suis assise, silencieuse, sur mon perchoir en plastique noir très dur. Je me tiens droite et respire avec application, en m'efforçant de ne pas m'avachir.

J'ai acheté la grosse mallette robuste il y a des années, chez Home Depot, un trône approprié pour une *reine du crime*, *Votre Morgesté*, *Saigneur de Cambridge*. Bryce est passé maître ès calembours, et m'affuble de nombreux surnoms lorsqu'il pense que je ne l'entends pas.

Je patiente pour que mes molécules se disciplinent et que mes vertiges s'atténuent. Luttant contre une épouvantable migraine, je penche la tête, à droite puis à gauche, et mon cerveau semble glisser avec lourdeur et lenteur dans ma boîte crânienne. J'écoute Marino et Benton, avale de l'eau à petites gorgées. Je les détaille alors qu'ils conversent, mon regard va de l'un à l'autre.

On dirait que j'assiste à un match de ping-pong. Point et contrepoint d'un chant grégorien. Le pugiliste grognon contre l'imperturbable stoïque.

De ma place d'orchestre, j'observe Marino qui y va d'une salve de questions et Benton qui élude et biaise, n'offrant aucune information importante à propos de ce qui est arrivé à notre ami commun, John Briggs. Toutefois, je me rends compte que mon mari n'hésite pas à s'intéresser à la femme morte qui gît non loin de nous, une Canadienne de vingt-trois ans qui ne devrait pas se retrouver sur le radar du FBI, certainement pas si vite.

De plus, je ne crois pas au détachement qu'affiche Benton au sujet de l'hélicoptère qui survole la rivière, d'amont en aval. À moins qu'il y en ait plusieurs. Pourtant, mon mari se comporte comme s'il ne remarquait rien. Or, à cette heure tardive, ça ne peut pas être un vol touristique, et l'écho des moteurs paraît beaucoup trop important pour un engin appartenant à une chaîne d'information locale. J'ai l'intuition que les fédéraux ont commencé à pointer le bout de leur nez, ou qu'ils ne tarderont pas, et je ne pense pas que Marino ait la moindre idée de ce qui se trame. Peut-être parce que la cécité est préférable. Je me repose et m'hydrate. Je lui donne encore un instant avant que la réalité ne le heurte de plein fouet, de façon assez désagréable. Je reconnais une prise de contrôle peu amène lorsque j'en vois une.

— ... La question sera de savoir pourquoi elle a quitté son emploi à Londres. Si la famille était satisfaite de ses services, elle se serait accrochée le bec et ongles à cette jeune femme pour l'empêcher de partir. Pourquoi a-t-elle démissionné ?

Benton discute des Portison de Londres et d'Elisa Vandersteel, leur ancienne au pair.

— Peut-être à cause de son visa ? suggère le grand flic.

— Il existe des moyens de s'arranger si la famille souhaitait la garder et que c'était aussi le désir de la jeune femme. Il est vrai que les deux garçons sont assez âgés, maintenant. Treize et quatorze ans. Peut-être y a-t-il une explication toute bête : les Portison n'avaient plus besoin d'une employée pour veiller sur leur progéniture.

— Quels deux garçons ? Comment vous savez un truc pareil ? C'est Lucy qui vous a raconté ça ?

Benton ne se sent jamais obligé de répondre à une question lorsqu'il n'en a pas envie. Il mène l'interrogatoire et commente cette affaire comme si elle lui appartenait. Marino ne tient plus en place et perd contenance. Il a soigneusement rangé sa mallette Pelican et pourtant il s'agenouille sur l'herbe pour la rouvrir, à la recherche d'une occupation. Il soulève les fermetures avec nervosité, et sa voix prend en force, indiquant qu'il est sur la défensive.

— Ouais, je sais quelles sont les questions. Vous avez dû en discuter avec Lucy et j'ignore pourquoi, parce que la dernière fois que j'ai vérifié, ça n'était pas votre foutue enquête.

— Peut-être qu'elle a trouvé des renseignements auprès des gens du théâtre ? (À nouveau, Benton ne répond pas directement. Son regard se perd en direction du corps, à cinq mètres de là.) Par exemple, qu'est-ce qui a pu l'inciter à s'installer à Cambridge ?

Marino soulève l'épais couvercle de sa mallette de scène. Benton poursuit :

— La véritable question consiste à savoir si Elisa Vandersteel était la cible désignée ou une victime aléatoire, au mauvais endroit, au mauvais moment.

Marino a entrepris de revérifier les indices protégés dans leurs sachets. Je sens que sa colère et sa paranoïa progressent à pas de géant. Il balance :

— La question de qui ? J'avais cru comprendre que vous étiez venu pour parler de Briggs.

Il fixe Benton et son gros visage a viré au rouge brique lorsqu'il comprend enfin la vérité. Il vient de se passer quelque chose concernant la juridiction dont dépendra l'affaire Vandersteel. Cela expliquerait la venue de Benton. Si le FBI a récupéré l'enquête, il devient logique que mon mari fouine sur la scène de décès, à l'intérieur de la tente, prenant garde où il pose les pieds, étudiant les arbres, l'herbe, la piste cyclable, sans oublier le lampadaire endommagé et la pluie d'éclats de verre. Quand il ne me regarde pas, il étudie le reste, avec une application qui excède sa curiosité naturelle.

Je sais lorsqu'il traque, lorsqu'il passe en mode profileur. Je sais également que le FBI n'aurait pas dû être invité à collaborer sur l'affaire Elisa Vandersteel, du moins pas en cette phase précoce. L'attitude de Benton, sa concentration, son énergie et sa gravité tranquille m'indiquent qu'il n'a pas besoin d'une sollicitation.

Cela suggère, au contraire, un fait accompli. Cette pensée me dérange et m'inquiète. Nous ne savons pas encore s'il s'agit véritablement d'un homicide. Depuis quand le FBI se préoccupe-t-il d'électrocution ou de foudroiement ?

Je ne doute pas que Barclay a lâché des indiscrétions de toutes sortes alors qu'il escortait Benton dans le parc, même si, à ce moment-là, le gros des dégâts était déjà fait. Une décision a été prise, sans quoi mon mari ne se serait jamais montré ici. Benton ne peut pas débouler sans crier gare et s'arroger le droit d'enquêter sur une affaire. Il s'agit d'un processus précis et je me demande quand Marino finira par comprendre que mon mari ne le traite plus à la manière d'un collègue d'investigation.

Je regarde le grand flic alors qu'il range à nouveau sa mallette de scène de crime de la taille d'un cercueil. Il s'agite d'une façon presque obsessionnelle comme lorsqu'il entreprend de ranger ses énormes boîtes à outils ou d'appâts de pêche.

— ... Selon moi, une crise cardiaque.

Marino me fait l'effet d'un papillon de nuit qui heurte le carreau d'une fenêtre. Il est déterminé à tirer la vérité de Benton au sujet de Briggs, au sujet de tout.

En réalité, j'assiste à ses derniers soubresauts dans le rôle principal, ou n'importe quel rôle, en ce qui concerne l'affaire Vandersteel. Il ne sera pas non plus impliqué dans les événements survenus dans le Maryland. Cela étant, d'un strict point de vue technique, il ne l'a jamais été.

— … Je me demande si Ruthie a dit quoi que ce soit sur le fait qu'il ne se sentait pas bien, s'obstine-t-il, tandis que Benton l'ignore toujours.

Le grand flic n'a pas encore été clairement informé que son enquête venait d'être réquisitionnée par les fédéraux et, puisqu'ils se montrent rarement enclins à la collaboration, ça équivaut à être viré. Benton n'est pas à l'origine d'une telle décision. Ce n'est pas ainsi que ça se passe lorsqu'un enquêteur local est privé de son affaire, ou plus exactement, lorsqu'une affaire lui est enlevée. Benton ne le lui annoncera pas. D'ailleurs, ce n'est pas nécessaire, c'est une évidence, au même titre que la puanteur et la chaleur qui nous environnent.

— Peut-être qu'il se sentait pas bien, qu'il avait des douleurs dans la poitrine. Ou alors, c'est à cause du pacemaker qu'on lui a posé, il y a huit ou neuf mois ? (Marino commence à fulminer et Benton reste coi.) Merde, je vois bien que vous n'allez rien lâcher. En d'autres termes, vous vous comportez en enfoiré classique de fédé.

Un commentaire abusif. Si Marino n'était pas si distrait par son inconfort et sa fatigue, par ces habituelles insécurités et luttes de pouvoir, peut-être réaliserait-il ce qui saute aux yeux. Briggs jouissait d'une autorisation maximum de sécurité et conseillait régulièrement les huiles de l'armée, le ministre des Affaires étrangères et les ministères de la Défense et de la Justice.

Il était invité à des réceptions à la Maison-Blanche et avait l'habitude d'informer le Président. Il revêtait un intérêt particulier pour les services de renseignement américains, pour des raisons évidentes, services qui ne s'impliqueront pas directement dans l'enquête classique sur sa mort. La CIA est plus rusée que ça.

En général, elle utilise le FBI comme agent de liaison, une devanture parce que les super espions ne sont pas supposés entrer en contact direct avec des médecins-experts, des flics, bref des civils à leurs yeux. Il s'agit d'une façon benoîte de dire que dans le monde réel, la CIA est la sorcière invisible qui frotte la boule de cristal du FBI, qui détourne et déploie ses agents et ses experts comme un escadron de sous-fifres.

Et soudain, sans prévenir, ils s'abattent sur vos scènes de crime, dans vos bureaux, interrogent vos témoins et même vos familles, fouillent vos papiers, vos bases de données, vos laboratoires, vos morgues, et même vos domiciles. Sans aucun respect pour les dommages qui peuvent s'ensuivre. Des flics tels que Marino peuvent ne jamais apprendre qui les a mis sur le tapis et pourquoi. Le cauchemar de n'importe quel détective est qu'un jour les fédéraux récupèrent une enquête majeure, surtout si les agents impliqués sont discrètement aux ordres d'une organisation aussi opaque que la CIA.

Je regarde les deux hommes. Marino suit Benton des yeux, qui détaille les environs, contemple, éva-lue, se comporte comme en terrain conquis, alors que j'ignore presque tout du décès de mon mentor, mon ami retrouvé dans une piscine. Laquelle ? Celle de la Dover Air Force Base dans le Delaware ? Je sais qu'il y enchaînait religieusement des longueurs de piscine lorsqu'il supervisait le Charles C. Carson Center pour les Affaires mortuaires, une extension de l'armée qui se charge de la récupération, de l'identification, du trans-port et des obsèques du personnel militaire.

Briggs était-il en déplacement ? Dans ces cas-là, il n'hésitait pas à profiter de la piscine de l'hôtel, lorsqu'elle existait. Pourtant, une intuition me vient, tragiquement ironique si elle se vérifiait. Cela évoque-rait un jugement de l'Ancien Testament. Je revois la charmante maison de pierre, qui s'élève dans le très joli quartier de Bethesda, juste après l'Old Georgetown

Road. Briggs a acheté la propriété il y a des décennies. Sa proximité avec le Walter Reed National Military Medical Center, où nous avons travaillé ensemble, représentait un atout à ses yeux.

— Là, Doc.

Je me rends compte que Marino se tient au-dessus de moi et que Benton et lui ont cessé de discuter. Marino a récupéré une boisson énergisante, aussi chaude que l'air lourd et empuanti. La bouteille nichait dans une poche de sac à dos. Elle y a traîné je ne sais combien de temps, mais peu m'importe. J'essuie la saleté et les peluches qui adhèrent au verre, et la décapsule. La saveur fruitée, un peu salée, est assez écœurante. J'ai l'impression que la nicotine d'une cigarette dévale dans mes veines ou que je viens d'avaler un fond de scotch.

— Y'a des dates de péremption pour ce genre de trucs ? Désolé que ce soit pas frais.

Marino me regarde pendant que j'avale goulûment. La sueur a assombri ses vêtements de plusieurs tons.

Briggs passait son temps libre à réparer l'Endless Pool, sa piscine à contre-courant, installée sur la terrasse, à l'arrière de la maison.

Je m'en souviens comme si c'était hier, et une peine affreuse m'envahit. Trop économe et obstiné pour la remplacer, il la faisait durer à l'aide de trombones et d'élastiques et aimait à s'en moquer. À ses yeux, il ne s'agissait que d'un appareil de mise en forme, similaire à un vélo d'appartement ou à un tapis de course, et ce type de nage faisait partie de sa routine quotidienne lorsqu'il rejoignait la maison conjugale du Maryland.

J'en ai été témoin lorsque je séjournais chez eux. À 18 heures précises, ce qu'il appelait l'heure fatale entre travail et Johnnie Walker, il descendait dans l'eau chauffée à 27 °C et sélectionnait la force du contre-courant qui lui convenait ce jour-là. Il nageait ainsi sur place durant trente minutes, ni plus, ni moins. Après tout ce que nous avons traversé ensemble ? Après mes protestations au sujet de ses bricolages ? C'est ainsi que finit l'histoire ?

Je pose la question à Benton. Il faut que je sache où se trouvait Briggs. Dans sa maison du Maryland ? Je veux savoir et peu m'importe que mon mari ne souhaite pas parler devant Marino, ni d'ailleurs à moi. Le nom de la personne en charge de l'enquête m'indiffère. Je dois comprendre certaines choses. Maintenant.

Benton me lance ce regard qui m'incite à ne pas le pousser trop loin dans ses retranchements, parce que le lieu et le moment sont mal choisis pour ce genre de discussion, mais condescend à répondre.

— Oui, à Bethesda.

— Où était Ruthie ?

Je m'entête, et il peut au moins me révéler ça.

— Elle préparait le dîner.

La fenêtre située au-dessus de l'évier donne sur la terrasse en séquoia et le jardin clos situés à l'arrière de la maison. Cependant, de là on ne peut apercevoir la piscine installée à proximité du flanc de la maison, non loin de la mangeoire à oiseaux et d'une remise à outils. J'ai seriné à Briggs qu'il se montrait imprudent. Et s'il avait un infarctus ? Si quelque chose lui arrivait ? Il était peu probable que quiconque s'en aperçoive à temps.

Je l'ai harcelé pour qu'il achète un défibrillateur, qu'il installe un système de caméras. Quand on a dû lui poser un pacemaker, je lui ai proposé un kit de démarrage pour caméras de surveillance CCTV de sorte que Ruthie puisse le voir de différentes zones de la maison lorsqu'il faisait de l'exercice.

Merci, mais vraiment pas, m'avait-il répondu. *Je me passerai volontiers d'être espionné davantage que je ne le suis déjà.*

Il y a environ six heures, me dit Benton, Briggs est sorti par la porte arrière, avec sa serviette, ses lunettes de piscine, pieds nus, en slip de bain. Je suis passée un nombre incalculable de fois chez eux. Je revois l'Endless Pool, à peu près de la taille d'un spa domestique. Briggs l'a achetée il y a une quinzaine d'années, lorsque de vieilles blessures de football se sont rappelées à son souvenir et que ses articulations ont commencé à protester.

Il a abandonné la course au profit de la natation. Il menait la guerre contre le contre-courant artificiel de sa piscine dans leur propriété du Maryland. S'il voulait renforcer son endurance, il augmentait la puissance. Il enfilait alors des mitaines étanches et des palmes pour augmenter sa résistance et je me demande s'il en portait ce soir. Benton ne semble pas savoir. Marino soulève sa grosse mallette Pelican par la poignée, la fait rouler jusqu'à l'entrée de la tente alors que j'entends des voix et le cliquetis d'une civière.

La sonnerie du téléphone de Marino brise le calme mortifère. Il a choisi une sirène de raid aérien de la Seconde Guerre mondiale, une alerte urgente que j'ai déjà entendue quelquefois. Il s'éloigne un peu afin de répondre à un interlocuteur, sans doute en haut de l'échelle du département de police de Cambridge.

— Ouais, je suis toujours sur les lieux. On est en train de boucler. Quoi ? Vous plaisantez ! (Il semble exaspéré quoique se contrôlant.) Ouais, je vous entends. Ça me surprend pas trop. (Il jette un regard de colère à Benton.) Bordel, c'est arrivé quand ?

Le panneau de la tente se soulève à nouveau et Harold entre, l'air las. Il m'adresse un sourire de compassion. Il me demande si j'ai besoin de quoi que ce soit. Je saurais, à son expression, s'il avait appris le décès de Briggs. Le CFC n'existe que grâce au général John Anderson Briggs. Il a contribué à la mise au point du projet, y a passé un temps considérable avec nous au fil des années. Harold, Rusty et le reste de mon équipe seront atterrés. Pas autant que moi, toutefois.

Marino fait de grands gestes en discutant. Il expédie des regards furtifs et pleins de ressentiment à mon mari et lâche à son interlocuteur :

— ... Ouais, du coup ça semble logique. C'était super sympa de sa part de m'informer en personne, vu que ça fait une bonne quinzaine de minutes que je parle avec lui.

— Il fait encore une chaleur infernale ici, commente Harold avec un hochement de tête solennel.

Il m'observe comme si je m'étais transformée en cliente potentielle d'une maison de pompes funèbres.

Je peux presque l'imaginer en train d'établir une liste des différentes colles, cosmétiques dont je vais avoir besoin et s'il sera nécessaire d'avoir recours à des cires.

— Si vous me le permettez, docteur Scarpetta, je voudrais vous dire...

— Non je ne préfère pas, Harold, je n'ai pas besoin d'entendre, en ce moment, que j'ai l'air encore plus délabrée que certains de mes patients.

— Bordel de fils de pute, lance Marino en mettant un terme à sa conversation.

— Chef, je pense qu'une petite pause dans un endroit frais ne serait pas superflue. (Harold récupère la bouteille de boisson énergisante que je viens d'assécher, l'étudie avec un froncement de sourcils avant de la balancer dans le sac-poubelle.) Vous saviez qu'elle était périmée ?

— Eh bien, elle et moi formons la paire, Harold. Merci, et vous savez où je serai. On se revoit au centre.

Je jette un regard à mon uniforme de morgue humide et sale, et à mes chaussures insupportables.

— Vous êtes sûre de vouloir vous déplacer ? Vous me paraissez encore souffrir de la chaleur... Ah, la, la... (Il enfile une paire de gants.) Ce que je veux dire, c'est que je ne suis pas certain que vous devriez faire des efforts physiques. Du tout.

Il m'évalue de la tête aux pieds, inquiet.

Je remue l'index pour le dissuader et intime :

— N'y pensez même pas !

— Eh bien, il se trouve que nous avons une civière libre, aussi propre qu'un sou neuf...

— Non. Merci. Vraiment, dis-je en détachant chaque mot.

— D'accord. Mais on va prévoir les renforts au cas où vous vous sentiriez mal. Ça fait une trotte, et il y a plein de monde. Les forces de l'ordre, quelles qu'elles soient, ajoute-t-il, pour me faire comprendre que des flics et des agents ont rejoint le parc depuis que nous sommes sous la tente.

— Et les médias ?

— Oh non ! Ils ne peuvent pas pénétrer dans le parc, c'est complètement bouclé. Ils ont bloqué les entrées et même celles qui débouchent dans Bennett Street et Eliot Street, sans oublier University Road. Il y a des véhicules de police partout, la plupart avec leurs gyrophares éteints, et des voitures banalisées qui rôdent dans les parages. En plus, j'ai entendu un hélicoptère. Enfin peut-être plus d'un.

Il poursuit son état des lieux du même ton sérieux et calme. Il m'affirme que mes équipes sont mobilisées, et ça ne fait que confirmer ce que je pensais. Il a bien compris que l'arrivée de Benton ici ne devait rien au hasard. Harold reconnaît les signes d'une prise en main et il s'est débrouillé pour mettre en place un front défensif alors que le jour n'est pas encore levé.

Anne, ma radiologue, a accepté de nous rejoindre immédiatement au centre, confirme-t-il. De même que Luke Zenner. Quant à Bryce, il se trouve déjà sur place. Rusty est retourné au CFC avec notre centre de commandement mobile puis revenu au volant d'une fourgonnette afin de transporter le corps d'Elisa Vandersteel. En résumé, Harold m'a épargné des heures de casse-tête et peut-être même davantage. C'est l'une des nombreuses raisons pour lesquelles je ne pourrais pas me passer de lui, et je le remercie.

— J'ai besoin de toute l'aide qui m'est offerte. J'ai l'impression que cette nuit déjà longue est en train de devenir interminable.

— J'ai bien peur que vous ayez raison, chef.

Harold m'adresse un sourire, entre respectueux et onctueux.

Benton passe la bandoulière de ma sacoche sur son épaule, et feint de n'avoir rien entendu de ce que nous disions. Il m'emboîte le pas alors que je me baisse pour passer sous le rabat de tissu noir, abandonnant la lumière crue de la tente pour la nuit d'encre. Durant un instant, je suis aveuglée. Cependant, l'espace extérieur, vaste, chaud, est presque un soulagement. J'inspire au maximum un air qui n'est plus confiné et malodorant.

— Comment te sens-tu ? D'attaque pour marcher ? Dis-moi la vérité, déclare mon mari, et peut-être est-ce un effet de la confusion qui règne dans mon esprit, mais je perçois une vibration.

— Tant que je n'ai pas besoin de courir.

Je perçois un *thud-thud* caractéristique.

— On y va doucement, s'il te plaît.

Il me regarde mais mon attention est attirée vers la rivière. Le *whomp-whomp-whomp* se répercute dans mes os, dans mes organes. Je scrute la nuit. La turbulence mécanique ricoche des immeubles au pont, rendant difficile la localisation de cette chose qui semble volumineuse et inquiétante.

Je suis presque certaine qu'il s'agit du même hélicoptère que celui que nous avons entendu plus tôt, ou d'un appareil similaire. Je remarque une lumière d'un blanc éclatant, au nord-est, dans l'obscurité distante, un feu qui se rapproche de nous. Nous nous immobilisons pour regarder le faisceau lumineux étincelant qui se dirige vers les campus du MIT et de Harvard.

Il lèche l'eau ébouriffée de vaguelettes, zèbre les épaisses cimes des arbres, la piste cyclable de ce côté de la rivière.

34.

Le Bell 429 vrombit à basse altitude, à faible vitesse. Il tournoie, brasse l'air de ses pales. Il ne doit guère se trouver à plus de quatre cents pieds au-dessus de nos têtes et voler à plus de soixante nœuds. Le souffle du rotor malmène la cime des arbres avec violence, et je me félicite que nous ayons collecté les indices. J'aurais été furieuse si cet engin avait débarqué ici avant que la tente ne soit montée.

— J'espère qu'il n'a pas l'intention de faire du sur-place ici.

Je m'adresse à Benton en haussant la voix comme s'il avait quelque chose à voir avec ce spectacle assourdissant, et peut-être est-ce le cas.

Le bimoteur nous dépasse dans un grondement, générant une formidable bourrasque d'air. Je distingue les emplacements de pièces d'artillerie sur les patins, son éclairage NightSun de cinquante millions de candela fixé sous le ventre, le treuil de sauvetage, et la caméra à infrarouges FLIR.

La silhouette de l'oiseau m'évoque un têtard mons-trueux, carnivore. Ses portières n'ont pas été enlevées ni ouvertes. Elles le seraient s'il s'agissait d'une opé-ration tactique ou de sauvetage. En d'autres termes, l'objectif de l'appareil pourrait être une mission de sur-veillance, quoique ce que je voie me semble surtout de la démonstration, une sorte d'étalage.

Benton et moi tendons le cou afin de mieux distin-guer l'appareil et je demande :

— C'est l'un des vôtres ? Parce qu'il ne s'agit ni de Boston, ni de la police d'État ou des services médicaux d'urgence. Pas non plus l'armée, les marines, la Navy ou les garde-côtes. En tout cas, cela n'a rien à voir avec Lucy, bien qu'elle ait enfilé son uniforme de pilote il y a quelques heures. Ce n'est pas son hélicoptère.

Le phare de pénétration, long, rectiligne, ressemble à une grande craie d'un blanc éclatant. L'engin banalisé, noir mat, vire vers l'aval de la rivière, opérant un changement d'itinéraire à 180° au Harvard Bridge, non loin de mon quartier général.

— Il ne s'agit pas de mon idée, concède Benton alors que nous restons plantés à l'extérieur de la tente, visages levés vers le ciel.

— De quelle idée parlons-nous ? Il quadrille la rivière de haut en bas pour quelle raison ?

— Disons juste que Carrie Grethen prospère grâce à l'attention mais qu'elle n'est pas la seule.

Par *pas la seule*, il désigne son propre camp, ses collègues agents, et nous observons l'hélicoptère alors qu'il rugit en passant, à nouveau, au-dessus de nous.

— Je m'y suis opposé en arguant qu'elle prendrait son pied si on la poussait vers la vitesse supérieure. Elle montera encore plus haut dans la surenchère. Mais ma voix n'a rien changé.

Il ne m'en dira pas plus.

Je peux sans doute deviner le reste, avec un bon degré de fiabilité. Le FBI fouille cette partie de Cambridge. Je parierais qu'ils ont aussi fait décoller des hélicoptères dans le Maryland, et peut-être aussi ailleurs. Si Carrie Grethen est leur unique motivation, ils sont vraiment stupides, et Benton a raison sur ce point. En réalité, si la situation n'était si grave, leur tentative d'intimidation de Carrie serait presque drôle.

Les grosses machines du Bureau ne l'impressionnent pas. De surcroît, il me paraît vraisemblable qu'ils se sont déployés pour l'apparence, pour s'assurer que le contribuable voie des agents fédéraux débouler pour régler les problèmes. C'est ce à quoi Benton faisait référence lorsqu'il a déclaré que Carrie n'était pas le seul ego dans l'histoire. Rien de tel que de faire des vagues. Rien de tel que d'y aller d'une démonstration presque théâtrale, mais fausse, et c'est pour cela que des flics tels que Marino critiquent sans cesse le Fameux Bureau de l'Incompétence, le FBI.

Cela explique que le grand flic se méfie d'eux et éprouve du ressentiment à leur égard. Une vague d'indignation m'envahit alors que je pense que le cadavre d'Elisa Vandersteel est soulevé et déposé sur une civière en ce moment même. Le Bureau, avec ses équipements très chers et ses agents rusés, ne se mobilise pas pour elle. Elle ne représente rien d'autre qu'un moyen justifiant la fin, et la même question tourne dans mon esprit. Que pourchassent en réalité les fédéraux ?

La réponse est presque toujours banale, voire prévisible. Ajoutez la politique au pouvoir, assaisonnez généreusement de publicité. Puis, versez dans le mélange une alerte antiterroriste pour la zone Boston-Washington, celle que Benton a mentionnée plus tôt, et voici le plat auquel je suis sans doute confrontée. En résumé, c'est la raison pour laquelle on marginalise Marino, et ce sera également mon sort si je ne me montre pas habile.

— On ne fait pas la course. Si tu sens que ta respiration devient laborieuse, si tu as des vertiges, on marque une pause, conseille Benton.

Il a adopté une allure très paisible pour rejoindre sans heurts l'endroit où il s'est garé, à côté de l'entrée qui débouche sur la John F. Kennedy Street.

Au-dessus de nos têtes, la circulation sur le pont s'est fluidifiée entre Cambridge et le Back Bay de Boston. À cette heure, beaucoup de camions défilent, mais bien moins de voitures ou de motos. La Charles River s'écoule avec lenteur, comme du verre fondu, caressée par la lueur irrégulière des lampadaires qui ponctuent la rive. L'hélicoptère a disparu, et nos pas résonnent sourdement.

— Que se passe-t-il véritablement, Benton ? J'ai bien une petite idée, mais je préférerais entendre ta version des événements.

— Holà ! Et donc, il y aurait déjà plusieurs versions ?

— Tu ne peux pas être de mon côté, voir les choses à ma façon, pas plus que moi de la tienne. En dépit de ce qu'affirme Marino, je ne suis pas mariée avec le FBI.

— Je voulais vérifier comment tu allais pour plusieurs raisons et il me paraissait important de t'apprendre de vive voix le décès de Briggs. Toutefois, ce n'est pas le seul motif de ma venue.

— À l'évidence. Tu inspectais les alentours et posais des questions au sujet d'une affaire qui, *a priori*, ne te concerne pas. Tu n'es pas du genre à te montrer et à t'immiscer dans une enquête locale. Ça signifie qu'il s'est passé d'autres choses. Et qu'elles sont arrivées très vite, en un clignement de paupières.

— En effet, parce que tout a dégringolé à peu près au même moment.

Il m'explique qu'avant de nous rejoindre ici, il a discuté au téléphone avec Gerry Everman, le chef du département de police de Cambridge. Il ne précise pas qui était à l'initiative de cette conversation, mais je le devine. Le FBI. Lorsqu'ils ont décidé de récupérer une enquête, c'est ainsi qu'ils procèdent. Et ça ressemble exactement à ce qui se passe alors que je traverse le parc en compagnie de leur profileur vedette. Nous nous dirigeons vers une zone très boisée qui fait suite à la clairière. J'écoute l'écho de nos pas sur la piste au remblaiement tassé avec sa surface sableuse, un mauvais matériau pour relever des empreintes de semelles ou des marques de pneus. Au loin, le sourd grondement de la circulation nous parvient par vagues successives. Des bribes de conversations, échangées dans l'obscurité impénétrable, flottent jusqu'à moi et je distingue vaguement des ombres chinoises qui parlent à voix basse.

Je sens que l'on nous regarde. Je devine des uniformes, des vêtements de terrain, des pantalons de treillis et des polos. Des flics, peut-être des fédéraux. Harold a mentionné que pas mal de représentants des forces de l'ordre avaient rejoint la zone.

— Électrique ? J'ai l'impression que c'est l'option à laquelle tu en es arrivée. (Le murmure de Benton est à peine perceptible et je marche très près de lui.)

Elle serait donc passée à proximité d'un lampadaire et aurait été électrocutée.

— Et ensuite, la logique des événements nous échappe parce que le reste est déroutant, pour ne pas dire contradictoire. (Je saisis sa main et peu m'importe que l'on nous voie.) Le lampadaire est-il à l'origine de sa mort ? Ou alors la lampe a-t-elle explosé sous l'effet du courant qui a tué la jeune femme ? En ce cas, d'où provenait la source active ? S'il s'agissait d'un défaut du lampadaire, comment expliquer les blessures qu'elle présente, ces petites brûlures linéaires qui n'ont aucun sens ? Pour couronner le tout, j'ai du mal à saisir la raison de l'intérêt très précoce du FBI, alors que nous demeurons avec beaucoup plus de questions que de réponses.

— De ce que je comprends, on dirait qu'elle est entrée en contact avec des fils électriques dénudés.

— Tu comprends pas mal de choses. Mais nous n'avons découvert aucun fil de ce genre, et il aurait fallu qu'il soit suspendu à une certaine hauteur par rapport au sol pour entrer en contact avec sa nuque et ses épaules. On pourrait presque croire qu'elle pédalait et qu'elle est passée sous quelque chose qui n'est plus visible.

— Ou alors quelque chose est passé au-dessus de sa tête, suggère Benton.

— Tu sembles partir du principe qu'il s'agit d'un homicide. Je n'ai aucune certitude là-dessus pour l'instant.

— En tout cas, le fait qu'elle puisse être une cible reste un mystère, rétorque-t-il. À ma connaissance, Elisa Vandersteel n'avait aucune connexion avec nous ou Briggs. Je ne vois pas non plus quel intérêt pourrait représenter cette jeune femme aux yeux de Carrie Grethen. La victimologie me laisse perplexe. Un truc ne cadre pas.

— Est-ce que ça dérange tes collègues ? Parce que, oui, quelque chose ne cadre pas. C'est même un euphémisme.

— Elisa Vandersteel était une cible facile, aléatoire, au mauvais endroit, au mauvais moment. Briggs était une cible difficile. Voilà la théorie.

— La tienne ?

— Je ne suis pas certain d'avoir élaboré de théorie, mais je sais que Carrie Grethen ne tue pas sans raison, déclare Benton. Elle ne fait pas dans l'abattage au pif. Au contraire, elle s'enorgueillit de ce qu'elle pense être son code moral et son honneur. En d'autres termes, son mode opératoire ne consiste pas à annihiler des gens qui ne le méritent pas, selon ses critères. Pourquoi ciblerait-elle une jeune Canadienne de vingt-trois ans, une au pair dont le rêve se résumait à devenir actrice ?

— J'ai l'impression que tu en as appris davantage à son sujet.

— Elisa Vandersteel aurait débarqué à Cambridge parce qu'elle avait décroché un stage au Repertory Theater. Elle aidait le régisseur et espérait avoir une chance de jouer. Elle a commencé à travailler là-bas il y a environ deux mois, début août. Elle était intelligente, bosseuse, drôle, mais protégeait sa vie privée avec soin. Voici, du moins, les témoignages des employés du théâtre avec lesquels Lucy a discuté.

Je repense au jeune homme qui a tendu une enveloppe FedEx à Elisa Vandersteel. S'est-on occupé d'en savoir plus à son sujet ?

— Il reste pas mal de choses à creuser mais on sait qu'elle fréquentait quelqu'un qui travaille pour le bureau chargé des événements au Faculty Club. Il s'agirait d'un choriste qu'elle a rencontré alors qu'il auditionnait pour *Waitress*, mais il n'a pas obtenu d'engagement.

— Ces gens connaissaient-ils son nom ?

— Personne ne s'en souvenait.

— Ont-ils soupçonné la raison pour laquelle Lucy leur posait ces questions ?

— Je ne crois pas. Elle s'est faufilée en coulisses, a prétendu chercher Elisa Vandersteel et a commencé à papoter avec les gens qu'elle croisait. J'ai l'impression que la jeune femme vivait avec ce garçon, celui que nous avons vu sur le trottoir.

Je repense au porte-clés que j'ai retrouvé dans la poche de la victime et poursuis :

— Mais nous ne savons pas encore où.

— Pas encore, mais ça ne doit pas être loin d'ici si elle utilisait un vélo pour se déplacer.

— As-tu transmis ces informations à Marino ?

Au moment où je formule ma question, je me souviens que le grand flic est en possession du téléphone portable d'Elisa Vandersteel. Benton a vu la jeune Canadienne l'utiliser. Pourtant, il ne le mentionne pas. Au lieu de cela, il répond :

— Non.

J'ai soudain l'intuition qu'il n'évoque pas l'appareil pour une raison précise. Il n'a pas pu le rater, comme moi, lorsque nous étions devant le Faculty Club. Pourtant, il n'y fait aucune allusion. Si je ne dis rien, je doute qu'il mette le sujet sur le tapis. Peut-être quelqu'un d'autre s'en changera-t-il, et Benton feindra alors l'ignorance. Pourquoi saurait-il qu'Elisa Vandersteel avait un téléphone sur elle ? Je suis certaine qu'il n'a pas raconté à ses collègues du FBI avoir croisé la jeune femme peu avant sa mort.

Avec sa subtilité coutumière, Benton me fait d'ores et déjà comprendre qu'il n'interférera pas avec moi, quoi que l'on puisse croire.

— As-tu l'intention de révéler ça à Marino ? Dans le cas contraire, quand sera-t-il informé qu'on vient de le débarquer de son enquête ?

— Personne n'est débarqué, Kay, rétorque Benton d'une voix douce, lente, en parfaite harmonie avec nos pas.

— Peut-être pas d'un point de vue technique.

— Je crois que nous nous comprenons.

— C'est exact, et je te demande de ne pas oublier le plus important.

— Inutile de le répéter.

— Je vais pourtant te le redire. Elisa Vandersteel mérite que nous fassions de notre mieux.

— Et je sais que tu t'en assureras, Kay. Je peux compter sur toi pour faire l'impossible.

Il me fait comprendre qu'il ne me barrera pas le chemin, du moins personnellement. En revanche, le Bureau ne se gênera pas, le cas échéant. Il me demande ensuite mon opinion sur la cause de la mort. C'est le moment précis où notre tempo intime et nos pas de danse accélèrent.

Il souhaite que je lui communique des informations alors même que les parties impliquées interfèrent avec moi. Je ne dissimulerai pas de détails appropriés à mon mari du FBI. Je lui en dirai plus qu'à beaucoup d'autres. Mais je ne lui dirai pas tout.

35.

Je lui confie ce dont je peux être raisonnablement sûre, en me limitant aux informations que je donnerais à d'autres officiels, ni plus ni moins. Toutefois, je suis plus ouverte avec lui. Nous traversons le bois, main dans la main. Les toits des immeubles qui se dressent à notre gauche semblent nous regarder de haut, et l'eau sombre de la rivière miroite à notre droite.

— Une charge électrique passe au travers du pendentif qu'elle portait et le magnétise, dis-je. Elle a été littéralement propulsée de sa bicyclette, avec lacération du cuir chevelu. Je pense que cela s'est produit à l'instant précis où le lampadaire explosait. Toutefois, je ne peux pas t'en dire beaucoup plus tant que nous ne l'avons pas examinée au CFC.

— J'ai l'impression que tu parles de la foudre.

— Ça y ressemble, en effet. Mais pas tout à fait, et c'est assez déconcertant. La foudre pourrait être responsable de la brûlure que lui a causée le pendentif, mais certainement pas de celles toutes fines et linéaires que j'ai découvertes. Honnêtement, je n'ai jamais rien vu d'équivalent avant.

— Ce qui m'amène à la question que personne n'a envie de poser ni d'entendre, déclare Benton. Est-il possible que nous soyons en présence d'une sorte d'AED, une arme à énergie dirigée ?

— Plutôt que ? Une insolation ? Un infarctus du myocarde ?

Les semelles intérieures en cuir de mes chaussures délabrées produisent des sons de succion à chacun de mes pas.

— Plutôt qu'un sabotage. Trafiquer un lampadaire ou une piscine de nage à contre-courant pour provoquer un dysfonctionnent dramatique.

Benton se retourne comme s'il espérait apercevoir la lampe éclatée et sa traînée de morceaux de verre. Mais elles sont sous la tente. Ça revient à scruter un trou noir dressé à l'extrémité du parc, signalé par des taches lumineuses. Je distingue, avec difficulté, des silhouettes qui s'activent. Elles restent à distance de nous, fouillent l'obscurité veloutée, leurs torches tactiques flamboyant.

— C'est le raisonnement du Bureau ? je lui demande. Qu'un individu a ciblé deux personnes différentes, dans deux endroits éloignés l'un de l'autre, avec ce qui serait ni plus ni moins une arme électrique ?

— Comme un faisceau de particules, un laser, un canon électrique, bref un fusil qui utiliserait de l'énergie au lieu de projectiles. La technologie est prête. Ce n'est qu'une question de temps avant qu'un incident terrible ne survienne.

— Quel serait le système de distribution dans les deux cas ?

— Un équipement semblable à un fusil laser à longue portée. Un avion avec équipage humain. Le plus problématique serait bien sûr un engin aérien piloté automatiquement, converti en arme d'assassinat voire de destruction massive.

— Par exemple un drone, du genre que l'on peut acheter sur Internet ?

— C'est effectivement ce que nous anticipons. Je t'en parle depuis un moment, Kay. Un drone est capable de descendre l'avion d'une personnalité importante, un immeuble gouvernemental, un dirigeant international. S'il est assez armé, un drone peut détruire bien plus que cela. Nous attendons et surveillons parce qu'il s'agit d'une certitude, dès lors que la capacité technique est là.

— Et, malheureusement, les drones sont déjà partout. Il ne se passe pas un jour sans que j'en aperçoive un. (Une impression désagréable m'envahit au souvenir de celui que j'ai remarqué plus tôt.) Même quand je me suis mise en route pour te rejoindre, même par cette chaleur, l'un d'eux m'a survolée.

— As-tu eu l'impression qu'il te suivait ?

— Pas sur le moment. Mais maintenant que nous en parlons, je me souviens d'en avoir remarqué un premier dans le Square, alors que Bryce pérorait par la vitre baissée de sa portière, juste avant que je pénètre dans la Coop. Ensuite, un autre est apparu alors que je traversais le Yard. Je ne sais pas s'il s'agissait du même. Il ne s'est pas approché.

— En fonction de sa technicité, un appareil de ce genre n'a pas besoin de se rapprocher s'il est utilisé pour l'espionnage ou la filature. As-tu remarqué combien d'hélices il possédait ? Un détail a-t-il attiré ton attention ?

— Ça avait l'air d'une grosse araignée noire suspendue dans le ciel. C'est tout ce dont je me souviens parce que je n'y ai pas prêté franchement attention. J'ai pensé qu'un gamin d'une des résidences d'étudiants alentour s'amusait à faire voler ce truc. Et ça m'est aussitôt sorti de la tête.

— Les gamins, ainsi que tu les nommes, sont en haut de notre liste. Nous nous attendons depuis un moment à voir surgir des drones militarisés, bricolés dans une cuisine, chargés d'explosifs, ou d'armes à feu, voire de bombes artisanales, de substances toxiques, et même d'acide. Cela dit, il y a pire à craindre. Notamment si l'objectif est le terrorisme.

Ces mots m'évoquent ce que Marino m'a déclaré plus tôt :

... parce que si vous y pensez, Doc, un coup de tonnerre dans un ciel bleu, c'est une super cellule orageuse de queue...

— Tu as raison, dis-je à Benton. Mieux vaut que le public ne sache pas que le sujet vous inquiéte. Les gens auraient peur de sortir de chez eux s'ils soupçonnent qu'on peut les attaquer du ciel pendant qu'ils nagent ou se baladent à vélo. Et les brûlures ? Sait-on si Briggs en présentait ?

— Une, dans la nuque. Une brûlure ronde de la taille d'une petite pièce de monnaie.

— Ronde ?

— Oui, rouge, avec des cloques.

Je repense au pendentif en forme de crâne d'Elisa Vandersteel et demande :

— A-t-on une idée de ce qui a pu la causer ?

— Non, il doit s'agir de quelque chose qui est entré en contact avec lui alors qu'il se trouvait dans la piscine.

— Portait-il des bijoux, un objet en métal ?

— Rien hormis le bracelet de cuivre qu'il ne quittait jamais. Celui qui laissait une marque verdâtre sur son poignet.

— S'il s'agissait d'un alliage avec du cuivre, il est possible qu'il ait été magnétisé.

— Faiblement. L'enquêteur chargé des décès, envoyé par les bureaux du médecin-expert, a pensé à le vérifier. L'électrocution faisait apparemment partie des hypothèses les plus crédibles car la piscine a eu un dysfonctionnement, pour une raison ou une autre.

Benton me relate les avancées de la police. Ils ont découvert que la pompe, l'installation électrique jusqu'aux projecteurs, tout avait grillé, et je revois le panneau électrique secondaire gris avec disjoncteur différentiel 30 ampères à l'arrière de la maison, à gauche de la porte de la cuisine. J'explique à Benton que je suis presque certaine que la piscine était le seul équipement branché dessus, et il me répond que le disjoncteur avait sauté.

Je l'interroge alors au sujet du tableau principal situé à l'extérieur de la maison, et il me répond que ce disjoncteur-là n'avait pas sauté, ce qui suggère une possibilité : une source électrique de haut voltage, transitoire, qui est entrée en contact avec Briggs, ou la piscine, pendant qu'il nageait. Tout cela ressemble bien trop à l'affaire Elisa Vandersteel. Poursuivant le raisonnement de Benton, je résume :

— Quelque chose qui était là-bas mais a maintenant disparu. Une sorte de foudre manufacturée, une arme à énergie dirigée, en bref, une AED.

— Rends-toi compte, tu portes un pacemaker et l'eau est électrifiée, ajoute Benton.

Je frôle du pouce son alliance en platine, très sobre. Les mots de Marino me traversent l'esprit : il refuse de porter un bijou quelconque à cause des dangers que cela implique.

Je demande à nouveau si Briggs aurait pu avoir sur lui un objet métallique. Ou alors à proximité. Bref, un élément qui aurait pu compléter le circuit en entrant en contact avec une source active.

— Rien d'autre que son bracelet. Il n'avait pas son alliance ni même ses plaques d'identification.

— Ça ne m'étonne pas. Il les enlevait toujours avant de piquer une tête. Lors de mon dernier séjour chez eux, il les avait laissées dans une coupe, sur la table de la cuisine.

— Aujourd'hui aussi, d'après les clichés que l'on m'a envoyés.

Après une nouvelle pause pour ôter un gravier de ma chaussure, je souligne :

— Tout semble normal. Il se comporte comme d'habitude et pourtant tu soupçonnes aussitôt un meurtre ? Peu importe qu'il se soit agi d'un général trois étoiles, bénéficiant d'une autorisation de sécurité du plus haut niveau. Même les espions peuvent se noyer ou avoir une crise cardiaque. Qu'as-tu dit pour éveiller l'intérêt de ton employeur, au point qu'il se mobilise à cette vitesse ?

— Il n'a fallu qu'un coup de téléphone.

Benton me parle de celui qu'il a reçu de Washington D.C., au moment où nous quittions le Faculty Club.

Il ne s'agissait pas de son directeur, ni de l'attorney general.

Quelqu'un se payait la tête de mon mari. Il a reçu le même genre d'appel que Marino quelques minutes plus tôt. J'ignore comment Benton a découvert ce détail. Peut-être par l'intermédiaire de Lucy ? Je me repasse le fil des événements, au moment où nous abandonnions la table. Marino était en ligne avec moi et me parlait du contact d'Interpol à l'instant où Benton répondait à son propre appel bidon.

— Quelqu'un qui appartenait prétendument au National Crime Bureau, le NCB. (Il déverrouille son téléphone dont l'écran est assez grisé pour qu'il soit difficile de le déchiffrer à distance.) Ce type m'a annoncé qu'il m'envoyait une photographie par e-mail, ce qu'il a fait.

Il tient le téléphone devant mes yeux. En découvrant la photo, je fouille ma mémoire. Ai-je remarqué quelqu'un qui agissait de façon étrange, qui rôdait autour de nous il y a une dizaine de jours, le samedi 27 août en soirée ? Je tente de me souvenir d'un individu qui nous aurait porté trop d'attention, nous dévisageant ou collé à notre dos, et surtout qui se serait un peu trop intéressé au général Briggs. Nous dînions ensemble tous les quatre ce soir-là, il n'y a même pas

deux semaines, au Palm de Washington D.C. Le restaurant était bruyant et bondé, en majorité des gens
du monde des affaires.

— Tu n'as pas remarqué quelqu'un qui aurait pris
des photos, tu n'as aucune idée... ?

Benton m'interrompt d'un hochement de tête. Sur
l'écran, Briggs apparaît, tout sourire, mais le cliché a
été retouché pour barrer son visage d'un épais X noir.
Il a son bras passé autour des épaules de Ruthie. Ils
sont installés en face de nous dans le box environné
par les dessins humoristiques de Denis la menace, de
Spiderman, de Nixon. Nous levons nos verres pour
porter un toast.

Nous avons passé une soirée très agréable, en discutant boutique bien sûr, mais aussi de façon amicale.
Puis Briggs et moi avons évoqué notre conférence. Nous
avons dégusté plusieurs scotchs alors que nous réglions
tous les aspects pratiques de notre apparition de demain
soir à la Kennedy School. Alors que je détaille la photographie, je suis pétrifiée, bouleversée qu'un moment de
bonheur immortalisé puisse se transformer en quelque
chose d'affreux.

— À l'évidence, quelqu'un nous surveillait, depuis le
restaurant ou alors d'une fenêtre, pendant que nous
dînions, je résume. Tu penses qu'il peut s'agir de Carrie
Grethen ?

— Franchement, oui. Selon moi, elle – ou un des
acolytes à sa botte – se trouvait à proximité, ou alors
a traversé la salle de restaurant, tout dépend de la
technologie utilisée. Quoi qu'il en soit, quelqu'un a
délibérément pris cette photo de nous, et je ne suis
pas plus avancé.

— Dans quel but ?

— Très certainement pour nous déstabiliser. Il est
capital pour elle de rester au centre de notre attention,
de façon permanente. Elle veut nous rappeler sa présence, qu'elle est plus intelligente que nous, qu'elle a
toujours une longueur d'avance. N'oublie jamais qu'il
s'agit d'une compétition.

Pourtant, j'oublie. Je ne peux pas passer mon temps à ruminer là-dessus. Je n'ai jamais compris les gens, notamment ma sœur, qui consacrent l'essentiel de leur énergie à dépasser quelqu'un, à gagner un match qui n'existe que de leur côté, le plus souvent dans leur imagination.

Benton continue de m'expliquer ce que Carrie désire plus que tout et j'ai l'impression de l'avoir entendu toute ma vie :

— Elle veut capter notre attention et nous insuffler la peur. Il faut qu'elle soit plus forte que nous, qu'elle ait le dernier mot. Le contrôle, toujours plus de contrôle.

— Avec qui croyais-tu t'entretenir lorsque tu as vu s'afficher le code 202 pour Washington D.C. et que tu as pris l'appel ? Étais-tu certain qu'il s'agissait véritablement d'un enquêteur du NCB ?

— Au début, j'ai hésité. Une voix masculine, un interlocuteur qui semblait assez crédible jusqu'à ce qu'il lance une remarque au sujet de *l'affaire qui se préparait dans le Maryland*. C'était ses termes, je n'avais aucune idée de ce qu'il voulait dire. Du coup, j'ai écouté, et lui ai demandé pourquoi il m'appelait en personne, et comment il s'était procuré mon numéro de portable. Il a affirmé que mon nom figurait comme contact au sujet de l'enquête.

— Quelle enquête en particulier ?

Je jette un regard à mes chaussures et l'un de mes talons est en train de lâcher.

— Avec le recul, il faisait sans doute référence à Briggs. Je n'ai été informé de son décès qu'un peu plus tard. Lors de notre conversation, ce prétendu enquêteur du NCB est resté vague. Je l'ai poussé pour obtenir des détails, il a prétexté une urgence. Il m'a donné un numéro de téléphone qui s'est avéré être celui du bureau de réception du Hay-Adams Hotel.

— Exactement le même scénario qu'avec Marino, ça ne peut pas être une coïncidence.

— Je suis d'accord. Deux appels bidon à quelques

minutes d'intervalle, tous deux de grandes agences de lutte contre le crime, à propos de deux cas différents qui viennent de survenir, à peu près au même moment, mais à des centaines de kilomètres de distance, des morts soudaines et mystérieuses dont l'agent causal est probablement l'électricité, cela ne peut pas relever du hasard.

Je le revois dans le salon de réception du Faculty Club, non loin du piano demi-queue, son téléphone plaqué à l'oreille.

— Durant ta conversation avec ce faux enquêteur, as-tu remarqué s'il toussait ?

— Étrange que tu mentionnes ça. En effet, j'ai eu l'impression qu'il souffrait peut-être d'asthme.

Il est fort possible que Carrie utilise un logiciel de modification vocale, et je me demande si elle est malade, elle ou bien son complice. Il se peut que Benton ait discuté avec l'un des deux, sans s'en douter. Cependant, il est encore plus bizarre que Marino ait aussi été piégé. J'effleure la flèche gauche en bas de l'écran du téléphone pour revenir à l'écran précédent et vérifier qui a envoyé la photographie.

Serrefile Charlie l'a expédiée sur l'adresse e-mail FBI de Benton, il y a environ quatre heures, à 20 heures, c'est-à-dire une heure quinze après que Ruthie a découvert le corps de son mari dans la piscine, et peut-être quarante-cinq minutes après que les jumelles sont tombées sur le cadavre d'Elisa Vandersteel dans le parc, avant d'emprunter son téléphone portable pour appeler le numéro d'urgence.

— On veut nous faire savoir que Briggs était une cible, assène Benton. C'est pour cette raison que j'ai reçu ce cliché. Il s'agit d'une façon de revendiquer la responsabilité de l'acte. L'appel à Marino est similaire, une revendication pour la mort de cette jeune femme, à Cambridge. C'est ce que font les terroristes, et n'oublie jamais que Carrie Grethen en est une. Elle, et la personne qui la seconde, sont des terroristes qui ne cesseront jamais tant qu'ils ne seront pas éliminés.

— Trop aimable à elle de nous dire ce qu'elle juge nécessaire que nous sachions.

Je fulmine.

— Si elle a assassiné Briggs en personne, ce que je crois, poursuit-il, ça la localiserait dans la région de Bethesda, il y a environ six ou sept heures.

— Tout dépend de la façon dont elle s'y est prise. Tu évoquais un pistolet-laser qui équiperait une sorte de drone ? Je suppose que cela pourrait être piloté depuis un bureau, à des milliers de kilomètres de là.

À l'instant où je prononce ces mots, je sais déjà où se rendra Benton. Ses collègues et lui descendront vers le sud, jusqu'au Maryland. Je ne les accompagnerai pas. Ils auraient tort de me le demander.

— Je suppose qu'elle doit être basée dans la zone de Washington D.C. à cause de la photographie prise de nous au Palm, lâche Benton, qui confirme ce que je soupçonnais. Si le but ultime, dont nous ne constatons que les prémices, est une attaque coordonnée à très grande échelle, utilisant des drones, il est logique qu'elle passe son temps entre Washington et Baltimore.

Qui pourrait douter de la suite ? Plus exactement de ce qui se profile déjà. Benton partira pour Washington ou Baltimore dans les prochaines heures. Je suis censée l'accompagner. Comme par hasard, c'est à ce moment-là que les agents du FBI rendront visite à mon quartier général, qui se trouvera sans directeur ni chef. L'autopsie d'Elisa Vandersteel, et pratiquement tout le reste, sera consigné et micro-géré.

Nous ne tarderons pas être envahis. Du moins suis-je préparée, grâce à Harold, et j'espère qu'Anne est déjà arrivée au centre.

36.

Elle répond dès la première sonnerie de son portable et je comprends qu'elle attendait mon appel.

La voix d'Anne résonne dans mon écouteur et elle ne s'embarrasse pas d'un « bonjour » :

— Je suis en train de me garer dans le parking.

— Des visiteurs ?

— Pas encore.

Je lui explique qu'il se peut que pas mal de gens aillent et viennent, et peu importe que nous ne les ayons pas invités, pour certains. Que nous ne les aimions pas ou ne comprenions pas qui ils sont au juste n'a aucun intérêt. On doit s'en occuper de façon correcte. Nous avons donc besoin de boissons, surtout du café, et plus que tout de nourriture.

— Il ne va pas y avoir grand-chose d'ouvert à cette heure, si vous espérez des encas à peu près convenables, explique Anne de sa voix plaisante, tranquille.

J'aperçois enfin la John F. Kennedy Street au travers du feuillage touffu des arbres qui s'élèvent plus loin, mais pas la circulation.

D'un ton confidentiel, comme si j'étais en train de lui révéler un accès secret à Fort Knox, je lui rappelle :

— C'est pour ça que nous avons un congélateur muni d'un verrou dans la salle de repos. Vous devriez trouver des pizzas que je garde pour les urgences. À la viande, végétarienne, ou végétalienne. Sans gluten ou classique.

— Vous êtes sérieuse ?

— Pourquoi ? Selon vous qu'est-ce qu'il y a dans le congélateur ?

— Le dernier avocat qui vous a déplu ? Je ne sais pas.

— Je suis toujours sur la scène, mais rentre bientôt. Benton me déposera, je précise à voix basse.

Je me tourne pour lui jeter un regard, et la silhouette massive de la tente surgit à distance dans l'obscurité comme un cumulo-nimbus aplati. Benton m'a laissée le devancer par courtoisie, afin de ne pas entendre ma conversation. Et, s'il ne l'entend pas, il n'aura pas à la répéter, et ce ne sera pas lui qui me coupera l'herbe sous le pied en m'arrachant les indices. Ce qu'il ne pourra toutefois pas non plus empêcher. Du moins si l'on part du principe que je ne coiffe pas les fédéraux au poteau avant.

Je me sens soudain alerte, pleine d'une folle énergie alors que j'explique à Anne qu'Ernie Koppel doit nous rejoindre au plus vite. Il me faut également quelqu'un du laboratoire d'histologie afin de préparer des échantillons pour lui. On va s'immiscer dans notre travail, nous mettre des bâtons dans les roues, nous déposséder de l'affaire. Si nous ne commençons pas tout de suite l'analyse des pièces à conviction, il existe une bonne probabilité pour que tout atterrisse à Quantico, dans les laboratoires de sciences légales du FBI.

Nous discutons par périphrases. Rien ne doit être écrit et nous sommes particulièrement vigilantes au téléphone. Avec un peu de chance, lorsque le gouvernement nous fera part de sa requête officielle, j'aurai entre les mains la plupart des résultats de labo. J'aurai fait tout mon possible pour répondre à la question, celle dont je crains qu'elle ne traîne sans cela et que, peut-être, on l'enterre. Elisa Vandersteel a besoin que je termine le travail que j'ai entrepris.

Elle mérite le mieux que je puisse offrir et la première priorité sera le CT scanner. Je précise à Anne que ce qui a provoqué ces fines brûlures linéaires, quoi que ce soit, a pu déposer des traces microscopiques dans les blessures.

— Pas la foudre, c'est impossible.

— Vous avez raison, Anne. Pas la foudre.

— En revanche, dans le cas d'une électrocution, c'est possible.

— Et ? Electrocutée par quoi ? Quelque chose qui évoque la foudre mais n'en est pas ? Nous devons trouver ce qui est arrivé à cette jeune femme, ne serait-ce que pour s'assurer que personne n'en sera à nouveau victime.

— Nous nous en préoccuperons, personne d'autre ne le fera, complète Anne, et je comprends ce qu'elle veut véritablement dire.

Si les indices échouent à Quantico, nous perdons tout contrôle sur qui trouve quoi. Les fédéraux ont leur propre agenda et il diffère du mien.

Benton s'est rapproché. Il tire la main de la poche de son pantalon et jette un coup d'œil au cadran luminescent qui brille à son poignet, puis annonce :

— Il sera autopsié à Baltimore demain. En réalité, *aujourd'hui*. Mon Dieu. Déjà presque minuit et demi. C'est dingue !

— Je suppose que toi, ou quelqu'un d'autre, vous êtes entretenus avec le Dr Ventor.

Le médecin-expert en chef du Maryland, Henrik « Henry » Ventor, est un des plus remarquables anatomopathologistes et médecins-légistes du pays, et nous sommes tous deux affiliés au système médico-légal des armées, l'AFMES. Briggs nous a formés, il a été notre commandant, notre patron.

— En effet, et il s'est rapproché de la police.

— J'en déduis que tu vas te rendre là-bas après m'avoir déposée.

— J'ai pris la liberté de demander à Page de récupérer ton sac à dos de survie dans le placard de l'entrée. Quelqu'un est passé le prendre. Pour ce qui est des autres choses dont tu pourrais avoir besoin, je pense que tu les trouveras au bureau. Il va falloir que tu te changes et que tu te laves un peu. Ensuite nous partirons.

— Je ne t'accompagne pas, Benton.

— Nous aimerions que tu viennes.

— Même si des responsabilités ne me retenaient pas ici, je ne m'impliquerais pas. Inutile que je te fasse un dessin.

— Ton aide nous serait très utile, et le reste n'a plus aucune importance.

— Tel devrait être le cas, mais ça pourrait en avoir. Imagine un peu la réaction de Ruthie si on me posait les mauvaises questions après que j'ai prêté serment.

— Je te promets qu'on ne t'interrogera pas à ce sujet.

— Il s'agit d'une promesse que tu ne peux pas tenir, Benton. Je ne serais d'aucune utilité dans le Maryland, là maintenant. En revanche, je pourrais causer du tort. De plus, je dois terminer le cas Elisa Vandersteel. Je ne planterai pas tout en plein milieu. Donc, je ne bouge pas de Cambridge.

Il poursuit en m'expliquant que le CID de l'armée, qui enquête sur les violations des lois militaires, le Pentagone, le FBI et diverses agences de renseignement, veulent que l'autopsie de Briggs soit doublée par au moins un autre médecin-expert chevronné, de préférence un réserviste de l'Air Force affilié avec l'AFMES. En résumé, je suis toute désignée pour ce rôle, insiste-t-il, et l'on croirait que je n'ai pas déjà refusé sa proposition à plusieurs reprises.

— Page s'occupera de Sock et de Tesla, Kay. Je pense que nous devrons rester là-bas quelques jours.

Je ne peux pas ! Benton souhaite se mettre en chasse de Carrie, le couteau entre les dents, et je suis certaine que Lucy sera ravie de lui prêter main forte. L'idée que je puisse rester seule à la maison, avec les chiens et Page, ne leur plaît ni à l'un ni à l'autre, d'autant que je refuse de m'installer chez Lucy avec Janet et Desi, surtout maintenant que ma sœur s'y trouve.

— Tu peux parfaitement travailler sur les deux affaires avec nous, Kay. Ce serait comme au bon vieux temps.

— Non. Le FBI ne travaille avec *personne* et je ne suis *pas* à ton service, ni au leur. Je suis au service de la victime, et spécifiquement de cette morte avec laquelle j'ai passé plusieurs heures sous la tente.

— Je ne veux pas que tu restes ici.

— Je le sais, mais c'est comme ça que ça doit se passer.

Nous nous rapprochons des phares dont la lumière nous parvient au travers des arbres.

— Alors, installe-toi dans le nouveau logement de Lucy à Boston. Tu seras en sécurité avec Janet.

— Je ne peux pas.

— Eh bien eux peuvent emménager chez nous pendant que je suis absent. Vous serez tous ensemble.

J'entends le ronronnement d'un moteur au ralenti et Benton ne permettrait jamais que son Audi de luxe tourne sans personne à l'intérieur, pas même deux minutes. En d'autres termes, il n'était pas seul lorsqu'il m'a rejointe ici. Je n'en suis pas surprise, même si je me demande quels agents l'ont accompagné.

— Je file à Norwood, et ensuite, destination Baltimore, me précise-t-il.

Lucy gare son hélicoptère à Norwood, pas très loin de Boston, où elle possède son propre hangar.

— Je vois. C'est donc pour ça qu'elle avait revêtu son uniforme de pilote. Elle te transporte.

Je repense à son apparition, au moment où je sortais de notre camion. Benton a dû l'avertir de la mort de Briggs il y a des heures.

— Lorsque j'en aurai terminé ici, je te rejoindrai.

Je le lui promets alors que nous approchons d'une Tahoe noire avec des vitres de portières sombres et des plaques minéralogiques gouvernementales.

La portière arrière, côté passager, s'ouvre et un homme qui ne m'évoque pas grand-chose descend du véhicule.

— J'en ai pour un jour ou deux, dis-je à Benton. Mais je tenterai d'aider Ruthie par tous les moyens possibles.

Plus loin sur notre gauche, la Kennedy School of Government se dessine, lourde silhouette dans la nuit et, durant un instant, j'éprouve des difficultés à respirer.

37.

Roger Mahant est l'ASAC, l'agent spécial assistant qui seconde le directeur de l'antenne bostonienne du FBI.

C'est lui qui conduit la Tahoe noire, Benton installé sur le siège passager. Je suis à l'arrière, à côté d'un homme que je n'ai jamais rencontré. Il pourrait appartenir au FBI mais agit davantage à la manière d'un agent de la CIA, silencieux, impassible, réservé. Je n'ai absolument pas confiance en lui, ni en quiconque en ce moment, pas même en mon mari, du moins pas professionnellement. Il est contraint d'être de leur côté. Il doit être un des leurs.

Benton ne peut pas m'expliquer ce qui se passe, pas devant eux. Il ne peut pas agir comme mon époux, ni même en ami. Ça n'a rien de nouveau et je me sens encore plus isolée que d'habitude. Le dos tourné vers moi, ne disant pas grand-chose ou rien, Benton est passé en mode éponge. On oublie qu'il est là, alors qu'il absorbe tout ce qui s'échange, et je sais très bien lorsqu'il bascule dans cette humeur.

Le regard triste et sombre de Mahant me dévisage dans le rétroviseur. Il propose :

— Une autre boisson ?

— Tout va bien pour moi.

J'ai posé ma sacoche sur mes cuisses et l'enserre de mes bras comme si quelqu'un allait tenter de l'arracher.

Je viens de descendre une bouteille d'eau Fidji et l'ai abandonnée sur le plancher sans beaucoup d'égards. Mahant ne cesse de me regarder alors qu'il devrait se préoccuper de sa conduite. Je n'aime pas que Benton et lui échangent à voix basse. Cela me rappelle que mon mari appartient à un groupe, une tribu. Je suis à la fois observatrice et prudente, installée sur la banquette arrière, muette, hors de mon élément, dépossédée de mon autorité. Leur empressement à m'accompagner était une faveur dont je me serais volontiers passée mais ne pouvais refuser. D'un instant à l'autre, ils vont tenter de me sonder. Ils s'efforceront d'obtenir de moi des informations, avant de terminer ce que j'ai commencé... du moins, le pensent-ils.

Depuis que je suis montée dans la Tahoe, il y a quelques minutes, personne ne m'a posé de questions. J'ai cependant compris que l'homme à côté de moi est de Washington D.C., ou de ce coin. Peut-être vient-il de Quantico ou de Langley. Je ne sais pas au juste ce qu'il fait, mais j'ai l'impression que sa présence à Boston aujourd'hui est fortuite. J'ignore toujours son nom. Peut-être s'est-il présenté au moment où je m'installais, j'en doute. Je suis presque certaine qu'il n'a pas lâché un mot alors que je passais ma ceinture de sécurité.

Une odeur de frites flotte dans l'habitacle du SUV, et la radio est allumée juste assez fort pour que je puisse reconnaître l'échange de plaisanteries entre les deux présentateurs stars, Howard Stern et Robin Quivers. Je ne parviens pas à cerner de quel enregistrement il s'agit. Je n'aurais jamais cru que Roger Mahant appréciait ce genre d'émissions. J'en arrive presque à le trouver plus sympathique mais m'en défends. Même si je le pouvais, ce ne serait pas malin.

Ne baisse pas ta garde.

Il est âgé d'une cinquantaine d'années, chauve, avec des lunettes à montures épaisses. Il conduit d'une main et de l'autre agrippe un café glacé de chez Dunkin' Donuts qu'il avale sans bruit, poliment, à l'aide d'une paille. Il a toujours été cordial lors de nos rencontres, en général des réceptions professionnelles, ou des fêtes de fin d'année, ce genre de choses. Il n'empêche, nous ne socialisons pas. Je m'efforce de garder le FBI à distance.

Briggs m'a mise en garde un jour, en me conseillant de ne jamais faire confiance aux fédéraux. J'ai toujours trouvé cela assez réjouissant puisqu'il en fait partie... en faisait partie.

Travaillez et amusez-vous avec eux mais ne leur montrez jamais vos points faibles, répétait-il. *Et pour l'amour du ciel, Kay, ne vous emballez pas ou vous risquez de découvrir d'une façon cuisante qu'il s'agit, en effet, d'un monde d'hommes.*

Peu importe que ce soit injuste, déclarait-il en pointant l'index. Si la vie était juste, les gens comme nous seraient sans emploi, et sa voix résonne dans mon esprit. Une voix qui exigeait l'attention, quoi qu'il ait pu dire, quel qu'ait été son interlocuteur. Quant à ne pas m'emballer, ce n'était pas gagné. Briggs n'était pas seulement motivé par son indiscutable sens moral, en dépit de ses dénégations.

Il éprouvait des sentiments qui dataient des premiers jours de notre collaboration. Au demeurant, moi aussi. Il aurait suffi d'un baiser, d'une protestation que nous devrions cesser. Ce que nous ne fîmes pas. Je me souviens de l'écho de nos souffles, et de la pluie qui dévalait. Il avait éteint les phares de la Karmann Ghia rouge rubis, garée devant l'immeuble de stuc miteux dans lequel je partageais un appartement avec une toxicologue. Elle se nommait Lola, diminutif de Dolores. Cela signifie douleurs et lui allait comme un gant.

Nous étions si jeunes, inexpérimentées, des recrues récentes du bureau du médecin-expert de Miami-Dade County, avec Briggs pour directeur. Lola n'était jamais contente, notamment de moi. Je la décevais et l'agaçais perpétuellement, sans parvenir à le comprendre à l'époque. Elle ne me prévenait pas toujours lorsqu'elle partait, ou rentrait, espérant me rendre jalouse. Sans doute s'agissait-il de dépit, ou alors de méchanceté. Cette nuit pluvieuse et venteuse, je savais qu'elle ne serait pas à la maison et qu'elle ne rentrerait pas avant un moment.

Non sans ironie, elle me l'avait seriné comme si cela signifiait qu'elle avait une vie, pas moi. Briggs m'avait interrogée à son sujet. Il la trouvait assez bizarre, dans un genre revêche. Comment se passait notre cohabitation ? Redoutais-je qu'elle verse du poison dans mon bol de céréales ? Quand reviendrait-elle ? C'est alors que les cieux s'étaient déchirés. Nous avions ri du roulement assourdissant au-dessus de nos têtes, des vitres transformées en cascades, et il avait arrêté les essuie-glaces. Pris sous un véritable déluge, nos haleines avaient embué les vitres, au point qu'il nous avait fallu les essuyer pour apercevoir le premier étage de l'immeuble, la fenêtre obscure du minuscule appartement que je partageais par manque de moyens.

À l'évidence, personne n'était là. L'empressement de Briggs à m'accompagner, en tenant un parapluie, au prétexte de s'assurer de ma sécurité, était transparent. Il ne se conduisait pas en gentleman, ni moi en lady. Quelle parfaite concordance de circonstances. Elle avait commencé lorsque ma presque épave de voiture, avec son embrayage déglingué, était tombée en panne sur le Dixie Highway, à la nuit tombée.

Lola sortait avec un ex, et s'était assuré que je le saurais. Ma sœur ne répondait pas au téléphone, pas plus que ma mère. Briggs était l'unique personne que je pouvais contacter après avoir remonté l'autoroute par la bande d'arrêt d'urgence, jusqu'à une station-service avec cabine téléphonique. Il m'avait raccompagnée à la maison. Plus tard, jamais il ne dirait la vérité à Ruthie.

Elle avait déjà décidé que j'étais une briseuse de ménage avant même que je ne le devienne. Inutile qu'elle se convainque qu'elle avait des dons de clairvoyance. Inutile de lui dire qu'elle avait eu raison. J'entends à nouveau les arguments de Briggs :

Pourquoi lui donner encore d'autres raisons de vous fuir, Kay ?

Se confesser à sa femme aurait signé la fin de ma relation avec lui, une conclusion apocalyptique. Nous n'aurions plus jamais travaillé ensemble. Ma carrière à l'AFMES se serait achevée avant de commencer parce que Ruthie était ultrasensible, fragile et possessive et qu'à cette époque, son père était un membre très influent du Pentagone. C'était là le raisonnement de

Briggs, la logique qui sous-tendait le fait qu'il devait garder certaines choses secrètes. Pour le bien de son épouse et le mien. Il s'agissait de la meilleure façon de procéder. Il égrenait ses arguments. J'ai toujours été consciente qu'il se racontait des histoires, et c'est peut-être l'unique occasion au cours de laquelle je l'ai trouvé lâche.

— Tu vas bien ?

Benton s'est tourné et me regarde, assise sur la banquette arrière. En vérité, il possède une carrure que Briggs n'a jamais eue.

Mon mari ne se cache pas derrière son petit doigt, lorsqu'il veut quelque chose. Il n'opte pas pour la solution de moindre risque. Il ne ment pas lorsqu'il évoque ce qu'il aime. Sans doute est-il posé, prend-il tout son temps. Mais il ne renoncera pas, ni ne s'accommodera jamais d'un second choix, et nous n'avons aucun secret. Du moins pas le genre qui pourrait endommager le lien qui nous unit.

Je me présente à l'homme installé à mes côtés alors que la Tahoe oblique dans Memorial Drive. Aussitôt, je me trouve stupide.

Il doit savoir qui je suis et pourquoi le FBI m'accompagne. Dans quelques minutes, ils me déposeront au CFC parce que je ne coopère pas ainsi qu'ils l'aimeraient, et je commence à chercher du regard mon building recouvert de titane. Je scrute la nuit sombre alors que nous longeons la rivière. La fatigue me tombe dessus. Je me sens coupable, vaincue. Et c'est vrai que nos péchés finissent toujours par nous rattraper.

Dans mon cas, il est plus approprié d'affirmer que mes péchés ont tendance à me trouver. Toute cause produit ses conséquences. Néanmoins, lorsque Briggs et moi avons partagé ce moment particulier, jamais je n'aurais cru que ce jour surviendrait. Jamais je n'aurais pu penser que le gouvernement me demanderait de collaborer à son autopsie et que je devrais me récuser pour des raisons que je refuse de discuter. Même si le cas Vandersteel ne me préoccupait pas au plus haut point, je ne rejoindrais pas Baltimore ce soir. Ce ne serait pas correct.

— ... Et donc, je me demandais juste comment les gens vous appelaient.

Je comprends soudain que l'homme à mes côtés me pose une question. Il me tend un paquet de mouchoirs en papier, le presse gentiment contre mon poignet. Et je remarque sa main, forte mais douce. Je récupère l'étui et soulève la petite patte en Cellophane. Je m'essuie le nez, les yeux.

— Merci. Vous étiez en train de dire... ?

— Que je suis désolé au sujet du général Briggs. Je l'ai même répété. J'ai cru comprendre qu'il avait été votre instructeur.

— Oui. Merci.

— Et je vous ai demandé comment vous alliez, puisque j'ai entendu dire que vous ne vous sentiez pas très bien, un épuisement dû à la chaleur.

— Ça va mieux.

— Puis, j'ai voulu savoir comment les gens vous appelaient. Kay, ou Dr Scarpetta ? Peut-on vous offrir quelque chose ? À manger ? Une boisson ?

— Non, merci.

— À quelle question ?

Il se fait charmeur, en présence de mon mari. Ou plutôt, derrière son dos, au sens littéral. Je réponds à l'homme dont j'ignore qui il est, sans le regarder :

— Je n'ai besoin de rien.

Et je ne veux pas qu'il me détaille, puisque je sais de quoi j'ai l'air : chiffonnée de partout, mon maquillage disparu depuis longtemps, mes cheveux dans un état épouvantable. Mon déodorant m'a lâchée depuis des heures et les seuls vêtements de morgue que j'ai pu trouver sont bien trop amples. Attifée plutôt qu'habillée, je ne cesse de tirer l'ouverture en V de ma tunique. Si mes bretelles de soutien-gorge sont invisibles, ce n'est pas le cas de mon décolleté. J'ai fini par m'habituer aux regards plongeants de Marino, mais me montre beaucoup moins indulgente avec un complet étranger.

— Rappelez-moi votre nom ?

En réalité, il ne me l'a jamais donné et lorsqu'il le prononce, je crois d'abord à une plaisanterie.

— Andrew Wyeth, répète-t-il.

S'agit-il d'une blague absurde ou alors d'une allusion assez perfide au défunt père de mon époux, un très riche amateur d'art ?

Des aquarelles d'Andrew Wyeth étaient accrochées aux murs de la demeure des Wesley lorsque Benton était enfant. Je jette un regard vers la nuque de mon mari. Tête baissée, il étudie son téléphone et ne manifeste aucune réaction à l'énoncé de ce nom. Benton ignore l'homme assis à côté de moi. Il ne prête aucune attention à nous, alors même qu'il ne perd pas un seul mot, une intonation. Je connais son extrême finesse, sa perspicacité.

— Vous pensez au peintre, mais ce n'est pas moi.

L'agent spécial Andrew Wyeth me serre la main un peu trop longtemps, un peu trop tendrement, et son sens de l'humour glisse sur mon humeur qui vire à l'aigre.

Je n'ai pas envie d'être dans cette voiture, pas envie de leur compagnie. Ce n'est pas simple lorsque Benton doit se conduire de cette façon. Lorsque nous sommes contraints de prétendre que notre relation est autre que la réalité, j'ai l'impression d'être malhonnête et lésée comme si notre liaison clandestine recommençait et que je redevenais une briseuse de ménage.

Parfois, notamment cette nuit, nos petits jeux me donnent l'impression que je suis seule, sans soutien et je me convaincs que rien ne sera réalisé correctement sauf si je m'en occupe. Je dois me débrouiller seule.

— Vous a-t-on donné ce nom par admiration pour l'artiste ?

Je suis affable de façon convenue, écoute à peine alors que la liste de tout ce que je dois faire très vite, en catimini, sans leur permettre de me deviner, défile dans mon esprit.

— Non, m'dame. Mais mon père, oui.

Wyeth me rappelle à quel point je déteste que l'on m'appelle m'dame. Il a, à tout casser, trente ans, peut-être un peu moins. Ce doit être un premier de la classe pour se retrouver en si prestigieux accompagnement. Je ne le distingue pas très bien dans la pénombre, mais n'en ai guère besoin. Un très beau spécimen masculin doté d'une voix apaisante qui inspire la confiance, confiance que je n'ai aucune intention de lui accorder. J'aperçois les muscles saillants sous les manches courtes de sa chemise. Ceux de ses cuisses tendent le tissu de son pantalon de treillis kaki.

Ses veines affleurent. On lui devine si peu de graisse corporelle qu'on pourrait croire qu'il a été enveloppé dans sa propre peau. Je ne veux même pas imaginer combien de temps il consacre à son entraînement en salle de sport ni même ce qu'il mange. Sans doute très peu. Des protéines. Des jus de fruits ou de légumes. Du kale. Bref, toute la panoplie des aliments réputés sains. J'aime assez son odeur. Un parfum subtil, viril, boisé avec une touche d'agrume et de musc.

Calvin Klein.

Andrew Wyeth termine le petit baratin censé m'expliquer ce qui m'attend :

— … vous serez entre les mains très compétentes du meilleur de Boston, l'ASAC Roger Mahant, que vous connaissez. Je crois savoir que vous l'avez vu siffler quelques verres lors de réceptions amicales et vous aurez remarqué à quel point il peut devenir distrayant.

— Eh ! N'oublie pas que je suis là, je t'entends, plaisante Mahant, en nous jetant un regard dans le rétroviseur.

Benton continue de nous ignorer, concentré sur son téléphone.

— Il passera un peu de temps avec vous, docteur Scarpetta, à fin d'observation, pour que nous gardions le rythme en ce qui concerne l'affaire Vandersteel.

Une idée me traverse l'esprit, Andrew Wyeth doit appartenir au Bureau pour parler de la sorte, comme s'il était chargé du déroulé des événements.

— Nous aurons besoin de quelques facilités et d'espace, pour une poignée d'entre nous, reprend Mahant. Une grande salle équipée de deux bureaux, une table, des chaises, énumère-t-il avec impertinence. Ah, au moins un cabinet de toilette réservé à notre usage et bien sûr, l'accès au parking, ajoute-t-il de façon ahurissante.

Quel connard ! je décide.

38.

La dernière chose que je souhaite, c'est de voir traîner des fédéraux dans mon quartier général. Bryce va complètement péter les plombs, encore plus qu'à l'accoutumée. Il finira dans un état épouvantable. Nous tous, d'ailleurs.

Je ne peux pourtant pas faire grand-chose, et la colère serait contre-productive. Je dois garder l'esprit clair. Benton se retourne, et me tend son téléphone.

— Des clichés de police pris sur la scène, précise-t-il.

Je m'arme de courage et commence à les étudier. Briggs n'apparaît sur aucun *in situ*, ainsi que l'a découvert Ruthie. Lorsque les sauveteurs sont arrivés, ils ont immédiatement tiré le général de la piscine. Ils n'ont d'ailleurs pas fait grand-chose d'autre, son décès ne faisant aucun doute. Sur les clichés que je détaille, il est allongé sur le dos, sur la terrasse, non loin de la paroi de bois de la piscine.

Je reconnais les meubles d'extérieur, l'arrière de la maison de Bethesda, et le jardin. Ces détails sont si familiers qu'une peine étrange m'envahit alors que les anecdotes défilent dans mon esprit. Il porte ce qu'il appelait son *cabotflage*, un short de natation ample que son épouse, couturière émérite, avait confectionné pour lui il y a quelques années, un cadeau. Le motif camouflage vert et marron est orné du chien du dessin animé *Les Griffin*. Briggs possédait de nombreux exemplaires du vêtement qui l'accompagnait partout.

Quelle horreur de voir son visage, jadis si puissant, plein de vitalité, maintenant relâché, empourpré, les yeux à peine ouverts. Je repère les marques imprimées sur sa peau par les lunettes de piscine qu'il portait au moment de sa mort. Une sorte d'écume macule ses lèvres, et Mahant m'interroge à ce sujet.

— C'est un signe classique lors des noyades, n'est-ce pas ?

— Parfois.

Je dois faire attention au moindre de mes mots avec un bureaucrate de son genre. Je ne veux pas qu'un commentaire banal de ma part finisse dans un rapport ou aux informations. Je sais déjà qu'il ne comprendra pas grand-chose à ce que je dis, puisqu'il pense qu'il en sait plus que moi sur à peu près n'importe quel sujet. L'imaginer, lui et ses subordonnés, lâchés dans certaines zones du CFC est plus effrayant que la métaphore de l'éléphant dans un magasin de porcelaine. Ils peuvent véritablement engendrer des dégâts difficiles, voire impossibles, à réparer.

— Mais on ne peut pas vraiment se noyer dans une piscine qui n'est pas plus grande qu'un jacuzzi, reprend Roger Mahant. Quoi ? Ça fait quoi en tout ? Pas plus d'un mètre vingt de profondeur ? Alors forcément, il s'est passé un truc.

— On peut se noyer dans une flaque d'eau ou dans un bol de soupe. Toutefois, en effet, nous sommes confrontés à quelque chose d'inhabituel.

J'approuve sa sortie banale. Le rétroviseur me renvoie son regard.

— Et cette espèce de mousse qui sort de sa bouche, ça signifie qu'il respirait, non ? Ce qui veut dire qu'il n'est pas mort instantanément.

— C'est le cas de pratiquement tout le monde. Hormis une décapitation ou si vous êtes soufflé par une explosion, il faudra un certain temps pour que votre cerveau interrompe l'ensemble des processus. Ça ne signifie pas qu'il était conscient lors de ce râle agonique, lorsqu'il a aspiré de l'eau. Si c'est ainsi que les choses se sont déroulées, cela pourrait justifier l'écume au niveau des lèvres et des narines

— Si je comprends bien, vous m'expliquez qu'alors que son cœur avait cessé de battre, il aurait toujours pu respirer ? Durant combien de temps, combien d'inspirations ?

— Je l'ignore. Il s'agit de quelque chose de très difficile à déterminer.

Andrew Wyeth sourit et réprime un rire. Je clique sur d'autres photographies et tombe sur un gros plan du bracelet en cuivre, puis plusieurs autres de son corps basculé sur le flanc pour offrir une meilleure vue de l'étrange brûlure ronde sur la nuque. J'espère que Briggs a été immédiatement assommé, qu'il n'a rien vu venir, et durant un instant je me souviens du drone que j'ai remarqué plus tôt, silhouette noire et menaçante contre le soleil. Il serait si simple d'en programmer un afin qu'il s'acquitte d'une mission aussi hideuse.

— Kay, je suppose que vous n'entreprendrez pas l'autopsie dès votre arrivée au centre ?

Roger Mahant continue de me parler alors que mon esprit revient à une autre affaire récente et très perturbante.

— Il y a tant de choses à faire avant.

Je repense à cette femme, habitante de Cambridge, électrocutée lundi dernier en soirée. Molly Hinders arrosait son jardin au coucher du soleil. Elle a été découverte un peu plus tard, morte, allongée sur sa pelouse détrempée. Elle portait une brûlure à la tête.

— Et je ne disposerai pas de beaucoup de personnel avant quelques heures, l'heure du retour au travail.

Je ne mens pas à Mahant. D'un autre côté, je n'ai pas non plus l'intention d'accourir à son secours, pas de la façon dont il le souhaiterait.

— En d'autres termes, mieux vaudrait que je revienne à ce moment-là ? demande-t-il

— Ce qui vous convient le mieux, Roger. Nous serons là.

— Et à quelle heure comptez-vous commencer l'autopsie, précisément ? Je suppose que vous avez un agenda électronique auquel je pourrais accéder, histoire de ne pas vous casser les pieds ? Quoi qu'il en soit, prévoyez le moment du début d'autopsie et je me débrouillerai pour vous rejoindre.

— On ne planifie pas les autopsies de cette façon. Nous ne fonctionnons pas à la manière de la salle d'opération d'un hôpital, ou d'un cabinet médical.

Je m'efforce de rester raisonnable et correcte, pas le moins du monde condescendante, même si son manque d'information me stupéfie.

— Ouais. Il n'y a pas trop d'urgence quand vos patients sont morts ? balance Andrew Wyeth, qui se croit drôle.

— Pourquoi ne prévoyons-nous pas une plage horaire ? insiste Mahant.

Il ne s'agit pas d'une requête de sa part, mais d'un ordre à peine déguisé, et je sens qu'il va vite devenir une véritable épine dans le pied, si je le laisse faire.

— C'est plus complexe. Elle doit d'abord passer au CT scanner...

Je commence à expliquer, puis m'interromps parce que c'est trop compliqué.

Je ne suis pas sûre que le directeur en second de l'antenne de Boston ait jamais pénétré dans mon immeuble. Je suis certaine, en revanche, que je n'ai jamais travaillé avec lui, et ce n'est pas étonnant. Les officiels de son genre sont des *gratte-papier* et des *costards*, ainsi que les nomme Marino. Ils n'enquêtent pas sur le terrain, et lorsqu'ils débarquent sur une scène de crime ou dans une salle d'autopsie, on peut être assuré que leur mobile est politique. Il y a toujours un objectif caché derrière, en général non partagé, et peu importe s'ils se montrent cordiaux, et prêts à collaborer au début de la relation professionnelle. Cela déraille ensuite très vite et se termine rarement bien.

Je n'ai aucune intention d'honorer le programme décidé par l'ASAC Roger Mahant. Ce qui s'annonce ne me dit rien qui vaille. Il fera tout pour s'immiscer dans notre travail, et je m'appliquerai scrupuleusement à le lui faire regretter. Je peux exceller dans ce genre de stratégie, pour le meilleur ou pour le pire. Je lui conseille donc de ne pas oublier ses affaires de toilette et un change de vêtements.

Son regard noir me scrute.

— Pourquoi ? demande-t-il.

— Vous aurez envie de vous récurer après et de fourrer ce que vous portiez dans les poubelles à déchets biologiques. Souvenez-vous que l'odeur reste dans les cheveux, les vêtements, remonte dans les sinus. D'ailleurs, j'en profite pour vous présenter mes excuses : ce n'est jamais une bonne idée d'être enfermé dans un espace confiné – un habitacle de voiture, par exemple – lorsqu'on a travaillé durant des heures sur un cadavre en décomposition accélérée.

Benton lève les bras et renifle ses manches de chemise roulées.

— Je pense que ça va, mais je ne suis pas resté longtemps, ni ne me suis vraiment approché, contrairement à toi, commente-t-il, me donnant la réplique dans ma petite comédie.

Mahant entrouvre sa vitre de portière et pousse l'air conditionné au maximum.

— Bien sûr, dis-je en haussant la voix pour couvrir le grondement du souffle d'air, nous vous fournirons des blouses jetables, des charlottes de protection, des gants, et tout le reste. Nous avons aussi prévu la restauration. Il est interdit de manger ou de boire dans les salles d'autopsie, mais nous disposons d'une salle de repos en haut.

— Casser la croûte dans une salle d'autopsie ! Bon sang, il y a vraiment des gens qui font ça ?

— Plus de nos jours. À quand remonte votre dernier rappel contre le tétanos ?

— Pas la moindre idée !

Le rétroviseur me renvoie son visage impatient, mécontent. J'enfonce le clou :

— Et les vaccins contre les hépatites A et B ?

Le Centre de sciences légales de Cambridge apparaît après une sinuosité de la rivière, un peu plus loin, proche du Harvard Bridge. Mon immeuble de six étages, cylindrique, recouvert de métal, a été comparé à nombre de choses. Un projectile en plomb non chemisé, une balle dum-dum, un missile à charge utile courte, un gros cornichon. Tel un silo de métal terni, il surplombe les environs, de l'autre côté de la route, une autre partie de la piste cyclable qu'a empruntée Elisa Vandersteel à vélo et où elle a été tuée. La scène de décès que je viens d'expertiser est située à un peu plus d'un kilomètre de mes bureaux. Certes, on pourrait en douter, puisque Mahant a opté pour des détours depuis que nous avons quitté le parc, peu désireux de devoir présenter ses accréditations et de demander aux policiers de dégager les barricades qui interdisaient les accès.

Il tourne à gauche dans Memorial Drive. Un autre virage à gauche et nous nous arrêtons devant le CFC, ceint d'une clôture recouverte de PVC noir de trois mètres de hauteur. J'ouvre ma vitre et tends le bras. Je tape mon code sur le pavé numérique scellé à gauche du portail de métal noir, surmonté de fers de lance triples. Un bip bruyant, le portail semble faire une embardée et glisse sur son rail.

La Tahoe avance vers le parking arrière et je reconnais les voitures personnelles de certains des membres de mon équipe. Bryce et Anne sont arrivés. La Tahoe progresse avec lenteur et dépasse des fourgonnettes, des SUV, des camions, tous d'un blanc spectral. Le silence règne en cette heure précoce. Nous nous arrêtons après une Ford Explorer blanche banalisée et nous garons sur le premier espace, à gauche de la porte pour piétons qui ouvre à l'arrière du bâtiment.

Il s'agit du véhicule avec lequel je suis venue travailler hier. Je l'ai abandonné ici, certaine que je passerais le lendemain, jour de repos, avec ma sœur, Janet, Lucy, Desi, et les autres. Bryce m'a ensuite accompagnée. Je serais rentrée à la maison avec Benton après notre dîner. Rien ne s'est déroulé comme prévu et mon jour de repos se passera au CFC. Mon futur immédiat ne laisse pas de place à une réunion de famille. Je descends de la Tahoe.

— Je te rejoins, me lance Benton.

Il reste dans le SUV, portière close. Je crois savoir de quoi ils discutent. Roger Mahant ne veut pas m'avoir dans les pattes lorsque que lui et ses potes envahiront mon quartier général, se conduiront en terrain conquis, notamment vis-à-vis de tous, morts ou vifs. C'est vraiment dommage, mais personne ne me chassera, et je patiente à côté de la porte réservée aux piétons. J'attends plusieurs minutes puis Benton descend à son tour du SUV. Je scanne mon pouce droit afin de déverrouiller la serrure biométrique et nous pénétrons dans la baie de déchargement de la taille d'un petit hangar.

L'odeur fraîche du désinfectant me parvient. Le sol recouvert d'une résine époxy, les murs tapissés de placards de rangement, tout est impeccable. Des civières en acier étincelant sont remisées avec soin dans la zone de lavage. Dans un coin, La Morte Café, où Rusty et Harold dégustent leur café et fument leur cigare, est déserte. Le mobilier, une table et des chaises, peut être nettoyé au jet.

— Lucy est parvenue à pirater le téléphone d'Elisa Vandersteel, m'annonce Benton.

Il me livre les informations qu'il croit pouvoir dévoiler, et probablement plus qu'il ne le devrait. Comme à son habitude, il se montre largement plus intelligent que les autres. Il savait que Lucy pénétrerait dans le téléphone bien plus vite que les techniciens des laboratoires de Quantico.

— Nous connaissons l'identité du petit ami, le jeune homme que nous avons vu devant le Faculty Club, un certain Chris Peabody.

— Un rapport avec Mrs. P ?

En effet, la vieille dame a mentionné que son petit-fils travaillait à temps partiel au Faculty Club.

— Probablement, dit-il, mais ça demande confirmation. Il habite un F1, dans Ash Street, à l'ouest d'ici.

— C'est-à-dire la direction qu'a empruntée Elisa Vandersteel lorsqu'elle a traversé le parc.

Je lis l'inquiétude sur le visage de Benton.

— Son dernier coup de téléphone lui était destiné, à 18 h 06, au moment où elle glissait l'enveloppe FedEx dans la boîte de dépôt situé dans John F. Kennedy Street, non loin de la School of Government, précise-t-il. Nous le savons grâce au message vocal que nous avons retrouvé, celui qu'a laissé son petit ami en essayant de la rappeler dix minutes plus tard. Si l'on se fie aux autres éléments, je pense qu'elle était déjà morte à ce moment-là. Selon moi, tout s'est déroulé comme nous l'imaginions. Elle a pénétré dans le parc depuis la John F. Kennedy Street et, au moment où elle passait à proximité du lampadaire, quelque chose l'a frappée.

Je me souviens d'avoir vu Chris Peabody et d'autres membres du personnel entrer et sortir de différentes pièces alors que nous étions au Faculty Club et demande :

— Il est prévenu ?

Il ne fait aucun doute dans mon esprit que nombre de témoins pourront se porter garants des allées et venues du jeune homme au moment de la mort d'Elisa Vandersteel. Il est fort peu probable qu'il ait quoi que ce soit à voir là-dedans. Néanmoins, le petit-fils de Mrs. P se prépare d'affreux moments de bien des manières.

— Nous devrons interroger pas mal de gens. Cette histoire va virer au vrai sac de nœuds. Tu es debout depuis plus de vingt heures, sans espoir d'en terminer bientôt, déclare mon mari. Le mieux serait que Luke se charge de l'autopsie, Kay. Tu as déjà réalisé le plus dur. Pourquoi ne pas venir avec nous ?

— Nous ? Qui d'autre, hormis Lucy ?

Benton m'accompagne à l'autre extrémité de la baie de déchargement, jusqu'à la rampe qui monte vers une porte et précise :

— Wyeth. Tu as sans doute compris qu'il était des nôtres, en poste au NCTC.

Le National Counterterrorism Center surveille les menaces domestiques et internationales. Il travaille main dans la main avec les services d'intelligence américains, comme la CIA.

— S'il se trouvait à Boston ces derniers jours, je suppose que ça n'avait rien à voir avec Briggs, sauf à admettre que vous ayez reçu des informations avant sa mort. (Nos voix résonnent en écho dans ce grand espace de ciment vide. Nous sommes plantés à proximité d'une énorme bonde de sol, et d'un épais tuyau d'arrosage enroulé.) J'espère que ce n'est pas le cas. Parce que si tu as eu le moindre soupçon...

— Non. Aucun avertissement, à ce que je sais, si on exclut la photographie que l'on m'a envoyée par mail. À ce moment-là, il était déjà parti.

Benton use à nouveau de cet euphémisme.

Parti.

Le regard de Benton ne me lâche pas. Il marque une pause puis déclare :

— Wyeth se trouvait dans les parages pour une autre raison. Je m'inquiète beaucoup d'une possible attaque majeure, planifiée dans la région de Washington. Je redoute que ce que nous constatons en ce moment ne soit que la partie visible de l'iceberg.

Il m'explique alors qu'il ne peut pas entrer dans les détails et que Briggs représentait une cible de choix, bien plus que je ne l'imagine.

— Depuis un moment, la rumeur courait sur la colline du Capitole que notre ami était bien placé pour un poste au niveau ministériel, un projet de la nouvelle administration, poursuit Benton. Je pense que Carrie veut nous rappeler qu'elle peut abattre n'importe quel dragon et nous priver de ce qui nous est le plus cher. Elle peut démolir nos rêves. Elle peut nous voler nos familles, et Briggs en faisait partie.

— Je ne sais pas si elle nous rappelle ça ou quoi que ce soit d'autre. Quant aux rumeurs, elles sont parfois sans fondement. Prenons garde aux conclusions hâtives et défions-nous de ce que nous croyons. Nous en savons si peu.

Le rideau sans fenêtre qui occulte la baie commence alors à se soulever.

Le lourd panneau roulant se relève dans des claquements métalliques et le parking illuminé apparaît par l'ouverture. Des phares nous aveuglent, escortant l'avancée de la camionnette blanche. Puis, le panneau coulissant se rabaisse bruyamment et Harold et Rusty descendent du véhicule, le contournent pour ouvrir le hayon. Les sons nous parviennent amplifiés.

Benton me serre contre lui et le contact rugueux du pistolet sanglé sur sa hanche me rappelle que nous ne savons jamais quand nous nous reverrons. Il murmure :

— Je t'appellerai dès que nous nous arrêterons pour faire le plein.

Nos vies, notre relation n'ont rien de normal, et il y a longtemps que je ne sais plus très bien ce que signifie au juste « se sentir en sécurité ». Durant quelques secondes, il me plaque contre lui, son nez et sa bouche enfouis dans mes cheveux alors que les phares se multiplient un peu plus loin sur le parking. Je déglutis avec difficulté, tout semble affreux.

— Ça me soulagerait si tu demandais à Janet, Desi et Dorothy d'emménager chez nous jusqu'à mon retour.

Je sais que je l'ai déjà dit, mais maintenant je suis très sérieux, Kay. L'union fait la force, assène Benton, le regard inflexible. J'en ai déjà discuté avec Janet au cas où tu déciderais de rester à la maison. J'en étais presque certain. Page peut vous aider, le cas échéant, avec les chiens.

J'aperçois Luke Zenner du coin du regard. Mon assistant en chef, un Autrichien aux cheveux blonds, nous rejoint, et je soupçonne qu'il dormait lorsque Anne l'a sommé de sortir du lit. Peut-être d'ailleurs dormaient-ils ensemble. Luke est terriblement attirant et a un gros béguin pour les dames. Sa joue droite est zébrée par la marque de son oreiller. Il n'a pas eu le temps de se raser et a dû s'habiller avec ce qui lui tombait sous la main, un T-shirt à la gloire des Patriots – notre équipe de football américain –, un bermuda ample, et une paire de mocassins.

— Je vais rester un peu en haut et vous ferai une synthèse plus tard. (C'est ma façon de prévenir Luke que nous ne pouvons pas parler en toute franchise devant Benton.) Je pense que nous pourrions la placer dans la salle de décomposition. Elle est en mauvais état et les processus se sont accélérés.

Le regard très bleu de Luke rencontre le mien et il lâche avec son accent germanique :

— Ça ne m'étonne pas, et ça ressemble à un plan. On va s'y mettre.

Rusty et Harold manœuvrent la civière dans la baie. Ils la poussent le long de la rampe, jusqu'à la porte qui mène à l'intérieur de l'immeuble. Benton et moi nous disons au revoir, même si nous n'utilisons jamais cette formule. Nous nous efforçons de ne pas user de termes qui signifient la fin et gardons nos séparations légères, presque désinvoltes, avec des *on se voit plus tard* ou *je t'appelle sous peu*. Comme si tout allait bien, surtout lorsque ce n'est pas le cas.

Je patiente en haut de la rampe, ma sacoche balancée sur l'épaule, dans mon uniforme de morgue auréolé de sueur. Je le suis du regard, sa haute taille, ses épaules larges, sa démarche athlétique alors qu'il s'éloigne, se tenant très droit. Il atteint la gigantesque ouverture carrée. J'ai presque l'impression qu'il devient le sujet d'une peinture encadrée. Il se retourne et me sourit.

39.

À chaque fois que je pénètre dans mon immeuble, je m'arrête d'abord dans la zone de réception, brillamment illuminée, avec ses parois constituées de chambres froides en acier inoxydable et ses congélateurs équipés de pavés d'affichage digitaux, verts lorsque tout va bien, jaunes puis rouges lorsque quelque chose leur déplaît.

L'air ambiant est agréablement frais et désodorisé. Je suis accueillie par des chamailleries, juste derrière la porte. Harold et Rusty ont poussé la civière sur la balance de sol. Ils ont enfilé des protège-chaussures, des tabliers, des gants, des calots chirurgicaux et je les surprends en pleine activité, se disputant à voix basse, oublieux de qui pourrait les entendre.

Harold tient son carnet de notes ouvert et un stylo dans la main. Il exige :

— Eh bien, c'est quoi ?

— C'est vraiment agaçant quand tu fais ça.

— Fais quoi ? Je demande juste une vérification au sujet du poids dont tu affirmes que nous devons le déduire.

Rusty brandit la longue toise de bois d'une main, à la manière d'une houlette de berger, tout en baissant la fermeture Éclair de la housse à cadavre. Il bougonne :

— Je n'ai rien affirmé parce que c'est inutile.

— Bon, alors c'est quoi ?

— Et pourquoi ce serait différent cette fois-ci, Harold ?

— Poser des questions est une marque d'intelligence.

— Et tu ne rates pas une occasion. Elle fait 39 kg comme la dernière fois, comme à chaque fois qu'on la pèse.

— Mais tu n'as pas vérifié dès le début, sans charge, n'est-ce pas ? Du coup, on n'a pas de certitude.

— Non, je ne recommence pas à chaque fois parce que c'est stupide.

Rusty mesure le corps depuis le haut du sac qui recouvre la tête d'Elisa Vandersteel, jusqu'à ceux qui protègent ses pieds.

— Et qu'est-ce qui se passerait devant le tribunal si on vérifiait que nous avons bien pesé la civière ?

— Je n'ai jamais entendu personne poser ce genre de questions, ni mettre le sujet sur la table, sauf toi.

— Mais c'est possible en fonction des circonstances. D'ailleurs, peut-être les membres du jury le devraient-ils. Personne ne peut dire quand le plus infime des détails fera toute la différence. Voyons voir... si on soustrait 39 kg de 97,5 kg, on obtient un poids corporel de 58,5 kg. (Harold a sorti son minuscule carnet pour faire l'opération parce que le calcul mental n'est pas un de ses points forts.) Et la taille ?

— 1,65 mètre.

Harold prend note des différentes mesures alors que je foule le sol en verre recyclé d'une teinte marron-gris que l'on appelle truffe.

Je m'immobilise devant le bureau du garde, sécurisé de parois de verre, ce que les gens de la maison appellent l'Aquarium. Un gros carnet noir à couverture de cuir est posé sur le rebord extérieur, devant la vitre close, notre Livre des Morts. Une fine chaînette d'acier le retient et toutes les affaires entrantes doivent être consignées à l'encre noire, avec le stylo retenu par une longue attache du même fil de coton blanc tressé que celui que nous utilisons pour les sutures.

Je feuillette les pages écologiques de notre grand livre,

tapant légèrement de la phalange contre la vitre pour attirer l'attention de mon officier de sécurité favori. Georgia me tourne le dos et récupère un bracelet jaune RFID sur l'imprimante 3D. Elle rejoint son bureau et fait glisser la vitre.

Son uniforme bleu marine, dont le pantalon est orné de bandes jaunes, me paraît un peu ample alors qu'elle s'assied devant son ordinateur, les mains survolant le clavier, la souris. Je remarque :

— J'ai l'impression vous avez encore perdu un peu de poids.

Georgia me scrute derrière ses lunettes de lecture et ses ongles vernis couleur pêche commencent à s'activer sur les touches. Une lueur de satisfaction brille dans son regard noisette. Elle sourit :

— Oh, là, je crois que vous essayez de me faire plaisir. Non, vous êtes sérieuse ? Ça se voit ?

— Tout à fait.

— Pas loin de cinq kilos.

— C'est bien ce que je me disais.

— Vous êtes un vrai rayon de soleil qui va illuminer ma journée. Pourtant, il n'est pas encore levé.

— La question importante, maintenant : que pense Weight Watchers de la pizza au petit déjeuner ? C'est autorisé ?

Je passe en revue les entrées ou les sorties des cadavres, afin de m'informer des événements survenus depuis que j'ai quitté le centre.

— Tout dépend du type de pizza, et de qui l'a confectionnée. Si c'est votre pizza, docteur Scarpetta, peu importe que ça me coûte mille points. Parce que je vais la dévorer.

Elle trie les paperasses étalées sur son bureau, et enregistre le dossier réservé à Elisa Vandersteel en lui attribuant un numéro unique.

16-MA2037.

— Et si vous me disiez le genre de groupe auquel nous devons nous attendre ? poursuit Georgia. Ceux que je dois garder sur mon radar et dont je dois surveiller l'arrivée grâce aux caméras de contrôle. Dois-je comprendre que nous fermons les écoutilles ? Parce que vous n'avez qu'un mot à dire.

— Nous n'allons pas tarder à avoir de la compagnie et nous allons rester aussi hospitaliers que possible. (Je tourne une autre page du grand registre.) Toutefois, personne ne s'interposera entre nous et notre travail. Nous ne le tolérerons pas.

— Oh, j'ai tout de suite songé qu'un truc se préparait lorsque Anne a déboulé si tôt, suivie de Bryce et ensuite de Paula, du laboratoire d'histologie. Et vous voilà, ainsi que le Dr Zenner, et selon la rumeur, Ernie Koppel serait en route. Fichtre. (Elle lève le regard vers moi.) Et qui sont ces gens que nous n'avons pas invités ?

Je le lui apprends et elle laisse échapper un gros soupir bruyant en roulant des yeux.

Je parcours des lignes de noms, d'âges, d'adresses, de causes suspectes de la mort, et vérifie si nos patients sont toujours entre nos murs ou s'ils ont été confiés à une entreprise de pompes funèbres ou à un cimetière. Je reprends :

— J'ai besoin de toute l'aide que je peux trouver, si ça vous intéresse.

— À partir de quand ?

— Dès que votre travail se termine, dans six heures.

— O'Riley sera arrivé. À huit heures ?

— Bien. J'aimerais que vous restiez un peu afin de m'aider, si ça vous va, pourvu que vous ne soyez pas trop fatiguée. (Je souhaite la présence de la loyale Georgia, parce que peu de choses lui font peur.) Nous aurons besoin de tous les renforts que nous pourrons trouver.

— Je m'y attelle tout de suite, je téléphone. C'est mieux si ça vient de moi. (Plutôt que Bryce, sous-entend-elle.) Vous savez à quel point il peut taper sur les nerfs des gens.

— Autant de nos agents que possible. J'en veux au moins un posté à chaque étage.

— Pour nous protéger d'eux.

Georgia fait référence au FBI et je ne réponds, ni ne me permets un signe d'assentiment. Elle croise ses bras épais sur son buste impressionnant. J'ignore quelle serait sa réelle efficacité lors d'une bagarre, mais hésiterais vraiment à la provoquer.

— Cela dépendra, en grande partie, de nos invités.

Je reviens en arrière et tourne plusieurs pages du Registre des Morts, me demandant s'il n'y a pas une erreur.

Georgia est remontée à la perspective que sa chasse gardée sera envahie. Elle fulmine :

— Eh bien moi, je peux déjà vous dire ce qu'ils feront. Ils vont fourrer leur nez partout, dans tous les fichus coins, s'ils en ont la possibilité.

— Nous ne la leur offrirons pas.

Je continue à déchiffrer avec attention le registre. Je m'étonne de constater que le corps de Molly Hinders serait toujours chez nous.

Tel doit pourtant être le cas. Il y aurait une mention écrite à la main à côté de son nom, si sa dépouille avait été confiée à des extérieurs. Je déchiffre la date d'arrivée, lundi 5 septembre, et l'adresse.

Granite Street.

Une rue de Cambridge dans laquelle vivent Bryce et Ethan, située non loin de Magazine Beach Park, qui borde la rivière. Ils y ont emménagé au printemps dernier. La surprise que j'éprouve m'étonne presque. Je dépose le registre à sa place, sur la tablette, et observe :

— Le corps de Molly Hinders n'a pas été restitué après mon départ, hier ? Je croyais qu'un établissement de pompes funèbres venait la chercher. Le Dr Wier a-t-elle rencontré un problème ?

Lee Wier est l'une de mes anatomopathologistes. Elle est très compétente, puisque je l'ai formée.

— Ben, ça a tourné au grand bordel.

Malheureusement, je crains que Georgia n'ait raison. Molly Hinders est une des affaires de l'enquêteur Barclay, et il faut que Marino intervienne.

— Cette pauvre dame n'a vraiment pas eu de chance. Tout le monde est prêt à se sauter à la gorge alors qu'elle est seule, allongée dans une fichue chambre froide, poursuit Georgia.

La synthèse du cas, présentée par Lee Wier lors d'une réunion du personnel quelques jours plus tôt, me revient.

Le corps de Molly Hinders a été découvert non loin d'un baffle stéréo branché. Il était tombé de son support sur l'herbe mouillée. Il s'agissait de la seule explication plausible au décès par électrocution. Elle arrosait les plantes de son jardin au jet lorsque l'appareil sous tension avait basculé. Toutefois, j'étais dubitative, ne voyant pas comment un haut-parleur pouvait tuer quiconque.

Le courant électrique à l'origine de sa mort avait brûlé son cuir chevelu et ses cheveux.

La scène s'était déroulée en début de soirée, le jour de la fête du travail. Elle rentrait de faire du kayak sur la Charles River. Elle avait tiré le kayak arrimé sur la galerie de sa voiture jusqu'au jardin, puis avait pénétré chez elle pour se servir un verre de vin. Toujours vêtue de son maillot de bain, elle était ressortie dans le jardin afin d'arroser. À proximité se trouvaient une chaine stéréo, une table et des chaises en fer forgé, et un barbecue poussé sous une pergola partiellement couverte, prise d'assaut par une vigne vierge.

À l'arrivée de la police, la chaîne était privée de courant, le disjoncteur différentiel ayant basculé. Rien que ce détail impliquait qu'elle n'aurait pas dû recevoir un courant électrique, et encore moins en mourir. Or ce ne fut pas le cas, et j'ai toujours trouvé cela bizarre, dès le début. Cela étant, cette affaire n'avait pas véritablement attiré mon attention jusque-là. Molly Hinders me rappelle à présent de façon bien trop insistante Elisa Vandersteel et le général Briggs.

— Expliquez-moi pourquoi la dépouille de Molly Hinders est toujours chez nous.

— De ce que j'ai compris, sa famille a de l'argent et elle n'était pas encore divorcée de son mari, même s'ils étaient séparés. Du coup, il fait toute une histoire au sujet de qui doit récupérer le corps. En réalité, ils se bagarrent sur tout parce qu'elle était très jeune, n'avait pas fait de testament, rien. Et vous voulez que je vous raconte le pompon ? Ils ont décidé de se passer des pompes funèbres qu'ils avaient choisies dans un premier temps. Bilan, on peut plus confier le corps à quiconque.

— Eh bien, ça n'est pas plus mal, assez providentiel même, parce que je soupçonne d'autres problèmes. (J'entends le glissement des portes de la cabine d'ascenseur qui s'entrouvrent.) On ne restitue pas le corps tant que je ne l'aurai pas autorisé. Je vérifie différents points d'abord.

Bryce apparaît. Il s'est changé depuis que nous avons discuté *via* l'écran de mon camion de commande, une éternité plus tôt, semble-t-il.

Le regard bleu de mon chef du personnel semble toujours un peu vague, peut-être un vestige du cidre brut. Il lance :

— Quel cadavre garde-t-on ?

Il porte un jean slim, un T-shirt et des kilos de bijoux gothiques, se préparant pour les fédéraux. Bryce adore flirter, et plus son attitude exaspère, plus il en rajoute une couche.

— Molly Hinders, dis-je. La cause de la mort sera « indéterminée », en attendant de futures investigations. Soyez gentil de prévenir le Dr Lee Wier.

Je change alors de sujet afin de m'enquérir du mystère du tatouage en feuille de marijuana. Je lui pose la question sans prendre de gants.

— J'imagine qu'on ne sait toujours pas comment ce détail a pu se retrouver sur un enregistrement au numéro d'urgence ?

Son visage juvénile s'empourpre et il lâche avec une désinvolture exagérée :

— Bien sûr ! Ethan et moi avons retourné cette histoire. Le timbré juste à côté de chez nous ? Vous savez, notre connard de voisin ? Je suis sûr que c'est lui qui a voulu se venger.

Georgia intervient. L'histoire du tatouage semble lui être familière, et je suis certaine que Bryce devait mourir d'envie de la lui raconter :

— Et comment est-ce qu'il saurait ce qui se passe chez vous ?

— Se venger pour quoi ?

— Eh bien...

— Bryce ? Vous êtes rouge comme une tomate. À l'évidence, vous savez quelque chose. Comment votre voisin a-t-il pu découvrir que vous vous étiez amusé avec un tatouage temporaire ?

— Eh bien, je crois que j'étais plus bourré que je ne le pensais, avec nos margaritas divines réalisées avec la tequila sublime que votre sœur nous a offerte. Il semble qu'après le départ de nos amis, j'ai sorti la poubelle. Et j'ai entendu le même bruit bizarre et vu la même lumière étrange. Du coup, j'ai trébuché sur quelque chose et je suis tombé. Il est sorti pour m'aider à me relever. Sauf qu'en ce moment de grande confusion, ça n'était pas un *lui*. C'était cette *chose* et j'ai véritablement pensé que ce coup-ci, j'étais cuit.

Georgia a cessé de taper, et le dévisage, les yeux écarquillés d'étonnement.

— De quoi parlez-vous ? demande-t-elle.

— En réalité, j'étais certain que les extraterrestres tentaient de m'enlever pour mener à bien un projet de recherche qui leur tenait à cœur.

— Mince ! Alors là on peut dire que vous me faites perdre mon temps, proteste Georgia en secouant la tête.

— Je suis ultra sérieux. Ça fait un moment que je vois ces lumières bizarroïdes dans le ciel, à la nuit tombée.

Elle continue de hocher la tête et le rembarre :

— Oui, ça s'appelle des étoiles et des avions.

— Dois-je en conclure que votre voisin est sorti lorsque vous êtes tombé avec la poubelle ?

— Donald l'Horreur. Je ne me souviens pas trop de ce qui s'est passé, contrairement à Ethan. En fait, il a accouru pour voir ce qui m'arrivait, et il a entendu les choses effroyables que j'ai vociférées. Ethan était vraiment embarrassé et n'arrêtait pas de me demander de remercier Donald, qui s'était précipité pour m'aider. Non, mais vous imaginez ça ? Sauf que, dans mon état d'ébriété, j'ai crié *Et comment on peut savoir que c'est pas lui qui m'a poussé dans l'escalier* ?

— Et comment a-t-il pu découvrir le tatouage ?

J'insiste.

— Sa torche. Je portais un short et j'étais pieds nus. Donc, il l'a vu, et il nous a balancé qu'on était des camés et que ça expliquait tout. Sauf que je ne me souviens de rien.

— Il faut mettre Marino au courant, lui dis-je. Appelez-le tout de suite, s'il vous plaît. Trouvez-le et dites-lui que nous devons discuter.

40.

Je passe le bras dans l'aquarium de Georgia pour récupérer le lecteur portatif de puces RFID dans son chargeur. Je me dirige vers la chambre froide numéro 2 et soulève l'épaisse poignée d'acier. L'énorme porte en acier brossé s'ouvre sur un chuintement doux et un nuage de vapeur d'eau qui évoque une brume mais sent la mort.

J'avance dans l'air froid et vicié du vaste espace à la

température polaire, encombré de plateaux d'acier sur lesquels sont posés des monticules en forme de corps humains. Chaque poche à cadavre est distinguée par une puce incrustée dans un autocollant, puce qui doit être identique à celle du bracelet jaune passé au poignet du défunt. La redondance. La pire chose qu'il puisse nous arriver serait de perdre quelqu'un. Brandissant le lecteur à la manière d'une arme, je scanne différentes housses jusqu'à localiser Molly Hinders.

Mon haleine file en buée alors que je descends la fermeture Éclair de la poche qui l'enveloppe. L'air réfrigéré dévale bruyamment dans la pièce. J'extrais une paire de gants d'une boîte posée sur un chariot et commence à passer mes doigts gainés de violet dans les courts cheveux bruns frisés de la femme morte. Le froid de son corps me parvient comme je palpe les alentours de l'incision d'autopsie qui suit la ligne de naissance des cheveux, passe au-dessus des oreilles et se poursuit à l'arrière du crâne où je découvre une petite plaie béante sur le cuir chevelu.

Le Dr Lee Wier a réalisé ce pourquoi elle a été formée et que je lui avais recommandé lorsque nous avions discuté du cas. Elle a excisé le tissu brûlé afin qu'Ernie recherche des particules microscopiques de métaux ou d'autres matériaux qui auraient pu être transférées dans les blessures. Elle a sans doute envoyé les échantillons biologiques collectés il y a plusieurs jours au laboratoire d'histologie. Je ressors de la chambre froide et referme l'épaisse porte derrière moi. Je tente de joindre Paula au labo d'histologie, espérant que le signal de mon téléphone sera de bonne qualité.

— J'ai terminé hier après-midi, me déclare celle-ci. Le Dr Wier m'avait demandé de m'y mettre aussitôt que possible, en raison du temps de préparation nécessaire. C'est ce que j'ai fait.

— Elle vous a spécifiquement demandé de préparer les échantillons humides pour Ernie ?

— Tout à fait. J'ai réalisé quatre prélèvements provenant de la brûlure de la tête de la victime.

— Je suis bien contente de l'apprendre.

En effet le tissu carbonisé devait d'abord être déshydraté grâce à de l'acétone, avant d'être placé dans la chambre à vide d'un microscope électronique, et ça peut prendre plusieurs jours.

Si le Dr Wier et Paula n'avaient pas agi avec autant de célérité, nous n'aurions rien eu à analyser avant le week-end. Et rien ne peut être pire qu'attendre. En fonction de ce à quoi nous sommes confrontés, quelqu'un d'autre risque de mourir. Je longe le couloir désert, dépasse des labos et d'autres stations de travail plongés dans l'obscurité à cette heure précoce. J'aperçois plus loin une porte ouverte.

Anne n'est pas installée derrière son bureau de la salle de contrôle de la radiographie à large spectre, mais son sac et ses clés traînent dessus. Je la découvre derrière la paroi en verre au plomb, de l'autre côté, debout devant le CT scanner à grand diamètre, de couleur crème. Elle a passé une blouse sur son jean et discute avec Luke Zenner, en vêtements de chirurgie. Elisa Vandersteel, recouverte de sa housse, est allongée sur la table, devant eux. Je pousse la porte de séparation entre les salles de contrôle et d'examen.

— Ah, la personne que je souhaitais voir ! dis-je à Luke.

Je leur explique qu'il est possible que Molly Hinders et Elisa Vandersteel ne soient pas décédées de causes naturelles ou accidentelles. Il se peut qu'il s'agisse d'homicides liés. Puis, je les renseigne sur ce qui est arrivé à Briggs. Luke et Anne ne cessent de m'interrompre avec des questions auxquelles je ne peux pas répondre. Je sens qu'ils sont de plus en plus bouleversés. Je conclus en martelant la vérité :

— Nous ne pouvons pas poursuivre sur cette voie pour l'instant. Nous devons mettre de côté nos sentiments. Nous devons nous concentrer pour découvrir ce qui a tué ces gens, qu'il s'agisse d'un dysfonctionnement électrique, d'une série de coïncidences, d'un acte délibéré. Dans ce dernier cas, nous serions confrontés à une arme inconnue jusque-là.

Les mâchoires de Luke se contractent et son regard se fait dur lorsqu'il me lance :

— Difficile d'imaginer que tout ce qui se passe de façon soudaine et presque concomitante relève du hasard.

— Lorsque vous aurez terminé, dis-je, prenez des photos des brûlures avant de les exciser. Expédiez aussitôt les tissus à Paula. Portez un intérêt particulier aux petites brûlures fines et rectilignes, blanchâtres, parcheminées en haut du dos et en bas de la nuque, mais également au dos de sa main droite et à son poignet.

— De toute façon, il va falloir que j'enlève les sachets en papier, déclare Luke. Je vais m'y atteler tout de suite, tout préparer pour les labos. Ensuite, je la remiserai dans la salle de décomposition.

— Je monte me nettoyer un peu.

— Alors ça, c'est une sacrée idée. Rien de mieux que de se laver avant de réaliser une autopsie dans la salle de décomposition, rétorque Anne, non sans humour.

Quoi qu'il en soit, elle vient de me donner une idée.

— J'ai cru comprendre que nous avions des problèmes de ventilation dans cette pièce.

Anne me jette un regard perdu, l'incompréhension peinte sur son visage quelconque mais agréable. Puis soudain, elle fronce les sourcils et comprend.

— Oh... ah oui, *ça* ! s'écrie-t-elle comme si elle se souvenait brusquement de ce que je mentionne. Vous voulez parler de la table à ventilation descendante, invente-t-elle. L'aspiration de l'air ne rabattait pas les odeurs vers le bas, afin d'épargner un peu les gens qui travaillaient. Je crois que c'est le problème que nous avons rencontré, il y a quelques jours. J'ai entendu dire que la puanteur était si effroyable que tout le monde était à un cheveu de vomir, improvise-t-elle. J'espère pour nos invités que le problème est résolu.

— Le contraire serait regrettable.

J'émerge de la salle de bains de mon bureau situé à l'étage une demi-heure plus tard, et me sèche les cheveux à l'aide d'une serviette.

Vêtue de vêtements de salle de morgue bleus, propres, et chaussée de sabots chirurgicaux en caoutchouc noir, je traverse la zone de réception de mon bureau, pointillé de meubles en cuir dans des tons terre de sienne apaisants, d'une table de conférence et de ma collection privée de planches anatomiques par Max Brödel, Frank Netter, et bien sûr de copies d'Edwin Landseer en plus de reproductions des gravures du XVIII\ :sup:`e` siècle des *Quatre étapes de la cruauté*, signées William Hogarth.

Juste à côté de mon bureau, le mur de données indique l'heure et d'autres informations en chiffres lumineux sur l'écran noir. 3:08.45... 3:09.50... 3:10.00. Je regarde les secondes défiler et sélectionne une application sur mon Smartphone. Elle me donne accès aux différentes zones du CFC en permanence surveillées par caméras, tant à l'intérieur qu'à l'extérieur. Le mur de données se fragmente et me permet de visionner différentes prises de vue en direct. Je constate que mon parking s'est considérablement rempli depuis que je suis arrivée.

Plusieurs berlines et SUV noirs ou bleu foncé sont garés. Je joue du panoramique et de l'inclinaison, puis vérifie d'autres zones du CFC, à l'extérieur puis à l'intérieur. C'est ainsi que je découvre que la Tahoe noire est dans la baie de déchargement. Seule Lucy est assez impertinente pour oser ce genre d'abus. Roger Mahant est donc de retour, accompagné d'une sacrée clique, semble-t-il. Je m'étonne que Georgia ne m'ait pas prévenue. Peut-être étais-je sous la douche et n'ai-je pas entendu.

Je compose le numéro de sa ligne. La sonnerie retentit alors que les secondes en chiffres numériques s'égrainent. Ça sonne et re-sonne. 3:12.11... 3:13.10... 3:14.00... Étrange qu'elle ne réponde pas. Puis, mon téléphone résonne. Certaine qu'il s'agit de Georgia, je lance :

— Que se passe-t-il ?

— Bonjour, Kay, répond la voix d'Ernie Koppel.

— Désolée, je tentais de joindre l'Aquarium...

— Vous pouvez passer ? Je n'ai pas pour habitude de crier au loup, mais j'aimerais que vous voyiez ça avant quiconque. J'attends confirmation du résultat, mais si vous pouvez me consacrer une minute, je pense avoir trouvé un truc étonnant, une vraie première. Du moins pour un labo médico-légal.

Il précise ensuite qu'il se trouve dans la salle de microscopie électronique. Je récupère ma blouse abandonnée sur le dossier de mon fauteuil de bureau, et fonce vers la porte. Je ne prendrai pas l'ascenseur. Il est d'une lenteur ahurissante pour ce quartier général à la pointe de la technologie et, de plus, j'ai bien l'intention de pratiquer l'esquive afin de coiffer les fédéraux au poteau. À chaque occasion qui se présentera. La meilleure façon de commencer consiste à utiliser l'escalier de secours. Tout le monde peut l'emprunter pour sortir du bâtiment. En revanche, on ne peut pas accéder aux différents paliers sans un badge d'identification ou un code.

Il est donc fort peu probable que je rencontre âme qui vive. Mes sabots résonnent sur les marches de ciment à l'arête métallique alors que je descends. Un calme irréel règne dans la cage d'escalier. J'ouvre enfin la dernière porte et pénètre dans la baie des indices. Nous y traitons les pièces à conviction volumineuses – véhicules de différentes tailles, voire super voitures, motos, scooters des mers et même un deltaplane fait maison, à l'évidence défectueux, sans quoi son propriétaire n'aurait pas atterri chez nous.

L'éclairage est en mode économie d'énergie et je marche d'un pas vif dans la semi-pénombre. Je longe des espaces dédiés aux examens, qui sont occupés par nos affaires en cours. Un bateau recouvert d'une tente sera vaporisé avec une brume de Super Glue afin de mettre en évidence d'éventuelles empreintes latentes. Deux salles plus loin, attend un camping-car, scène d'un présumé meurtre suivi d'un suicide. Juste à côté, une baie autonome est tapissée du sol au plafond de papier blanc maculé d'éclaboussures et de traînées sanglantes afin de reconstituer un meurtre par arme blanche.

Je me dirige vers un panonceau extérieur allumé en rouge, pour « en activité », scellé au-dessus du bunker en béton qui héberge le microscope électronique à transmission, ou MET. Je passe mon pouce sur le lecteur biométrique. La porte en acier inoxydable glisse avec un chuintement qui m'évoque toujours *Star Trek*. J'avance et suis accueillie par l'air sous pression positive qui chahute mes cheveux. La porte se referme derrière moi.

Ernie est installé, dans la presque obscurité, devant la console qui pilote le microscope d'une demi-tonne.

— Hello ! me lance-t-il. Approchez-vous, et préparez-vous pour la suite. Parce que vous allez ressentir le besoin de vous asseoir.

Mon ultra-compétent ingénieur, spécialiste des traces, m'évoque toujours un sous-marinier lorsqu'il est installé devant ce qui ressemble à un périscope, un épais tube métallique, surmonté de l'assemblage de la cathode, qui grimpe presqu'au plafond. Les gens l'appellent souvent le canon à électrons, mais je le vois plutôt à la manière d'une ampoule électrique. Son filament de tungstène en forme d'épingle à cheveux génère des émissions thermo-ioniques, dirigées vers ce que nous souhaitons analyser. La pièce ressemble à une grotte, un espace confiné, de quoi rendre claustrophobe.

Les épais murs de béton transforment le lieu en une chambre presque sourde et l'isolant en fibre de verre tapissé d'un tissu sombre semble aspirer la lumière. J'ai l'impression d'évoluer au fond de l'océan, sous terre ou perdue dans le vide sidéral et d'être passée dans l'inconnu, comme Alice au travers du miroir. D'une certaine façon, c'est assez juste, puisque Ernie navigue dans un univers qui ne peut être approché qu'avec des appareils capables de détecter des particules aussi petites qu'un milliardième de mètre, c'est-à-dire le soixante-quinze millième du diamètre d'un cheveu.

On peut trouver des milliers de cellules de peau et de grains de poussière sur d'aussi minuscules et banals indices, des déchets universels abandonnés par la méchanceté ou un mauvais karma. Les gens laissent toutes sortes de détritus, en apparence indécelables, dans leur sillage. Ceux-ci sont en permanence recyclés et peuvent atterrir dans les endroits les plus improbables. Nous transportons d'infimes signes révélateurs, dedans, dehors, les transférons à ceux que nous croisons, aux objets, d'un continent à l'autre.

J'ai l'impression qu'il a un peu laissé pousser ses cheveux blonds striés de mèches grisonnantes. Je devine son pantalon de costume noir sous sa blouse de labo entrouverte, et sous son col de chemise, sa cravate cordelette de cow-boy attachée avec une pointe de flèche coulissante en argent et turquoise. Il porte sa ceinture en lézard, coordonnée à ses boots noirs. Je parie qu'il a laissé son Stetson, noir aussi, avec pli dit « du joueur » dans son bureau. Sans doute est-il convoqué au tribunal aujourd'hui, pour une déposition ou autre, ou alors une occasion quelconque justifie qu'il soit plus habillé qu'à l'accoutumée. Je le lui demande. Son regard bleu pétille dans son visage buriné.

— Non, non ! Un truc beaucoup plus important. J'ai bien l'intention d'aller à la Kennedy School après le travail, pour assister à votre conférence. Je doute d'avoir le temps de rentrer d'abord à la maison. On est un petit groupe du centre désireux de vous écouter.

Sa déclaration me touche mais la tristesse m'envahit. Je m'assieds et lui annonce la terrible nouvelle au sujet de Briggs. Je lui fais ensuite part de mes craintes.

— Merde ! jure Ernie dans un souffle.

— De l'énergie, de l'électricité détournée en arme, on ne sait trop comment, c'est du moins l'hypothèse de Benton.

— Eh bien, de façon assez tordue, ça paraît logique.

— Vous avez découvert un indice qui irait dans ce sens ?

— Pas exactement et en même temps peut-être. En fait, j'ai commencé à m'atteler à cela hier, juste avant de partir.

Il fait référence à l'affaire Molly Hinders. Je continue de détailler la rangée des moniteurs suspendus au-dessus de nos têtes, sans comprendre ce que je vois.

Des formes bizarres, en noir et blanc, illuminées, s'étalent devant mes yeux, certaines de l'ordre du nanomètre, agrandies 200 000 fois. Je suis face à des spectres déroutants. Je reconnais le symbole atomique du nickel, de l'aluminium mais également ceux de la silice et du fer, éléments présents dans la brûlure du cuir chevelu.

Je ne comprends pas trop pourquoi le titane apparaît, et la présence de zirconium et de scandium achève de me déconcerter. Ce ne sont pas des métaux usuels. L'un est utilisé dans les réacteurs nucléaires, l'autre par l'industrie aérospatiale.

— Je ne voulais pas vous en parler avant d'avoir vérifié avec un de mes copains qui travaille à l'ORNL, précise Ernie.

Oak Ridge National Laboratory, situé dans le Tennessee, est l'une des institutions vers lesquelles nous nous tournons lorsque nous avons des questions totalement inhabituelles dans le domaine de la science des matériaux. En d'autres termes, si nous ne parvenons pas à comprendre de quoi est fait quelque chose, ni pourquoi, nous contactons l'ORNL, le MIT, Caltech et même la NASA. D'ailleurs, un excellent exemple de cette collaboration n'est autre que mon sujet de ce soir, la tragédie de la navette spatiale *Columbia*. Un laboratoire classique de sciences médico-légales ne pouvait pas déterminer l'origine du dysfonctionnement d'un bouclier thermique.

— Il m'a rappelé au moment où vous descendiez me rejoindre, poursuit Ernie. Vous m'avez déjà entendu mentionner mon pote Bill. Il travaille dans le laboratoire des supraconducteurs, et dort à peu près autant que vous, ajoute-t-il puisqu'il n'est pas encore quatre heures du matin. Vous savez ce qu'est le panguite ?

— Je ne crois pas. En réalité, j'ignore de quoi vous parlez.

Il désigne une image en noir et blanc sur un des moniteurs, agrandie cinq cents fois, blanche, bosselée, comme des molaires difformes.

41.

Ernie se baisse pour tirer une des ses chaussettes qui a glissé dans son boot de cow-boy et poursuit :

— Le panguite a été découvert il y a quelques années par des géologues de Caltech qui analysaient des morceaux de météorite tombés au nord du Mexique en 1969.

— Je n'en ai jamais entendu parler.

— On lui aurait donné le nom du dieu Pangu, celui qui a séparé le yin du yang, ou un truc de ce genre, explique-t-il et mon incrédulité croît. Ainsi que Bill l'a souligné, ce n'est pas parce que la découverte du panguite est très récente qu'il n'est pas présent dans d'autres météorites qui ont heurté la Terre. Il faudrait, pour le vérifier, aller dans tous les musées du monde et analyser l'intégralité des fragments.

Je désigne l'écran situé de l'autre côté de la pièce, à hauteur de plafond, et demande :

— Comment savez-vous qu'il s'agit d'un météorite ? Enfin, c'est totalement illogique. Molly Hinders n'a

certainement pas été frappée par un éclat de météorite alors qu'elle arrosait son jardin, le jour de la fête
du travail. D'ailleurs, je doute qu'il y ait jamais eu
un accident de ce genre. Mais même en l'admettant ?
Je m'attendrais à des dégâts beaucoup plus importants qu'une petite brûlure sur le cuir chevelu, et elle
n'est certainement pas morte des suites d'un impact
violent. Il s'agit d'un décès occasionné par une décharge
électrique.

— Les métaux que nous voyons sont significatifs,
Kay. Principalement le zirconium et le scandium, sans
oublier le fer, le titane, etc.

— Ne pourrait-il pas y avoir d'autre explication ?

— Pas dans le cas du panguite puisque ça n'existe
pas de façon naturelle sur Terre.

Il désigne de l'index les pics qui figurent le Ti^{4+}, le
Sc, l'Al, le Mg, le Zr, le Ca, l'O_3, les composants élé-
mentaires de ce qu'il nomme une nouvelle combinaison
d'oxyde de titane.

On le trouve sous la forme de fins cristaux qui, au
grossissement 200 000, évoquent du corail ou de l'os
d'un blanc grêlé. Je remarque d'étranges zones rou-
geâtres mais également des irrégularités de surface,
des fêlures, des creux et des inclusions cristallines, sans
oublier des fibres brillantes dont Ernie m'explique qu'il
s'agit de nanotubes de carbone en couche unique.

— Maintenant, vous comprenez le problème, lâche-t-il.

— Certainement.

— On a bidouillé Dame Nature.

— Vous pensez que quelqu'un a réalisé une arme à
partir d'un morceau de météorite et de nanotubes de
carbone ?

— C'est possible, Kay.

Les nanotubes sont extrêmement légers, très résistants, et les structures manufacturées à partir de ces
fibres très minces peuvent conduire l'électricité et la
chaleur d'une manière terriblement efficace et rapide.
Les gens bien informés croient, et redoutent, que les

nanotechnologies deviennent le futur d'à peu près n'importe quoi, notamment de la guerre.

— Imaginez-vous : et si quelqu'un construisait une petite mais ultra-puissante bombe à partir de nano-thermite, encore appelée super-thermite ? déclare Ernie. Ou alors des mini ogives nucléaires ? Ou, pire, une version bioterroriste à l'échelle nano ? Effrayant.

— En effet. Je comprends l'utilité de nanotubes, mais quel usage pourrait-on trouver au panguite ?

— Je me suis posé la même question. Selon Bill, si cela ressemble au titane, peut-être qu'il s'agit d'une couche de protection, une protection thermique.

— Alors, pourquoi ne pas utiliser carrément du titane ? Et où quelqu'un pourrait-il mettre la main sur un météorite, à moins que cette personne ne travaille dans ce domaine ?

— Facile, répond Ernie. On peut acheter toutes sortes de fragments sur Internet.

— Mais contiennent-ils tous du panguite ?

— Comme je l'ai dit, on ne sait pas. Il est impossible de répondre à cette question s'ils n'ont pas été analysés. Je pars du principe que ça doit être rare. Ce minéral a été découvert très récemment. Du coup, j'ai du mal à croire qu'on ne l'aurait pas vu s'il était un constituant classique des météorites. Dans ce cas, on l'aurait remarqué il y a longtemps.

— On est donc en train de parler d'un individu à l'aise avec les nanotechnologies. S'il est capable de modifier des matériaux au niveau atomique, ce n'est pas le quidam moyen.

— Qu'est-ce que je réponds si le FBI déboule ici et me pose des questions ? me demande Ernie.

— Bouclez votre porte et ils ne débouleront pas. Et si vous restez sage comme une image, ils ne vous trouveront jamais ici.

— Si jamais un truc pareil fuitait… ça créerait une panique si la population pensait que des météorites peuvent tuer des gens ou qu'un rayon de la mort a vu le jour.

— La discrétion est impérative en ce moment.

Je me lève.

Après avoir quitté Ernie, je retourne vers la salle du CT scanner, désertée. Je me dirige vers l'aire de réception, où deux agents du FBI boivent un café, non loin de la porte qui mène à la baie.

Je m'arrête à hauteur du poste de travail de Georgia et déclare :

— J'ai essayé de vous appeler.

— Oh, je parie que c'était au moment où je suis sortie dans la baie de déchargement pour leur expliquer qu'ils ne pouvaient pas s'y garer. Avec le résultat que vous constatez ! Ce gros cul de SUV est toujours là, n'est-ce pas ?

— S'il se fait érafler par une civière, ils ne pourront s'en prendre qu'à eux-mêmes.

Je mets toujours Lucy en garde à ce sujet. Elle ne m'écoute pas mais, d'un autre côté, personne n'a jamais esquinté une de ses voitures. Pas une fois. Mais bon, il y a toujours un début à tout. Je me dirige vers la salle d'autopsie, sombre et silencieuse derrière ses portes closes. Un peu plus loin se trouve une autre salle, en réalité un espace de confinement pour les cadavres particulièrement décomposés et potentiellement infectés. Les deux agents, chacun planté d'un côté de la porte en acier, n'ont pas l'air trop heureux de me voir.

J'enfonce du coude le gros bouton d'acier d'ouverture scellé au mur et la porte s'ouvre automatiquement en libérant un nuage lourd de puanteur qui encourage les deux fédéraux à se reculer avec précipitation.

Je prends mon temps, maintenant la porte large ouverte. L'air vicié est épais et aussi agressif qu'une créature vivante.

— Comment ça se passe ? dis-je d'un ton guilleret.

Roger Mahant, Anne, Harold et Luke sont emmitouflés dans des vêtements de protection et massés autour de l'unique table d'autopsie de la pièce, dont le plafond haut de neuf mètres est sillonné de rampes d'éclairage haute intensité. Je remarque que la baie d'observation en haut est vide et plongée dans l'obscurité. Anne n'aura sans doute pas expliqué à nos visiteurs du FBI qu'ils peuvent s'installer derrière ses parois vitrées, un espace réservé aux étudiants, et éviter ainsi des désagréments superflus s'ils le préfèrent. Ils auraient pu boire tranquillement une tasse de café là-haut et surveiller nos moindres gestes grâce à des écrans audio-vidéo. J'en conclus qu'Anne a oublié, de façon intentionnelle, de le mentionner.

Luke glisse une lame neuve dans le scalpel. Les sacs en papier ont été ôtés des mains, des pieds, et de la tête d'Elisa Vandersteel. Son soutien-gorge de sport, son short bleu et ses socquettes sont étalés sur une paillasse recouverte de papier blanc. Luke Zenner incise le corps d'une clavicule à l'autre puis descend le long du torse.

— On dirait qu'elle a subi des dommages cardiaques, le péricarde face postérieure et une hémorragie dans la zone du myocarde côté gauche, me dit-il en me relatant ce qu'il a observé sur le CT scan. Ajoutons ce qui ressemble à une suffusion de sang dans le septum interventriculaire.

Je me suis placée de l'autre côté de la table et récupère un costotome, pour couper les côtes, sur un chariot chirurgical, puis demande :

— Et la blessure à la tête ?

Mon épaule frôle celle de Mahant.

— Pas de fracture du crâne.

Je sectionne les côtes puis enlève le sternum, exposant les organes thoraciques. L'odeur nauséabonde s'élève jusqu'à nos narines, telle celle d'une fleur mortifère.

L'écran facial de Mahant n'y fera rien, et je vois sa peau virer au gris-vert. Luke soulève le bloc d'organes et l'extrait de la cavité avant de le déposer sur une large planche de dissection. Le paquet sanglant s'affaisse en produisant un son visqueux.

Mahant s'est reculé de la table d'autopsie et me regarde sans cligner des paupières.

— La ventilation ne fonctionne pas ici ? s'enquiert-il.

— Vous avez trop chaud, trop froid ? demande Anne d'un ton innocent.

— Non, je veux dire le renouvellement de l'air.

Il déglutit avec peine.

— Ça pourrait être pire. On a eu un flotteur l'autre jour. (Elle me regarde alors que j'incise l'estomac à l'aide d'une paire de ciseaux chirurgicaux.) En réalité, ce jour-là, on a vraiment cru que la ventilation était en panne.

— C'est à cause de la vague de chaleur, explique Luke.

— Et en quoi cela affecterait le renouvellement de l'air ambiant ?

— Parce que ça affecte tout.

— Notre système d'air conditionné fonctionne à plein régime par ce type de temps, je complète.

Je verse le contenu gastrique dans un petit conteneur en carton plastifié et suis surprise de découvrir des cacahouètes et des raisins secs non digérés. Je tends ma paume gantée à Roger Mahant. Il se recule encore un peu.

— Elle a ingéré une sorte d'encas peu avant son décès.

— Un assortiment de fruits secs ou un truc de ce genre ? suggère Anne.

J'entaille le tissu conjonctif intestinal, me débarrassant de sections dans un seau en plastique posé au sol, pendant que Luke récupère sur la balance le rein qu'il vient de peser.

— Il serait peut-être intéressant que vous creusiez ce détail, dis-je à Mahant.

Luke commence à découper le rein et Harold pratique une incision autour de la partie supérieure du crâne.

Bryce entre, sans prêter particulièrement attention à ce que nous faisons, et qui lui semble tout aussi normal qu'à nous.

— Je viens prendre les commandes pour le petit déjeuner. Combien d'amateurs pour une bonne part de pizza ? claironne-t-il, jovial.

J'évite de croiser le regard d'Anne, certaine qu'elle a informé mon chef du personnel de son vilain plan, qui ne pouvait que le séduire.

— Bon Dieu ! s'exclame Mahant en le dévisageant, yeux écarquillés.

Harold tire la peau du visage, qui s'affaisse à la manière d'un masque de caoutchouc, de sorte à pouvoir accéder à la calotte crânienne, d'un blanc lumineux, ronde comme un œuf.

— Viande ou végétarienne ? insiste Bryce.

Harold branche la scie Stryker dans le boîtier à enrouleur situé au-dessus de sa tête. Mon chef du personnel lève la voix afin de couvrir le puissant geignement de la lame oscillante qui tranche l'os :

— Nous avons également l'option sans gluten. Mais rien sans *glouton*, ajoute-t-il incapable de résister à son jeu de mot favori. Parce que personne ne peut s'empêcher de les dévorer.

Harold récupère des ciseaux pour soulever la calotte crânienne.

— L'astuce, c'est de faire une petite entaille ici, montre-t-il à Mahant, dont le regard est fixe, et qui paraît à peine respirer. Ensuite, j'insère les ciseaux et j'opère un petit mouvement tournant, comme avec une clé pour patins.

Harold joint le geste à la parole et soudain se précipite pour retenir l'ASAC alors que celui-ci bascule comme un arbre coupé vers le sol carrelé.

— Oh mon Dieu ! Il faut qu'il prenne un peu l'air. (Harold le retient et l'accompagne jusqu'à la porte, ce qui n'a rien d'une première dans sa carrière.) Voilà. (Il ouvre le battant et accompagne Mahant à l'extérieur.) Attendez, on va vous trouver une chaise, lâche-t-il de sa belle voix de directeur de maison funéraire. Messieurs, l'un de vous pourrait-il avoir la gentillesse de nous apporter une chaise ? Il a juste besoin de s'aérer un peu, lance-t-il aux deux fédéraux plantés dans le couloir.

Je suis sans doute une méchante femme. Je reste dans la salle de décomposition et ne fais rien pour aider Roger Mahant. Tant qu'il ne vomit pas sur le corps ni ne se fracture le crâne par terre, peu m'importe qu'il se trouve mal ou qu'il soit nauséeux. Bien sûr, je prétends le contraire. Peut-être que lui et sa bande de joyeux drilles fédéraux partiront enfin pour ne jamais revenir.

Luke a entrepris de découper des sections du cœur sur la planche de dissection et me lance :

— Regardez un peu ça !

Il sèche un fragment de l'organe à l'aide d'une serviette en papier. La petite contusion du myocarde, récente, ressemble à un point bleu noir sur le muscle cardiaque plus pâle.

— En d'autres termes, le cœur a pris une énorme pêche électrique et s'est arrêté.

— Est-ce que vous pensez que la blessure à la tête aurait pu l'assommer ? demande Anne. On repère indiscutablement une hémorragie sous-arachnoïdienne sur le CT scan.

— C'est possible, mais ça n'a pas grande importance puisque cette blessure-là n'a pas contribué au décès. Cela aurait pu avoir une incidence. Toutefois, dans le cas qui nous occupe, elle était déjà pratiquement morte lorsqu'elle est tombée par terre.

Luke prend quelques clichés et ajoute :

— En résumé, si l'on prend tout en considération, le décès résulte d'un arrêt respiratoire consécutif à une électrocution. Elle n'a sans doute pas survécu plus de quelques minutes et je doute qu'elle ait compris ce qui lui arrivait.

42.

De l'autre côté de la rivière, les toits d'ardoise de Boston évoquent le dos d'un dragon gris, hérissé de tuyaux de cheminée. Je contemple l'obscurité qui se dilue sur la ligne d'horizon. Le soleil se lève.

Depuis la baie vitrée de mon bureau, je vois l'aube caresser le jour naissant et la rivière se teinter de nuances plus bleues, bigarrées de vert. Les réverbères d'acier s'éteignent le long de la balafre pâle tracée par la piste cyclable, où des gens font du vélo et du jogging. Le monde se réveille, comme à son habitude, à croire que rien ne s'est produit la nuit dernière, à un peu plus d'un kilomètre d'ici. Le décès constaté dans le John F. Kennedy Park a été relaté aux informations. Pourtant, on ne le croirait pas.

Je traverse mon bureau, une généreuse tasse de café très fort à la main que je viens de me faire à la machine à expresso. Je m'assieds derrière ma table de travail en forme de U, avec sa rangée de larges écrans d'ordinateur. Voilà presque une heure que je transcris et traduis.

J'ai décidé d'espacer les mots, et les ruptures de lignes, en me fiant à la cadence et aux pauses, m'efforçant de déduire un schéma de ce que j'écoute : le dernier clip audio que m'a envoyé par e-mail Serrefile Charlie en début de soirée.

Me revoilà, K.S...
   (À la demande générale, rien que cela !)

Ce qui suit
  sera pire
     que ce qui a précédé.
       (Admettez-le, la Cinglée de Floride,
        vous êtes maudite depuis la naissance.)

Le chaos est en chemin
  essaim cuisant,
    la mort du ciel.
      (Vous vous souvenez de Sœurette-Pincette ?
        Je parie que vous ne la regretterez pas !)

Tenter d'interpréter, d'extirper une signification de ces messages cryptiques et symboliques s'apparente à la lecture du marc de café. Cependant, ce qui me frappe le plus dans cette dernière communication n'est pas la mention de la Cinglée de Floride ni de Sœurette-Pincette. Lucy m'a avertie à leur sujet lors de notre discussion dans le camion, et peu m'importent les insultes en ce moment. En revanche, la menace sous-jacente me paraît largement plus préoccupante, et sans doute ma nièce est-elle passée à côté parce que sa connaissance de l'italien est approximative.

Ce qui suit sera pire que ce qui a précédé.

Molly Hinders est-elle ce précédent ? Est-ce à elle que Serrefile Charlie fait allusion ? Ou alors à Elisa Vandersteel ? Mais peut-être qu'il parle de quelque chose ou de quelqu'un d'autre, et je me demande combien d'informations personnelles me concernant ont fuité au cours des années où Carrie a espionné la sœur de Janet, Natalie.

Carrie aurait pu apprendre toutes sortes de choses si elle l'avait décidé, et elle aurait pu transmettre ces détails à un complice qui les utilise aujourd'hui pour persifler et dénigrer. Un individu brillant mais dérangé, du moins est-ce ainsi que je le ressens lorsque je me contrains à écouter ses enregistrements.

Mais pourquoi ? Il y a tant de choses à mon sujet que quelqu'un pourrait utiliser pour me tourner en dérision. Pourquoi rechercher les petits surnoms idiots dont on m'affublait lorsque j'étais enfant ? Pourquoi ne pas opter pour les pires noms d'oiseaux dont on me gratifie aujourd'hui ? C'est infantile. En réalité, cela me rappelle la façon dont ma sœur se bagarrait avec moi lorsque nous étions gamines. Selon moi, le nouvel acolyte de

Carrie s'amuse de façon assez juvénile avec ses vers récités dans un italien synthétisé. Ils sont supposés mettre en scène mon père me réprimandant, me faisant honte. Je tente encore d'appeler Benton. Je tombe à nouveau sur la messagerie vocale, et débite :

Hello, c'est moi. Je t'ai envoyé ce que j'ai réussi à faire ressortir de la dernière communication façon troll. Sans entrer dans les détails, je pense que certaines des phrases débitées pourraient avoir un intérêt et, bien que n'étant pas l'expert en la matière, j'ai l'impression que ça promet un désastre. Le mot aerotrasportato *pour aéroporté a été utilisé et j'ai vérifié à plusieurs reprises pour être certaine d'avoir bien compris la voix modifiée. Appelle-moi dès que possible.*

Il est presque 7 heures du matin, c'est-à-dire 13 heures en France. Je me souviens de la dernière fois que j'ai séjourné à la Tour Rose à Lyon. Difficile de croire que cela fait déjà six ans que j'ai visité le quartier général d'Interpol, qui m'évoque toujours une station spatiale intergalactique surplombant le Rhône.

Le secrétaire général doit être en train de déjeuner, car s'il y a une chose dont je suis sûre au sujet de Tom Perry, c'est qu'il ne renonce jamais à un repas civilisé. Il y a donc fort peu de chance que je parvienne à le joindre. Je compose quand même le numéro de sa ligne professionnelle. Son assistante, Marie, me répond.

Nous échangeons quelques amabilités et je lance en matière d'excuse :

— Je suis sûre qu'il est en plein déjeuner.

— En effet, confirme-t-elle dans un épais accent français. Mais il mange dans son bureau après un très long appel téléphonique.

— Je voudrais l'informer de certaines choses et lui serais très reconnaissance de son aide.

— Patientez un instant, s'il vous plaît. J'étais très heureuse de discuter un peu avec vous, madame Scarpetta. Il faut que vous veniez nous rendre bientôt visite.

Je l'entends parler avec le secrétaire général en français sans toutefois avoir la moindre idée de ce qui s'échange. Dès qu'il prend la communication, je sais immédiatement à son ton qu'il est au beau milieu de quelque chose de très sérieux. Plus sérieux que d'habitude, c'est certain.

— Tom, je ne voudrais pas vous déranger mais je crois que nous devons absolument discuter de ce qui se passe à Cambridge.

— Et aussi à Bethesda, semble-t-il.

Ainsi que je le soupçonnais, il est au courant de la mort de Briggs. À l'évidence, Benton, ou l'un de ses collègues du FBI, a communiqué avec Interpol, et je me demande qui était l'interlocuteur de Perry durant sa longue conversation téléphonique, juste avant mon appel. S'agissait-il de mon mari ? À chaque fois que j'ai composé le numéro de celui-ci, mon appel a basculé vers la messagerie. Je ne serais pas surprise qu'il ait informé le secrétaire général des événements, puisqu'un dégénéré d'assassin utilise le nom réputé d'Interpol pour ses petits amusements, bref qu'il usurpe l'identité de l'agence.

Est-ce Carrie Grethen ? Ou alors son complice ? Peut-être sont-ils responsables tous deux de ce qui survient. Interpol la connaît bien, ainsi que je le rappelle à Tom, en expliquant pourquoi je l'ai contacté. Il y a de nombreuses années de cela, ils ont eu une indigestion de Carrie. Et puis, comme nous tous, ils ont cru qu'elle était morte, jusqu'à ce qu'elle décide de nous montrer que tel n'était pas le cas.

— Je n'ai pas fermé l'œil de la nuit et j'espère que je ne divague pas, je commence. Toutefois, vous êtes bien placé pour connaître son extrême dangerosité. Je n'ai pas la moindre idée de son but ultime mais je suis convaincue qu'elle en a un.

— Et pourquoi cela, Kay ?

— Parce qu'elle n'entreprend rien sans un but précis ! Et j'ai le sentiment que celui-ci est véritablement néfaste. Il s'agit, pour elle, d'une sorte de déclaration.

— Bien sûr, vous la connaissez mieux que moi, observe-t-il.

Je n'aime pas la sensation que provoque en moi le rappel de ma « familiarité » avec Carrie. Je poursuis :

— Si j'en juge par les informations que Lucy m'a transmises, il semble que Carrie ait préparé le terrain pour le coup qu'elle mijote. Cela fait des années qu'elle peaufine son plan et je crains que d'autres gens soient blessés ou tués. Je redoute tant de choses.

— Je suis content que vous m'ayez appelé. Je vous suis toujours reconnaissant de vos informations, surtout dans un domaine dans lequel vous possédez une grosse expérience personnelle. Comment puis-je vous aider, de façon plus spécifique ?

Le secrétaire général parle avec l'accent du Connecticut et ne paraît ni surpris ni impressionné par ce que je viens de dire.

— Vous souvenez-vous de notre conversation autour d'un bon verre de bordeaux, la dernière fois que je vous ai rendu visite à Lyon ? Vous avez eu une réflexion sur le fait que tout pouvait être transformé en arme, notamment la peur.

— Oui, c'est d'ailleurs l'objet du terrorisme.

— Et si vous êtes capable de fabriquer une arme qui engendre une peur terrible, cette terreur peut générer des dommages aussi incapacitants et destructeurs qu'un engin physique, une bombe, ou un fusil-laser, par exemple. La peur peut pousser des gens corrects à se conduire de façon irrationnelle et violente. Pensez ! Soudain vous redoutez qu'un objet, qui vole au-dessus de votre tête, puisse vous abattre alors que vous vous baladez à bicyclette ou que vous nagez tranquillement dans votre piscine.

— En effet, ce serait très néfaste, notamment s'il existe véritablement une arme de ce genre, renchérit-il. J'ai cru comprendre que vos bureaux réalisaient l'autopsie Vandersteel ce matin.

— Elle est terminée. Lorsque nous avons commencé, nous étions déjà assez convaincus par l'hypothèse d'une électrocution, et vraisemblablement d'un homicide.

Cependant, la nouvelle, une surprise de taille, c'est qu'il pourrait y avoir eu un précédent.

— Où et quand ?

— À Cambridge, au début de la semaine. En réalité, j'en suis presque certaine, maintenant, ce qui m'amène à la question suivante. Existe-t-il d'autres décès apparentés, notamment hors de nos frontières ? Des cas de foudroiement ou d'électrocution étranges, avec des victimes à proximité de l'eau et à l'extérieur ? Il se peut également que certaines de ces personnes aient survécu. Je ne suis pas sûre qu'Elisa Vandersteel serait morte si le courant électrique n'avait pas frappé le collier en or qu'elle portait.

— Je vois que nos réflexions convergent, déclare Perry. Vous, comme moi, savons que ce genre de choses commence de façon presque imperceptible. Le problème, c'est que lorsque nous finissons par les déceler, elles ont gagné en importance.

— Si on n'y prête pas garde.

— Tout juste. Il faut que nous restions très vigilants parce que des actes terroristes locaux dans le Massachusetts ou aux États-Unis peuvent devenir des terrains d'essais pour une attaque internationale, ajoute-t-il.

Je lui parle alors de Molly Hinders.

Je lui décris ses blessures et précise qu'elle a été tuée à Cambridge, non loin de la Charles River, à l'instar d'Elisa Vandersteel.

Les deux femmes ont été attaquées à la tombée du soir, c'est-à-dire alors que la visibilité devenait médiocre. L'humidité a joué un rôle important dans les deux cas. Molly était plantée au milieu d'une pelouse détrempée et arrosait au jet, et Elisa devait être en nage. L'humidité et l'électricité s'apprécient beaucoup.

— Curieux. Quel pourrait être l'intérêt de Carrie Grethen pour ces deux femmes ? réfléchit Perry à l'autre bout de la ligne.

— Vous voulez mon avis ? Carrie n'a aucun intérêt pour elles.

Je m'étonne à nouveau de ma difficulté à prononcer son nom. Cependant, je repense à ce que ma nièce m'a dit. Si je ne fais pas l'effort de comprendre Carrie Grethen, je n'ai pas la moindre chance de l'arrêter. Et je la connais. Je la connais bien mieux que je ne le laisse transparaître, bien mieux que je ne veux l'admettre.

— En revanche, Briggs aurait intéressé Carrie, dis-je. Je peux comprendre qu'elle l'ait pris pour cible, et ce choix devait être avant tout personnel à ses yeux. Benton et moi travaillions avec le général depuis des décennies. Vous savez à quel point je me sentais proche de lui. Elle se venge de nous. Surtout de moi.

— Pour quelle raison ?

J'y vais de ma réponse standard et interchangeable : *qui sait ?* Pourtant, je n'ignore pas ce que Carrie ne me pardonnera jamais, et il ne s'agit pas véritablement de Lucy, ni d'aucun d'entre nous. Tout tourne autour de Temple Gault. Je l'ai tué lors de notre ultime confrontation, en plantant une lame en haut de sa cuisse et en sectionnant l'artère fémorale. Je savais exactement ce que je faisais et il ne m'avait pas laissé le choix. Carrie ne s'en est jamais remise et, si l'on en croit Benton, elle ne s'est jamais remise de sa perte.

— Il n'y aurait donc rien de personnel dans le choix des deux victimes féminines, vérifie Perry.

— Si, sans doute, mais pas de la part de Carrie Grethen. Plus nous avançons, plus il devient évident qu'elle n'agit pas seule. Peut-être son nouvel acolyte, son nouveau Temple Gault, a-t-il tué ces femmes alors que Carrie s'attaquait à du gros gibier de l'envergure de John Briggs ? Qui peut dire qui sera le suivant ?

— Oui, mais vous connaissez le problème avec les acolytes, n'est-ce pas ? Ils ne font pas toujours ce qu'on leur ordonne.

— Ce qui suggérerait que Carrie n'a rien à voir avec les meurtres d'Elisa Vandersteel et de Molly Hinders.

— Quelqu'un peut se prendre pour un franc-tireur.

— Ça la mettrait très en colère.

— Ses partenaires finissent toujours par lui échapper. Permettez-moi de vous poser une question, Kay. Si l'on s'en tient aux indices et aux pièces à conviction, qu'est-ce qui justifie que vous pensiez que ces affaires sont des homicides ? Quelque chose est-il survenu dont je ne serais pas informé ?

Il ne connaît probablement pas certains faits nouveaux parce que le FBI n'est pas encore au courant. Je ne suis pas pressée de partager ces informations avec eux. Si le secrétaire général d'Interpol les leur transmet, c'est son choix.

— En effet, quelque chose est survenu et vous êtes pour l'instant la seule personne à qui je le révèle. (Le soleil fait une apparition au-dessus de l'horizon, avivant le bleu de Prusse de grandes traînées orangées.) Je n'ai rien dit au FBI, ni à personne. Il nous faut rester très stratégique en matière de partage d'informations, parce qu'il semblerait que nous soyons confrontés à une arme qui, du moins pour partie, a été manufacturée à partir d'un météorite...

Il m'interrompt :

— Attendez, là ! Répétez, s'il vous plaît.

Je lui parle du panguite et ne cesse de me rappeler ce qu'Ernie a dit.

Il faudrait, pour le vérifier, aller dans tous les musées du monde...

Avant qu'il ne les mentionne, les musées ne m'avaient pas traversé l'esprit. Ce n'est plus le cas.

— Bien sûr, quelqu'un aurait pu acheter des fragments de météorites sur Internet, mais ces derniers ne contiendraient pas nécessairement du panguite. Il faut donc considérer la possibilité qu'un individu ait acquis cet oxyde de titane et ait été capable de le transformer de façon dangereuse, j'explique à Tom Perry. Par exemple, le fragment a pu être volé d'une collection ? De la même façon que des œuvres d'art inestimables disparaissent parfois des musées, des roches rarissimes aussi.

— J'en déduis que vous n'en avez pas encore discuté avec Benton, observe Perry.

Je revois le regard chaleureux du secrétaire général et son attitude toujours conciliante.

Quelle que soit sa charge de travail, il agit toujours comme s'il n'était pas pressé. J'ai profité des plus agréables et plus longs déjeuners professionnels en sa compagnie à Lyon. Pour un Américain, sa connaissance des vins français est époustouflante.

Je reprends le début de sa phrase :

— J'en déduis que vous avez discuté avec Benton, si vous me posez cette question. Non, je n'ai pas eu l'occasion de m'entretenir avec lui depuis qu'il a quitté Boston avec Lucy pour rejoindre le Maryland.

Une lumière étincelante inonde maintenant les bâtiments résidentiels ou académiques de Harvard et du MIT.

43.

Les ombres glissent sur la brique et le granite. Plus loin, la silhouette du centre-ville de Boston se dessine de façon plus nette et commence à miroiter alors que le soleil se lève dans un ciel sans nuages.

— Vous connaissez William Portison ? me demande Tom Perry.

Je parierais que Benton lui a parlé de l'homme pour lequel Elisa Vandersteel travaillait.

— Lucy m'a révélé qu'il était le très riche P.-D.G. d'une compagnie spécialisée dans la technologie, basée à Londres. L'adresse de leur demeure à Mayfair est inscrite sur le permis de conduire d'Elisa. Nous l'avons retrouvé à côté de son cadavre.

— Il s'agit d'un ancien étudiant du MIT, tout comme son bon à rien de frère, tous deux sujets britanniques. L'un est parvenu au sommet et pèse plusieurs milliards de dollars. L'autre est aussi intelligent mais il lui manque certaines cases ou alors, elles sont remplies de la mauvaise substance. Selon moi, Theo est ce qu'on appelle un génie détraqué.

Je contemple les traînées pastel qui changent de forme, d'intensité alors que la lumière solaire vacille, ondule comme des poissons argentés entraînés par le lent débit de la rivière, de l'autre côté de la rue.

— Theodore Portison, plus connu sous le nom de Theo, quand il n'utilise pas un alias.

Des rameurs dans leurs yoles bigarrées fendent l'eau. La circulation automobile d'heure de pointe me parvient comme le grondement d'un train lointain, un vent fort, ou une pluie drue.

— Et pourquoi utiliserait-il un pseudonyme ?

— Parce que c'est un paranoïaque convaincu que tout le monde veut lui faire la peau, me répond Perry. Alors il s'enfuit, se cache, du moins si l'on en croit son frère.

Je suis certaine que l'information lui a été communiquée par Benton car, je doute que le secrétaire général d'Interpol ait parlé à William Portison de vive voix. En revanche, mon mari peut arracher à une pierre les informations les plus confidentielles.

— Et quel âge a le frère ?

— Theo Portison a quarante-sept ans, célibataire, jamais marié. Il a enseigné la physique quantique au MIT jusqu'à se faire virer, il y a une vingtaine d'années. Ces informations ont été vérifiées.

En d'autres termes, Benton s'est préoccupé de leur véracité.

— Theo est revenu à Cambridge, il y a environ un an, et je suppose qu'à l'instant même où nous discutons, le

FBI lui a déjà rendu visite ou alors ne tardera pas à le faire, précise Perry, et je me demande où est Marino.

— Pourquoi Théo a-t-il été licencié ?

Je jette un regard aux messages qui ont atterri sur mon téléphone. Rien de Benton ni de ma nièce. J'admire le lever du soleil.

— La réponse la plus évidente est qu'il est fou, lâche Perry. La plus complexe, ce sont des problèmes avec les étudiantes. De ce que j'ai compris, il se montrait beaucoup trop attentif et finissait par les harceler, les suivre. Il a équipé la chambre d'une des jeunes filles d'appareils de surveillance, incident qui l'a fait virer du MIT. C'est crétin ! Si vous voulez espionner, autant ne pas prendre pour cible une étudiante du MIT qui est aussi intelligente que vous. Il s'est fait prendre.

— Et qu'est-ce qu'il a fabriqué pendant vingt ans ?

— Je ne pense pas qu'il ait besoin de travailler. Son richissime frère s'occupe de lui, d'ailleurs ça a toujours été le cas, de bien des façons. Theo a vécu pendant longtemps avec leur mère à Londres. Elle est morte il y a quelques années. Comme vous vous en doutez, il présente des troubles de l'adaptation, et c'est un euphémisme.

— Serait-ce abusif de penser que les autorités ont Theo Portison sur le radar depuis un certain temps ? Je me demande s'il aurait des inclinations terroristes ou radicalisées, et qu'on aurait commencé à s'en inquiéter ?

Un silence me répond.

— Tom ? Allô ? Vous êtes toujours en ligne ?

— Oui.

— Oui, quoi ?

— Oui, c'est assez juste.

Il biaise et n'ajoutera rien pour m'indiquer que, de fait, les Portison ne sont pas un problème récent. En réalité, il s'agit d'un problème différent. Surtout Theo. J'en reviens aux traces de météorite découvertes par Ernie :

— Selon vous, Theo aurait-il une raison particulière d'entrer en possession de panguite, ou alors pourrait-il y avoir accès ?

— Eh bien, c'est assez intéressant, parce que William Portison est spécialisé dans les technologies aéro-spatiales. Il fabrique entre autres des roquettes. Il a une passion pour les voitures, les voyages spatiaux, les horloges, les montres, tout un éventail de choses, dont les minéraux. Il possède son propre musée, et devinez qui l'a aidé à le constituer ? Son frère, le dysfonction-nel Theo. Je pense qu'il est le *Rain Man* aide de camp de William.

— On peut donc supposer que Theo connaissait Elisa Vandersteel, puisqu'elle a vécu chez son frère au cours des deux dernières années environ. La collection de minéraux se trouve-t-elle dans la maison ?

Je suis certaine que ce que me dit Perry est plus important qu'il n'y paraît.

— Oui, protégée dans une salle sécurisée avec une porte de coffre-fort.

— Il faut vérifier qu'il n'y manque rien, surtout s'as-surer qu'aucun fragment de roc spatial n'a été subtilisé et, dans le cas contraire, quel est-il et surtout quelle était sa provenance. Où se l'est-il procuré ? L'empreinte minérale du météorite pourrait être notre seul véritable indice en la matière. On pourra s'en assurer si on met la main dessus.

— Theo ne serait-il pas au courant de la nature du fragment en question, si on l'a recruté comme petite main pour monter le musée ? relève Tom.

— Tout dépend si le frère sait précisément ce qu'il a acheté ou ce qu'on lui a donné. William Portison pourrait avoir acquis un morceau de météorite sans en connaître la composition élémentaire précise.

La porte de mon bureau s'ouvre alors dans un léger bourdonnement.

— Je suis certain que Scotland Yard sera très inté-ressé par tout cela, déclare Perry.

Cette sortie ne fait que me conforter dans mes soupçons : les autorités sont sur plusieurs pistes à la fois.

Je mets un terme à ma conversation téléphonique
tandis que Marino entre. Il a toujours un statut privi-
légié au centre.

Je ne me suis pas encore décidée à faire supprimer
son empreinte digitale de certaines serrures biomé-
triques, notamment celles de la herse du parking, de
la porte réservée aux piétons qui mène à l'intérieur
du bâtiment, pas plus que celle de mon bureau. Pourtant, cela fait des années qu'il n'est plus le chef de nos
enquêteurs. Néanmoins, je ne parviens pas à effacer
toute trace de lui. Il s'approche et je remarque qu'il
porte toujours les mêmes vêtements auréolés de sueur,
même s'il s'est débarrassé de sa veste bleu marine.

Il ne s'est pas douché. C'est évident alors qu'il surplombe mon bureau tel un oiseau de proie. Sur une
échelle de un à dix, dix étant la note la plus élevée,
j'attribuerais cent à la colère qui couve en Marino. Il
bouillonne d'une rage noire, le visage blême, les yeux
couleur de granite alors qu'il crispe les mâchoires.

— Vous avez l'air dans une rogne peu commune,
même pour vous, et j'espère que ce n'est pas à cause
de moi, Marino.

Les pulsations de son sang sont visibles sous la peau
de sa tempe et un fard rouge-violet remonte le long
de son cou.

— Les enfoirés ! J'étais là, assis avec le mec, et on
avançait. Et soudain ces trous du cul déboulent avec
leur équipement d'intervention de merde et leur hélicoptère de merde vrombit au-dessus de la foutue maison. Quand ils ont compris que c'était juste moi et le
type, ils ont rappelé leurs chiens. Et ensuite, Roger
Mahant se pointe, genre le super nouveau shérif du
bled. Et c'est la fin.

Il fait le geste de s'épousseter les mains.

— Que voulez-vous dire par *c'est la fin* ? Et de qui parlez-vous ?

— Le voisin loufoque de Bryce, lâche Marino à ma stupéfaction. Je l'avais amené à m'expliquer pourquoi il avait passé l'appel bidon au 911 à votre sujet.

Je repense aussitôt à ce que Tom Perry vient juste de me révéler au sujet de Théo Portison et souffle :

— Marino… ?

… à l'instant même où nous discutons le FBI lui a déjà rendu visite, ou alors ne tardera pas à le faire.

Marino parle vite, sans marquer de pause :

— C'est exactement ce que Bryce nous a raconté. Le type a voulu lui faire payer le fait qu'il l'avait insulté, et quel meilleur moyen de se venger que de traîner la grande chef Dr Scarpetta dans la panade, avec l'espoir que Bryce se ferait virer…

— Comment venez-vous de m'appeler ?

— La grande chef ? répète Marino en haussant les épaules. C'est le nom qu'il vous a donné, pas moi.

— C'est aussi le nom dont m'affuble Serrefile Charlie dans certains de ses enregistrements railleurs.

— Eh ben, vous pouvez prévenir le FBI, mais j'ai pas l'intention de leur filer un coup de main.

— Attendez, Marino, vous êtes en train de me dire qu'ils ont débarqué chez Theo Portison alors que vous étiez avec lui dans son salon ?

— Bordel, c'est qui Theo Portison ? bougonne Marino d'un air menaçant en se tenant devant moi. Le voisin de Bryce est un type qui s'appelle Donald Smyth avec un *Y*, l'orthographe anglaise. Du coup, il semble que ce ne soit pas assez pour les fédéraux de récupérer les affaires Vandersteel et Briggs, et que maintenant ils s'intéressent aux appels d'allumés au numéro d'urgence. Je veux dire, merde à la fin !

— Mahant vous a-t-il fait part de la raison pour laquelle ils intervenaient ?

— Ah bon, parce que, parfois, ils vous disent quelque chose ?

— Son véritable nom est Theodore Portison, et il est connu pour avoir recours à des alias en raison de sa paranoïa. (Je repousse mon fauteuil.) Il a été viré du MIT, il y a une vingtaine d'années. Il connaissait Elisa Vandersteel. Il est tout à fait possible que lui et Serrefile Charlie ne soient qu'une seule et même personne. (Je me lève et ôte ma blouse de labo.) Nous en aurons le cœur net si je reçois d'autres enregistrements audio.

Nous nous dirigeons vers la porte et Marino précise :

— De toute façon ils ont fini par l'arrêter.

— Pour quel motif ?

— J'en sais rien. Mais ils ont commencé à fouiller son appart', une vraie déchetterie. Merde ! C'est mon affaire, Doc.

— Le point important, c'est qu'il a été arrêté.

— Mais pas Carrie.

— Un d'éliminé, c'est mieux que rien. Si tant est qu'il s'agisse bien de Serrefile Charlie et qu'il soit le tueur des deux femmes.

— Et qu'il nous a bien harcelés, vous, moi, et Benton, avec des logiciels modificateurs de voix ou d'autres trucs. Mais pourquoi ?

— Il faut demander à Benton. Je dirais que ça a à voir avec les fantasmes, l'envie de pouvoir, et peut-être les délires d'un cerveau dysfonctionnel. Theo Portison possède-t-il un drone ?

— Y'a tant de merdes dans cet appartement, et notamment des trucs qui ressemblent à des pièces de robot. L'intérieur de la maison, on dirait une décharge, ou une casse auto. La rencontre entre un inventeur fou à lier et un SDF, quoi. J'ai l'impression aussi qu'il a transformé sa cuisine en laboratoire. Il a installé une sorte de tente en plastique comme s'il fabriquait du crystal-meth ou un truc de ce genre.

Nous suivons le couloir incurvé jusqu'à l'ascenseur et je demande :

— Il tousse ?

— Il m'a raconté qu'il avait une maladie pulmonaire chronique. J'ai oublié à cause de qui. C'est un de ces mecs qui en veut à tout le monde pour à peu près n'importe quoi.

— Ça ne m'étonne pas qu'il ait une pathologie pulmonaire.

— Pourquoi ? demande Marino en me jetant un regard. Juste à cause de sa toux ?

— S'il travaille avec des nanotubes dans un endroit qui n'est pas approprié, comme une salle blanche, ou un labo équipé d'une hotte d'évacuation avec filtre HEPA – en d'autres termes un environnement protégé – il pourrait présenter des problèmes respiratoires sérieux en raison de l'inhalation de fibres trop petites pour être décelées à l'œil nu. Vous n'avez pas oublié que le prétendu enquêteur d'Interpol qui vous a appelé toussait ? Tout comme celui qui a contacté Benton. Cela peut difficilement être une coïncidence.

— Hein, des nanotubes ?

Nous montons dans la cabine d'ascenseur et je lui explique le reste. Mon immeuble a retrouvé sa sérénité, son rythme propre. Les gens commencent leur journée de travail et le FBI a disparu. Je suis bien certaine que Theodore Portison va les occuper durant un bout de temps, et peut-être Mahant décidera-t-il de ne plus jamais assister à une autopsie.

L'ascenseur descend avec lenteur et Marino se plaint :

— J'ai même pas eu une part de pizza.

— Ça fait longtemps qu'elles ont été englouties et vous n'étiez pas là. Et comment savez-vous que nous avions de la pizza ?

— Oh, je connais les tours que vous avez dans votre sac, Doc. J'ai entendu parler du système de ventilation, et que vous avez tellement dégoûté Mahant qu'il s'est aplati par terre.

— Presque !

J'adresse un petit signe de la main à Georgia. Marino et moi traversons l'aire de réception et nous dirigeons vers le parking.

44.

Pourquoi m'entêter à ignorer la limite des capacités humaines ?

Le trajet jusqu'à chez moi me demande un véritable effort, et je lutte pour rester éveillée alors que je marque l'arrêt à un stop, non loin de la Harvard Divinity School, qui s'élève dans notre quartier de Cambridge. Ma glycémie a plongé, et je ressens une cinglante déception, un grand classique lorsque j'ai fonctionné durant des heures sur l'adrénaline.

Heureusement, j'habite à moins d'un quart d'heure du CFC. Je modifie la ventilation pour m'éventer d'air froid, je mets de la musique, tente le maximum pour rester un tant soit peu alerte. Il est neuf heures passées de quelques minutes et le soleil matinal est éclatant au-dessus de ma tête. Je tourne dans l'étroite allée de brique de notre maison du XIXe siècle aux flancs de bois, peinte d'un bleu fumée avec des volets et des portes grises. Chaque extrémité du toit d'ardoise est surmontée de hautes cheminées et la lumière matinale se réverbère en flaques blanches sur les fenêtres de l'étage. Je me gare derrière la Land Rover verte de Janet.

Elle bloque l'entrée de presque la moitié du garage, séparé de la maison, et lorsque Page rentrera avec les chiens qu'elle a emmenés chez le toiletteur, son pick-up interdira l'accès à l'autre moitié. Inutile de penser à sortir une voiture de Benton ou mon véhicule personnel si jamais j'en avais besoin.

Tout le monde est donc là, je pense lugubrement, et soudain je me sens bien égoïste. En dépit de l'amour que j'éprouve pour ma famille, je n'aimerais rien tant en ce moment que de jouir d'un peu de solitude chez moi. Inutile de rêver et autant passer à autre chose. Je dois être belle joueuse et me souvenir que tout dans la vie ne tourne pas autour de la résolution de crimes. Je descends du SUV du CFC avec ma sacoche, et verrouille le véhicule que je n'avais pas l'intention de laisser au bureau cette fois-ci. Je foule d'un pas rapide les briques jusqu'au jardin arboré du devant, consciente que la température augmente. Elle n'est pas supposée dépasser les 32 °C aujourd'hui. Ce week-end, il devrait pleuvoir et mon jardin, tout comme ma pelouse, en ont besoin.

Je dois m'atteler à la cuisine, mais ne dispose pas de ce dont j'ai besoin. Si j'avais pu prévoir que tant de monde séjournerait chez nous, notamment Dorothy, j'aurais pris le temps de faire de vraies courses. Peut-être trouverai-je un moment cet après-midi pour foncer au magasin, avant de me préparer pour mon intervention à la Kennedy School. Je confectionnerai un plat facile, des lasagnes par exemple, que nous pourrons réchauffer à l'issue de la soirée.

Nous déboucherons quelques bonnes bouteilles de Pinot noir et boirons à l'âme de Briggs, me dis-je alors que je suis plantée devant la porte principale, mes clefs à la main. Je regarde alentour. Une brise légère caresse les branches des feuillus et l'odeur d'humus et de paillis me parvient. Une voiture longe la clôture, une de nos voisines qui me salue d'un signe de la main.

Benton et moi vivons à la limite nord-est du campus de Harvard, de l'autre côté de l'Academy of Arts and Sciences. Nous sommes entourés de ravissantes maisons anciennes, manifestations d'une époque éclairée. J'adore ce quartier. Je peux m'y bercer de fables, me persuader que je suis en sécurité puisque entourée de gens intelligents. Mon regard s'attarde, ma main posée sur la poignée de la porte.

Je ne perçois pas le moindre écho de voix, et les chiens ne sont pas là. Pourtant, un petit son aigu, strident comme celui d'une scie électrique, me parvient. Sans doute la maison en cours de rénovation un peu plus bas. Une autre voiture file, un autre voisin, et j'ouvre la porte principale. L'alarme n'est pas activée, à mon grand mécontentement. Je pénètre dans l'entrée lambrissée de bois sombre, ornée d'eaux-fortes victoriennes, et m'immobilise, tendant l'oreille. Personne, et j'en conclus que Janet, Desi, et ma sœur doivent être installés dans le jardin situé à l'arrière. Une très bonne idée. Peut-être les rejoindrai-je pour boire un café en leur compagnie. Ensuite, j'essaierai de prendre quelques heures de repos.

Il faudra également que je révise ma conférence de ce soir, puisque mon contact à la Kennedy School m'a confirmé qu'elle n'était pas annulée. Je le ferai pour Briggs. Je sais qu'il sera en esprit avec moi lorsque j'expliquerai à des décideurs politiques sur quelle planète dangereuse nous vivons et pourquoi il est impératif d'incorporer la science et l'excellence en termes d'expérience dans tout ce que nous entreprenons, si nous voulons repousser nos limites tout en nous protégeant.

Je découvre des capsules usagées de café sur la paillasse de la cuisine, non loin de la cafetière, ainsi que les restes d'un toast au cheddar. Sans doute Desi a-t-il eu un petit creux, puisqu'il est devenu un énorme fan du cheddar du Vermont depuis qu'il a emménagé ici. Il se montre très vigilant sur la couleur du papier qui enveloppe le morceau de fromage. À ses yeux, un emballage violet signifie que le fromage est particulièrement fort et c'est ce qu'il demande le matin, à ce que l'on m'a dit.

Je pose ma sacoche sur la table du petit déjeuner, poussée devant une fenêtre, et me dirige vers la porte qui ouvre sur l'arrière. La canne à pêche de Desi, la batte de base-ball et le gros gant de cuir que Marino lui a offerts pour son anniversaire, sont remisés non loin. La canne est équipée d'un plomb de lancer en caoutchouc dur pincé sur le robuste bas de ligne, lui-même noué au corps de ligne en monofilament. Le grand flic a montré à Desi comment lancer, ainsi qu'il l'a fait pour moi, il y a bien longtemps. Le garçonnet de neuf ans apprend la patience, la précision, au lieu d'imaginer que le monde se conquiert par la force.

C'est idéal, en dépit de la tristesse qu'en ressent Benton. J'en suis navrée mais nous devons penser d'abord à l'enfant. Marino est parfait pour Desi. Peu m'importe qu'ils utilisent mon jardin comme terrain d'entraînement, pour peu qu'on ne piétine mes rosiers. La règle est claire : si la ligne est prise dans un arbre, personne ne grimpe pour la libérer.

La sécurité d'abord. J'entrouvre la porte en chêne qui mène vers l'extérieur. Puis, mon geste se fige parce que je ne comprends pas ce que je vois.

45.

Vêtue d'un pantalon de treillis kaki et d'un polo du CFC, sans oublier sa casquette de base-ball et des lunettes noires, Lucy se tient près du grand magnolia ceint de son banc circulaire. Desi, debout à côté d'elle me paraît raide. Il est pieds nus, porte son T-shirt et son short des Miami Dolphins, et une sorte de bandana bleu noué autour du cou. Il a entre les mains ce qui ressemble à un iPad.

Je replonge dans la paisible pénombre du couloir lorsque je comprends qu'il ne peut s'agir de Lucy. Mon cœur s'emballe comme si je venais de marcher sur un serpent. Lucy se trouve dans le Maryland, et même si, par miracle, elle pouvait être revenue aussi vite, la silhouette androgyne à la courte chevelure blond vénitien est trop mince pour correspondre à celle de ma nièce. Je suffoque presque lorsque l'identité de la personne qui me tourne le dos s'impose à moi. J'active alors une application sur mon téléphone, qui met en marche les caméras à l'intérieur et à l'extérieur de la propriété.

Je fonce dans l'office, où un écran de contrôle plat est installé sur le billot de boucher. Je zoome sur le jardin de derrière, j'incline les caméras, passe en panoramique, en priant pour que Carrie Grethen ne devine pas ce que je fais. Elle aurait dû entendre ma voiture, quoique. Elle sait peut-être qu'on l'observe depuis l'intérieur de la maison, mais pas nécessairement. Je scrute chaque zone contrôlée par le système de sécurité, pour m'assurer que personne d'autre n'est présent sur les lieux.

Jusqu'ici, il semble que Carrie soit seule. Je repense au véhicule blanc garé le long de la rue, juste après notre allée. Je l'ai remarqué en arrivant, et pris pour la camionnette d'un artisan du bâtiment. Je suis sur les nerfs, redoutant à chaque seconde qui s'écoule que Carrie ne remarque le mouvement des caméras. Mais elle ne regarde pas dans cette direction. Son attention est concentrée sur Desi, sur le ciel au-dessus de leurs têtes, sur l'appareil que tient le petit garçon, une sorte de tablette, et sur Janet et ma sœur, hors champ, mais dont je sais qu'elles doivent être assises non loin. Je viens d'entendre la voix de Dorothy, sans saisir ses paroles.

Je pousse le volume des caméras hautes définition au maximum.

— ... Je ne veux pas, dit Desi à Carrie en secouant la tête en signe de dénégation. Je ne veux piquer personne.

— Bien sûr que si.

— C'est pas bien de faire du mal aux gens.

— Laisse-moi te montrer combien c'est amusant. Clique juste sur la flèche qui pointe sur le mot « activer ». C'est vert sur l'écran, et quand tu actionnes la touche, elle devient rouge, parce que le SC est armé. Le Serrefile Charlie. Tu sais ce que c'est, fiston ?

— Je ne veux plus jouer avec vous. Et je ne suis pas votre fiston, déclare-t-il.

— Lorsque tu découvriras tes origines, ce sera comme d'apprendre que tu es de sang royal. Le prince Desi, claironne-t-elle en posant une main sur son épaule, un radieux sourire aux lèvres.

— Vous me faites peur, lâche-t-il.

— Mais pourquoi faites-vous ça ?

Il s'agit de nouveau de la voix de Dorothy, que j'essaye de découvrir à l'aide des caméras. Elle reprend :

— Je croyais que nous étions amies.

Cela lui ressemble bien de penser qu'elle pourrait persuader Carrie Grethen d'obéir à une quelconque injonction, de renoncer à son but et de s'en aller, ou plus absurde encore, de croire que Carrie puisse l'apprécier et rechercher son amitié. Ma sœur est tellement narcissique qu'elle est convaincue d'être de taille face à un monstre qui a provoqué malheur et destruction pendant des décennies.

Je pointe une caméra sur Dorothy et Janet, tendues, assises dans des fauteuils, à environ six mètres du magnolia. Une petite table avec leurs tasses de café et des bouteilles d'eau est poussée entre elles. Elles portent des blouses de travail, qui m'appartiennent probablement, et ni l'une ni l'autre ne bouge. Elles ont les mains posées sur les genoux et ne semblent pas entravées. La lumière matinale ne se montre pas tendre pour les traits outrageusement botoxés et repulpés de Dorothy, dont les yeux sont agrandis de panique, alors que Janet affiche une attitude calme et sérieuse.

Janet n'est pas armée. Dans le cas contraire, elle se serait déjà débarrassée de Carrie. Depuis qu'il y a un enfant au sein de la famille, nous avons adopté de nouvelles habitudes en ce qui concerne les armes. Je manœuvre encore une fois les caméras et j'aperçois le drone, semblable à une grosse araignée noire qui flotte au sommet du magnolia avec ses huit pales de rotor tournoyantes. Le gémissement aigu que j'ai perçu plus tôt provient de l'appareil, et non de travaux en cours chez le voisin.

J'envoie un texto à Marino :

SOS. Elle est chez moi dans le jardin. Prise d'otages & drone.

Je ne contacte pas la police. Hors de question d'avoir des voitures de patrouille qui déboulent en rugissant. On ne gère pas ainsi ce genre de situation. Le but de Carrie commence à se dessiner : elle veut intégrer Desi à sa diabolique famille. Elle veut qu'il blesse, qu'il tue avec son drone militarisé.

Tu te souviens de Soeurette-Pincette ? Je parie que tu ne la regretteras pas.

Carrie va tuer Dorothy, puis se débarrasser de Janet. Il ne restera alors plus que Desi, et son objectif m'apparaît alors clairement. Me revient l'espionnage dont fut victime Natalie. Et si le petit garçon avait, en réalité, été sa cible ?

— Mais pourquoi ?

Ma sœur n'a jamais su quand il valait mieux la fermer. Desi paraît transformé en une petite statue, le contrôleur de vol entre les mains.

— Je ne comprends pas. On a eu une conversation tellement super dans l'avion, dit sottement, Dorothy.

En revanche, moi, je comprends soudain.

Carrie a dû se débrouiller pour monter à bord du même avion que ma sœur, hier soir, sur le vol en provenance de Fort Lauderdale. Elle devait être installée dans le siège voisin en première classe, ce qui explique pourquoi l'alarme de ma demeure est désactivée et comment Carrie a pu pénétrer dans mon jardin. Dorothy l'a sans doute laissée entrer, comme elle le ferait avec n'importe quel nouvel ami. Avec elle, un inconnu ne le reste pas très longtemps.

Elle ramène n'importe qui à la maison, et l'a toujours fait lorsque nous étions enfants. Elle ne demandait jamais l'autorisation au préalable. Elle a toujours eu le droit de n'en faire qu'à sa tête, pourtant, cette fois-ci, elle risque de le payer très cher, comme nous tous. Mon cerveau cherche frénétiquement une stratégie.

— Après ces quelques verres partagés et notre agréable conversation, pourquoi êtes-vous aussi horrible ? Je pensais m'être fait une nouvelle amie, qui me rappelle tant ma fille... C'est pour cela que nous avons tout de suite sympathisé. Et moi qui croyais que rendre visite à mon petit-fils au nord serait super amusant, gémit ma sœur en pleurant. Desi ? Viens ici. On rentre à la maison, comme s'il ne s'était rien passé. Et vous, allez-vous-en. Laissez-nous tranquilles, maintenant, tant que vous le pouvez, menace-t-elle Carrie, dont la seule réponse consiste à tirer des mains de Desi le contrôleur de vol.

Elle déplace le drone directement au-dessus de la tête de ma sœur, à moins de deux mètres de distance : la rotation des hélices fait voleter sa longue chevelure teinte en blond qui lui donne l'air dur.

— Effleure juste la touche d'activation, enjoint Carrie à Desi en lui montrant la console.

— Ne fais rien de ce qu'elle t'ordonne ! s'écrie Dorothy.

— Taisez-vous, je vous en prie ! lui jette Janet sans quitter Carrie des yeux.

Mais Janet est désarmée. À l'instant où cette pensée me traverse, aucune parade possible ne s'impose à moi, du moins l'une de celles auxquelles on se résout, en général, en situation désespérée. Il est très difficile d'abattre un drone, un appareil qui présente de nombreux espaces vides. Même si l'on parvient à détruire plusieurs pales de rotor, cela n'implique pas qu'on arrêtera à temps sa progression.

De la même façon que pour un dispositif explosif, il faut couper la source d'alimentation. Mais je n'ai pas de canon à eau sous la main, et il ne me servira à rien d'ôter le cadenas du pistolet que je garde hors de portée, en haut d'un placard de la cuisine. Il est hors de question de balancer une pluie de balles dans un quartier résidentiel.

Aucun bruit, aucune trace de Page et des chiens. J'espère qu'ils vont rentrer le plus tard possible de chez le toiletteur. Du regard, j'examine le matériel de sport entassé en désordre dans le coin à gauche de la porte : la canne à pêche et la batte de base-ball en bois, et non en métal. De même que le bois et une peau sèche, le gant de base-ball en cuir constitue un bon isolant contre l'électricité.

Les crochets où sont d'habitude suspendues les laisses de Sock et Tesla sont libres, et j'envoie un texto à Page :

NE RENTREZ PAS à la maison avant un autre message de ma part.

Carrie n'hésiterait pas une seconde à faire du mal à ce que nous aimons, y compris Page ou nos animaux familiers.

— Je vais te montrer, déclare-t-elle à Desi pendant que je continue à balayer le jardin avec les caméras.

Le drone tournoie en vol stationnaire au-dessus de la tête de ma sœur, puis Carrie effleure l'écran du contrôleur de vol. Le drone grimpe à la verticale, et je distingue les câbles conducteurs qui s'abaissent : il y en a quatre, si fins qu'ils sont à peine visibles. Ils ressemblent à de minces traits de crayon gris, chacun lesté à chaque extrémité par un objet rond et noir.

Les câbles apparaissent puis disparaissent pour réapparaître de façon inquiétante, et je ne distingue rien d'autre que les poids circulaires flottant dans l'espace comme de minuscules planètes sombres. Je pense alors à la brûlure ronde sur la nuque de Briggs.

— Je vais te montrer un truc cool, annonce Carrie à Desi en lui fourrant de force le contrôleur de vol dans les mains. Mais d'abord, tu dois faire quelque chose pour moi. Une expérience. Tu vois la bouteille d'eau sur la table ? Va la renverser sur la tête de mamie Dorothy.

— Non.

— Fais-le !

— Non.

Je m'empare de la canne à pêche.

— Tu dois apprendre à être courageux. Qu'est-ce qui ne va pas chez toi ? Il va falloir que je t'endurcisse, rugit Carrie, le visage déformé de colère. Tu vois ce que ça donne quand on est élevé par des inférieurs ? Eh bien, tout ça va changer, Desi.

J'ai pêché à quelques reprises au cours de ma vie, surtout en compagnie de Marino, qui n'a pas ménagé ses efforts pour m'apprendre à lancer. Et je suis plutôt douée de mes mains. Je rabats l'arceau du moulinet, puis je sors par la porte de derrière. Les hélices risquent de trancher la ligne, mais même les hélicoptères s'efforcent d'éviter les monofilaments. Lucy reste très vigilante lorsqu'elle vole bas au-dessus des plages à cause des cerfs-volants et des ballons gonflés à l'hélium reliés à des centaines de mètres de fil de pêche.

À ma vue, une fureur meurtrière mêlée de satisfaction se peint sur le visage de Carrie. Je bascule vers l'arrière la longue et gracieuse canne puis la projette en avant d'un mouvement de poignet que j'espère adéquat. Le plomb en caoutchouc voltige en arc de cercle vers le sommet du magnolia. Le soleil illumine l'élégant monofilament qui s'élève dans les airs puis se courbe pour retomber sur le derviche tourneur.

Je m'attends à ce que les hélices tranchent la ligne. Rien ne se passe, hormis le soubresaut qui agite le drone. Au moins une des pales s'est bloquée, et le brusque tiraillement m'encourage à rembobiner. Carrie hurle des obscénités. Le contrôleur de vol se révèle incapable de contrer le degré zéro de la technologie moderne : une simple canne à pêche.

— Cours ! Cours !

Desi crie, et Janet a bondi de son siège.

Le drone tangue comme un oiseau blessé, et je rembobine le moulinet avec frénésie alors que Carrie fonce sur moi à grandes enjambées furieuses. Je continue de rembobiner avec l'énergie du désespoir et le drone, aussi bruyant qu'un ventilateur, n'est plus qu'à trois mètres, les conducteurs flottant proches de sa tête. Je concentre mes forces pour abaisser la canne à pêche. Carrie tire un imposant poignard dont la lame fuse dans un sifflement. Puis du sang jaillit partout, j'entends quelqu'un hurler, une déflagration semblable à celle d'un transformateur qui explose, et je me retrouve sur le sol. Une odeur de chair brûlée me parvient.

46.

Deux jours plus tard, samedi matin

L'espace d'un instant, comme Elisa Vandersteel, j'ai voltigé dans l'espace pour atterrir sur le dos, la tête vide. À cela près que j'ai repris conscience aux urgences. Je ne suis pas morte, loin de là, et me redresse dans le lit au son d'une pluie battante.

Elle tambourine sur le toit d'ardoise et des bourrasques giflent les fenêtres. Sock et Tesla sont calés bien au chaud contre moi de part et d'autre. Je perçois leur souffle, parfois noyé dans le mugissement et le sifflement des rafales, et les trombes d'eau qui dégringolent selon un rythme et une intensité variables. C'est un petit matin morose et meurtri. À moins qu'il ne s'agisse que de mon humeur.

La conférence prévue à la Kennedy School l'avant-veille n'a pas été annulée mais reportée. Mesure sensée et inévitable, l'un des intervenants étant décédé, et l'autre à l'hôpital. Quoi que les conducteurs du drone aient pu heurter, en plus de Carrie Grethen et de son poignard, je me suis retrouvée projetée en arrière et assommée. J'ai passé une journée et demie à subir des examens, des scanners, à être tripotée et examinée sous toutes les coutures. Je suis enfin rentrée à la maison hier, dans la soirée.

Je n'ai donc pas effectué ma présentation devant une assemblée de gens influents, et je me repose au lit, en compagnie de deux chiens. Que souhaiter de mieux ? Janet et Desi ont rivalisé de prévenances et d'attentions pour moi, et Dorothy est quelque part dans les parages. Benton et Lucy devraient rentrer d'une minute à l'autre, après avoir laissé l'hélicoptère à Washington D.C., en raison des conditions météo. Dans un petit moment, nous dégusterons un merveilleux brunch. Il faudrait que je me lève. Je me sens étrangement légère, comme si la gravité s'annulait.

J'ai le sentiment que le règne de la terreur s'est volatilisé avec la sécheresse et la vague de chaleur. On dirait que l'équilibre de la vie est enfin restauré. Il y a bien longtemps que je ne me suis pas sentie heureuse de cette façon. Carrie Grethen a été grièvement tailladée et brûlée, le crâne fracturé par un monstre mécanique de sa conception. Lorsqu'elle sera suffisamment remise, elle sera bouclée à l'isolement dans l'hôpital psychiatrique local de l'État, dans une unité médico-légale de haute sécurité destinée aux psychopathes dangereux. Elle ne peut plus faire de mal à personne, et son partenaire Theo Portison est en prison. Ni l'un ni l'autre n'ira plus nulle part, sinon au tribunal.

Entre-temps, la police et le FBI continueront de rechercher les sbires qu'elle a pu recruter ici ou à l'étranger. Selon Lucy, Carrie serait capable de manœuvrer ses drones à distance, de la même façon que les opérateurs militaires. Elle aurait pu entreposer un drone dans la région de Bethesda et le piloter depuis le sud de la Floride jusqu'à la résidence de Briggs afin d'abattre celui-ci. Après cela, Carrie a embarqué à Fort Lauderdale, et profité en toute cordialité de son vol avec ma sœur. J'attends avec impatience ce que Dorothy me racontera à ce propos. Je ne lui ai guère parlé depuis mon électrocution.

Je vérifie ma messagerie. Mes bureaux travaillent sans relâche, et un nouveau message d'Ernie me confirme ce que nous soupçonnions. Une empreinte de panguite semblable à celle découverte dans l'affaire Molly Hinders était également présente dans les brûlures linéaires blanchâtres d'Elisa Vandersteel. Les deux femmes ont été électrocutées à l'aide de conducteurs en nanotubes de carbone, escamotés grâce à des bobines, dans un drone gigantesque alimenté par des condensateurs et recouvert d'une peinture thermo-protectrice dont la composition inclut du panguite. Les poids aux extrémités des conducteurs, qui ressemblent à des plombs de pêche, contiennent également du panguite.

Benton affirme qu'élaborer une arme à partir d'un élément dérobé à son puissant frère représentait pour Theo une forme de dédommagement : s'approprier ce qui, selon lui, lui revenait de droit. « Un peu comme Jacob volant son droit d'aînesse à Esaü », a expliqué mon mari. Hormis le fait que le choix des victimes était guidé émotionnellement par l'érotomanie et la tendance à la violence sexuelle de Theo. Benton est également convaincu que les meurtres de Cambridge représentaient une sorte d'entraînement.

Si l'on se fie aux informations supplémentaires fournies à Benton par le frère, William, il semblerait qu'Elisa ait entretenu des rapports amicaux avec Théo, sans soupçonner le moins du monde qu'elle l'obsédait. Après être revenu à Cambridge il y a un an, Theo lui aurait suggéré de tenter sa chance ici, en tant qu'actrice. Elle pouvait rester chez lui durant son stage. Ce qu'elle a fait pendant plusieurs semaines, occupant une chambre d'amis en échange d'un coup de main pour la cuisine et d'autres tâches.

Puis elle a rencontré Chris Peabody, et rapidement emménagé avec lui, en partie pour échapper à Theo. Elle l'aimait bien, de toute évidence, mais le trouvait de plus en plus agaçant et autoritaire. Il lui paraissait bizarre. Toutefois, elle n'avait probablement jamais imaginé qu'il l'espionnait, traquait le moindre de ses mouvements, de plus en plus furieux lorsqu'il la voyait en compagnie du jeune homme dont elle était en train de tomber amoureuse.

Theo observait-il Elisa, lorsqu'elle a rejoint le Faculty Club à vélo ? Elle a embrassé Chris Peabody sur le trottoir sous nos yeux, à Benton et moi. Il est possible que Theo ait procédé à des répétitions, manœuvré son drone sans qu'elle s'en aperçoive. Voulait-il seulement l'effrayer pendant sa traversée du parc, sans souhaiter sa mort ? Quoi qu'il en soit, il l'a tuée.

J'écarte aussitôt cette idée. S'il n'avait pas eu l'intention de l'assassiner, il n'aurait pas débarqué dans le parc pour s'emparer du foulard ou autre. L'étoffe bleue à motif cachemire était un souvenir. Peut-être Theo aurait-il pris d'autres effets personnels si Anya et Enya n'avaient pas fait leur apparition ? Combien de temps les a-t-il observées, dissimulé dans les massifs de rhododendrons ? Car ce n'est pas un daim qui a surpris les jumelles. Ce n'est pas un animal qu'elles ont entendu s'enfuir en courant dans l'obscurité.

À moins que Theo ne se montre prolixe, beaucoup de détails nous échapperont. Peut-être ses nombreux enregistrements offriront-ils une explication. Benton est persuadé que l'ancien professeur du MIT a suivi Elisa et Molly à distance grâce à sa caméra aérienne. En ce cas, il devrait exister des preuves visuelles de son voyeurisme, de ses répétitions, de ses assassinats. Nous disposerons alors d'un aperçu sur ses fantasmes de violence sexuelle.

Benton et ses collègues vont passer beaucoup de temps à éplucher des cartons pleins d'enregistrements audio et vidéo soigneusement étiquetés. Des années et des années de surveillance, d'espionnage, sont stockées dans le logement-décharge de Theo. Finalement, c'est une bonne chose qu'il soit incapable de résister à ses obsessions. La réflexion peut paraître étrange, puisque des gens corrects sont morts, mais s'il s'était montré plus discipliné, d'autres victimes auraient été à déplorer.

Leur plan était peut-être de disséminer, un peu partout, des armes aéroportées à énergie dirigée. Carrie aurait fini par se constituer une armée personnelle de drones humains faisant fonctionner des drones mécaniques. Peut-être ignorerons-nous toujours ce qu'elle avait en tête. À mon avis, Benton ne découvrira rien, quel que soit le temps consacré à son interrogatoire.

Carrie ne parlera pas. Si elle parle, elle mentira jusqu'au bout. Ou alors, ce qu'elle condescendra à révéler ne nous servira à rien.

Je me réveille en sursaut lorsque Tesla se redresse brusquement et aboie. J'ai dû me rendormir. Je tapote les oreillers derrière moi pour m'adosser dans le lit, et lui caresse la tête alors qu'elle aboie de nouveau. Sock remue à peine.

— Oui, je sais que tu as appris un truc de grand chien, mais tais-toi, s'il te plaît.

Je flatte de la main la petite bouledogue blanche aux yeux cerclés de brun comme un masque. Ses flancs se soulèvent puis se creusent à l'image d'un soufflet alors qu'elle continue à donner de la voix avec obstination.

Woof – woof – woof – woof... !

— Ça suffit, maintenant. Que crois-tu entendre ?

Je repousse les couvertures. Rien n'apaise la petite chienne.

Je me lève, m'avance à pas précautionneux, pieds nus, jusqu'à la fenêtre garnie de rideaux de l'autre côté du lit. Je jette un coup d'œil dehors sans rien distinguer, à l'exception des trombes d'eau qui inondent l'allée un étage plus bas. Le vent mugit de nouveau, et Tesla redouble d'aboiements frénétiques tandis que notre lévrier bringé, Sock, sommeille.

— D'accord... Chut... Ce n'est qu'un orage.

Je caresse Tesla et lui parle d'un ton doux, qui me calme aussi les nerfs. Je gratte ses oreilles tachetées. La porte de la chambre s'ouvre.

— Debout, là-dedans ! claironne Dorothy en pénétrant.

Tesla a dû entendre ma sœur, et je comprends maintenant pourquoi elle aboyait. Dorothy, uniquement vêtue d'un grand T-shirt, serre deux cafés entre ses paumes.

— Je peux venir ? demande-t-elle en me tendant un mug fumant et en s'asseyant sur le lit. Tais-toi, Tesla. Je ne supporte pas les chiens qui glapissent.

— Je ne dirais pas vraiment qu'elle glapit. Elle possède un aboiement plutôt féroce.

— Quelle ironie, n'est-ce pas ? Alors qu'elle porte le nom d'une voiture censée être silencieuse.

— Une plaisanterie de Lucy, en fait. Quelqu'un comme elle, qui traîne la plus grosse empreinte carbone de la planète ? Maintenant, elle peut affirmer sans mentir qu'elle a une Tesla.

— Comment tu te sens ? J'ai entendu des tas d'histoires sur des gens qui manquent de mourir électrocutés ou foudroyés, et qui reprennent conscience et découvrent qu'ils jouent du piano, ou ont gagné dix points de QI en plus.

— Je te préviendrai. J'ai toujours voulu jouer du piano.

— Tu fais des rêves inhabituels ?

— Pas encore.

— Ecoute, Kay, il faut que je t'explique en détail ce qui s'est produit, commence ma sœur, mais je l'interromps.

— Comment va Desi ?

Nous devrions nous inquiéter de l'étendue de son traumatisme.

— Un vrai petit soldat, moi je te le dis ! Il a l'air d'aller très bien, fanfaronne Dorothy comme si elle avait quelque chose à y voir.

— Il n'a eu que trop l'occasion de faire bonne figure, Dorothy. Cela ne signifie pas qu'il aille bien.

— Tu sais quoi ? Une des choses que j'ai apprises après avoir écrit tant de livres pour enfants ? fait-elle en souriant de sa question de pure forme. Des tonnes, n'est-ce pas ? Le truc, c'est que je connais les gamins. Et je suis toujours stupéfaite de voir à quel point on s'inquiète de tas de choses dont ils se fichent complètement.

— Ce n'est pas parce qu'il ne manifeste rien que cela ne le trouble pas. Quand Lucy et Benton rentreront, ce serait bien que Benton discute avec lui.

— Écoute, poursuit Dorothy en sirotant son café. Quand cette femme diabolique m'a abordée, j'ai dû y regarder à deux fois parce que j'ai d'abord cru qu'il s'agissait de Lucy.

— Arrête.

— Je patientais à la porte d'embarquement, elle a commencé à engager la conversation. Par le plus grand des hasards, nos sièges étaient voisins...

— Arrête tout de suite.

Je lui intime de se taire d'un geste de la main et en secouant la tête.

— Mais il faut que je t'explique ce qui s'est produit. Il faut que tu me laisses...

— Tu n'as rien expliqué jusqu'à présent, et nous devons en rester là, Dorothy.

— Mais j'ai juste dit...

— Tu n'as rien expliqué du tout, point final. Il ne nous est pas possible de discuter de ta rencontre avec Carrie à l'aéroport, de votre conversation dans l'avion, ou bien de la suite, lorsqu'elle a débarqué ici à la maison après que tu l'as invitée, puis laissée entrer. D'accord ?

— Enfin, je...

— Non.

— C'est juste que tu dois penser que je suis vraiment idiote. Mais, en réalité, personne ne m'avait jamais parlé d'elle...

— Nous sommes témoins dans cette affaire, l'une comme l'autre. Donc, plus un mot. Merci pour le café. Il a un goût sucré. Tu as mis du sucre dedans ?

— Du sirop d'agave, comme tu l'aimes.

— Je ne mets pas d'édulcorant.

— Depuis quand ?

— Depuis une éternité, Dorothy. Tu as toujours pris soin de tout le monde.

Je la taquine. Je ne peux m'empêcher de rire car plus les choses paraissent changer, moins elles changent.

— Non, ce n'est pas vrai, jamais, rétorque-t-elle d'un ton maussade.

Elle ne semble pas même apte à prendre soin de sa personne. Sa chevelure est trop longue et trop blonde, et le chirurgien esthétique qu'elle a dû payer une fortune devrait croupir en prison. Lorsqu'elle sourit, ses pommettes artificiellement rondes lui remontent sur les yeux, sa mâchoire inférieure est trop lourde, et même en faisant des efforts, elle serait incapable de plisser le front, ce qui rend son mécontentement et son ennui chronique sous-jacent d'autant plus difficiles à déchiffrer.

— Tu dois comprendre que c'est la chose la plus importante que j'aie jamais accomplie.

Ses seins sur-élargis sont sur le pied de guerre, et j'apprécierais vraiment que son T-shirt fasse vingt-cinq centimètres en plus de tour de poitrine.

— Quelle est la chose la plus importante que tu aies jamais accomplie ? J'ai bien peur de ne pas saisir à quoi tu fais allusion.

— J'ai aidé à attraper quelqu'un. La justicière, ça a toujours été toi, Kay. Moi, je ne suis que cette jolie femme qui commence à se faner et qui fait de son mieux pour ne pas perdre les pédales pendant qu'elle vieillit à chaque seconde qui passe. Je veux dire, regarde-moi, quoi que je fasse...

Sa peau a l'air d'avoir reçu une bonne couche de peinture nuance halée, et je m'apprête à lui conseiller de cesser de fréquenter les cabines de bronzage, puis me réfrène. Inutile de lui infliger mes critiques. Peut-être ne suis-je pas la seule à me sentir pathologiquement peu sûre de moi, sans le laisser transparaître la plupart du temps.

— Je vais te dire ce qui nous manque, dis-je en posant ma tasse sur la table de chevet. Si tu vas dans le dressing, et que tu ouvres le premier placard sur la gauche, tu trouveras quelque chose de spécial que je conserve pour les matins pluvieux comme celui-ci.

— Un joint, ce serait cool.

— Un excellent whisky irlandais. Vas-y, et sers-nous deux verres. Puis nous pourrons discuter, pour autant que tu ne me poses pas les questions que nous devons éviter.

Je la regarde tandis qu'elle pénètre dans le grand dressing tapissé de bois de cèdre, puis l'entends ouvrir le placard, et ôter le bouchon de la bouteille.

— On devrait téléphoner à maman ce matin, toutes les deux, je remarque lorsqu'elle revient.

— Si elle met ses prothèses auditives, d'accord. Je suis fatiguée de crier, explique-t-elle en posant le verre de whisky à côté de mon café. Tu n'es jamais là. En fait, d'ailleurs, depuis que tu es partie à l'université, tu n'as plus jamais été là. J'ai toujours été seule avec elle, et maintenant, c'est à moi qu'elle cherche des poux dans la tête.

— Ça me désole de l'apprendre.

— Et puis, l'édition, ce n'est plus ça, tu vois ? De nos jours, les gamins n'ont plus envie de lire ce que j'écris.

— Je ne te crois pas.

— Je veux dire, ne nous voilons pas la face, je ne serai jamais invitée à la Comic-Con, décrète ma sœur, accablée à l'idée d'être exclue de cette manifestation culturelle..

— Il ne faut jamais dire jamais.

Je déguste le whisky. Sa chaleur me réchauffe la gorge, bien davantage que le café brûlant, et d'une autre façon.

— Dorothy, nous passons notre vie à nous réinventer. J'ai compris ça en gagnant en âge et en sérénité.

— Eh bien, notre mère a décidé que, de nous deux, c'était moi la ratée. Autrefois, c'était toi, à cause du divorce et parce que tu n'avais pas d'enfants, parce que tu t'étais mis en tête de devenir médecin pour les morts pour ne pas avoir à t'inquiéter de perdre des patients, qu'ils te claquent entre les mains.

— Je suis bien certaine que c'est ce que raconte maman, dis-je en récupérant mon café.

— Ça, et puis le fait d'avoir une liaison avec un homme marié.

— Maman affirme que nous sommes des ratées parce qu'elle éprouve elle-même le sentiment d'en être une. Elle n'a jamais eu la chance d'accomplir aucune des choses que nous réalisons, et peut-être se demande-t-elle quelle a été son utilité. Si je vois juste, ce n'est pas très gratifiant de ressentir ce genre de choses à presque quatre-vingts ans.

— Écoute, assène Dorothy en engloutissant son whisky d'un coup comme si elle cherchait à se donner du courage, alors qu'elle n'en manque pas. Nous n'avons pas d'autres sœurs ? Alors, on est toutes les deux dans le même bateau, et je voulais surtout m'assurer que tu étais OK à propos de Pete et moi.

— Je ne sais pas grand-chose au sujet de Pete et toi.

Une vague d'indignation, que je n'ai pas le droit d'éprouver, m'envahit.

— C'est sérieux entre nous, et tu me rendrais service en prétendant que j'ai au moins servi à quelque chose dans la capture de ce monstre. Comment s'appelle-t-elle, déjà ? Carrie Gretchen.

— Grethen. Et tu t'es rendue utile, lui dis-je.

Je ne mens pas, mais pas de la façon dont ma sœur l'avait prévu.

Elle nous a rendu service parce qu'à elle seule, elle a guidé Carrie jusqu'à ma porte. Dorothy a répondu à des posts sur Facebook d'une prétendue amie d'enfance de Miami. Ma sœur a gobé le plomb, la ligne, tous les leurres de Carrie, et a commencé une correspondance qui a fourni à Carrie plus d'informations qu'elle n'en avait déjà.

Dorothy lui a communiqué avec enthousiasme les surnoms désobligeants, et le fait que mon père avait enregistré une publicité radiophonique pour sa petite épicerie. Carrie a dû mettre la main dessus, à moins que Theo Portison ne s'en soit chargé. À quoi servirait de remuer le couteau dans la plaie en lui rappelant qu'elle s'est lancée dans une grande conversation à bord de l'avion, avec une parfaite inconnue qu'elle a ensuite invitée chez moi ? À quoi bon lui dire, qu'à cause d'elle, Desi a failli être kidnappé et nous tués ? Dorothy n'est pas de taille face aux machinations de Carrie.

Cela dit, aucun d'entre nous ne l'est. Sinon, il n'aurait pas été nécessaire de gâcher autant d'années et d'existences pour l'annihiler.

47.

— Laisse-moi une minute pour me débarbouiller et enfiler ma robe de chambre, dis-je à Dorothy. Ensuite, nous ferons descendre Tesla et Sock et tu pourras m'aider à la cuisine. Que fait Desi ? Il est déjà levé ?

Je me dirige vers la salle de bains et l'entends me répondre :

— Il a dormi avec Janet. Je crois qu'ils ont commencé à préparer le brunch. Ils voulaient te faire la surprise.

L'odeur des saucisses qui rôtissent me parvient. Au sein de notre petite famille, Desi est le mangeur de viande patenté, de même que Marino.

— Pourquoi voulait-elle s'emparer de lui, Kay ? Pourquoi quelqu'un se donnerait-il autant de mal pour kidnapper un enfant de neuf ans ?

Je fais halte devant la porte de la salle de bains, la dévisage, me demandant si elle parle sérieusement ? Malheureusement, c'est le cas.

— Certains en sont arrivés à des extrémités bien pires que Carrie.

J'ai biaisé, consciente que ma sœur ne tenait pas à en apprendre davantage sur les horreurs dont j'ai été témoin.

— Honnêtement, ça me dépasse.

Dorothy est incapable de comprendre. Après tout, elle s'est toujours souciée de Lucy comme de sa première chemise, et il s'agit aussi d'un souvenir dont je dois me détacher.

Nous descendons, une petite bouledogue turbulente et un vieux lévrier ralenti sur les talons. Janet a ouvert la fenêtre au-dessus de l'évier de la cuisine. L'air chaud et humide véhicule le martèlement et l'odeur de la pluie. Mes pensées sont aspirées vers l'extérieur, vers l'orage. Desi met le couvert dans la salle à manger, pendant que Dorothy prépare davantage de café, mais mon esprit a filé ailleurs.

Je suis de retour dans mon quartier de Miami. Je me revois enfant, menue, les cheveux blonds blancs, les yeux bleu clair, vêtue à l'économie. Je vois ma maison jaune à peine plus grande qu'une boîte à chaussures, les langues de jardin envahies par les mauvaises herbes. Il était ceint sur trois côtés d'un grillage affaissé qui n'empêchait ni les chats ni les chiens du coin de se faufiler et parfois même, un perroquet échappé. Je contemple ces vestiges du passé comme sur un écran. On pourrait croire que je viens d'être transportée dans le passé. Un coup de tonnerre déchire soudain l'atmosphère et un éclair illumine les fenêtres.

Desi regagne la cuisine. L'électricité a sauté.

— Ouh, mince ! s'exclame-t-il. La lumière ne marche plus dans la salle à manger, d'un seul coup.

Le générateur de secours s'est mis en route, mais seules certaines parties de la maison vont être alimentées en courant, dont la cuisine, heureusement. À cet instant, quelqu'un frappe violemment à la porte de derrière.

— C'est Marino, annonce Janet en consultant son téléphone. Je viens de découvrir son texto. Il était à la porte d'entrée principale, mais il est passé par derrière et il veut te voir, Kay.

— Je n'ai pas entendu sa voiture.

— À cause du vacarme de la pluie, explique Janet.

Je remonte le couloir et longe l'office pour gagner l'arrière de la maison.

J'ouvre la porte, et Marino se tient voûté dans un ciré jaune, capuche abaissée.

— Faut qu'on discute en privé. La sonnette sur le devant déconne. Pour une fois, j'essayais d'être poli, j'ai sonné.

— Vous avez dû presser la sonnette d'origine, qui n'est reliée à rien. Et le petit boîtier moderne, avec bouton éclairé, celui qui est là depuis que nous habitons ici ?

— Il fait noir comme dans un four. Si vous preniez un parapluie, ou un truc de ce genre, qu'on discute dehors ?

— Sous des trombes d'eau, avec le tonnerre, au milieu des éclairs ? Si vous entriez plutôt, que je vous serve un café ?

— Nan. On reste ici, assène-t-il en désignant le sol. Doc, vraiment, je rigole pas !

Je vois cela, et attrape alors une veste imperméable sur le portemanteau. Je l'enfile, remonte la capuche et noue le cordon de serrage. Je sors, referme la porte derrière moi et lui fais face sous la pluie torrentielle qui nous éclabousse.

— Que se passe-t-il, Marino ? Vous redoutez la présence de dispositifs de surveillance à l'intérieur de la maison ? C'est ça le problème ? (Après tout, ce pourrait être le cas, pour ce que j'en sais.) Je vais en parler à Page, m'assurer qu'elle n'a laissé entrer personne, peut-être quelqu'un qui se serait fait passer pour un technicien.

C'est tout à fait le genre de stratagème que pourrait employer Carrie, je poursuis tandis que la pluie crépite sans relâche sur le sommet de ma tête. Marino m'écoute à peine, et j'en viens à craindre des ennuis nettement plus importants.

— J'veux pas prendre le moindre foutu risque, Doc.

— Pourquoi êtes-vous là ? Que se passe-t-il ?

— Je sais pas comment vous dire ça, déclare-t-il.

Une nausée me remonte dans la gorge.

— Benton et Lucy vont bien ?

J'articule avec difficulté. Je ne pense qu'à eux, en hélicoptère.

— Quoi ? J'sais pas, je suppose que oui.

Marino est distrait, les yeux hagards. J'élève la voix pour surmonter l'écho de la pluie qui tambourine sur les pavés et celui du vent sous la voûte des vieux arbres.

— Qu'est-ce qui vous prend ?

Des pétales de fleurs arrachés jonchent la pelouse, tels des lambeaux de papier de soie pastel, et les flaques grésillent sous la morsure de la pluie drue qui gicle sur l'herbe et le paillis.

— Vous savez, le bandana bleu à motif cachemire, que portait Desi ? braille Marino, la pluie dégoulinant du sommet de sa capuche. L'ADN pose problème. C'est même pire qu'un problème.

Carrie s'est présentée devant chez moi comme n'importe qui. Je l'imagine, souriante devant ma porte, et Dorothy lui a fait traverser la maison. Carrie et le drone sont apparus précisément au même instant dans le jardin situé à l'arrière, ôtant à Janet toute possibilité de se défendre, elle ou qui que ce soit. Sans doute est-ce la raison pour laquelle Marino insiste pour que nous discutions sous le déluge.

Carrie Grethen a pénétré chez moi. Il est plausible qu'elle ait dissimulé un ou deux appareils au cours de sa visite. Dorothy ne s'en serait pas aperçue. De toute évidence, elle n'a commencé à soupçonner que la situation dérapait que lorsque Carrie a donné à Desi le foulard bleu au motif cachemire, en lui enjoignant de le nouer et de se tenir à côté d'elle tandis qu'elle manœuvrait le contrôleur de vol avant de lui confier celui-ci pour qu'il anéantisse sa famille d'adoption.

— Le labo d'empreintes génétiques vous a appelée ? me demande Marino.

Je rassemble mes forces dans l'attente du reste de ses mauvaises nouvelles.

— Pas encore.

— Eh ben, j'viens juste de le découvrir. Peut-être qu'ils veulent pas vous embêter tout de suite, après votre séjour à l'hôpital. Mais faut que vous sachiez la vérité, c'est pour ça que je suis là sous cette foutue pluie.

Un coup de tonnerre éclate au loin.

— Qui a découvert quoi ?

L'eau asperge mes chaussons. Les ourlets de mon pyjama et de ma robe de chambre sont trempés.

— L'ADN d'Elisa Vandersteel se trouve sur le foulard, logique puisque l'objet lui appartenait. Et dessus, on a aussi l'ADN de Carrie et celui de Temple Gault.

J'ai mal entendu, c'est sûr, à cause du fracas environnant. Pourtant, un recoin de mon cerveau sait ce qui va suivre, alors même que je le nie.

— Désolée...

— Je sais ce que vous pensez. Mais vous m'avez bien compris, poursuit Marino. On a eu une touche avec l'ADN de Gault. Y'a plein d'affaires non résolues et les fédéraux tentent toujours d'établir un lien avec lui. Du coup, il n'a jamais été expurgé de la base de données. Et bien entendu, on a eu une touche avec Carrie. Ça, elle reste dans les mémoires, plutôt deux fois qu'une.

— C'est impossible. Comment l'ADN de Temple Gault aurait-il pu se retrouver sur le foulard, à moins que Carrie ne dispose d'une source et ne l'aie délibérément contaminé...

— Non, m'interrompt Marino en secouant lentement la tête d'un côté et de l'autre, dégoulinant de pluie, les yeux écarquillés. Non, non, vous comprenez pas, Doc.

— Qu'est-ce que je suis censée comprendre, Marino ?

Je me refuse à croire ce qu'il s'apprête à dire. Une émotion incroyable m'envahit alors qu'il peine à expliquer :

— Au début, on comprenait pas pourquoi on ne trouvait pas sur le bandana un ADN qu'on aurait pu attribuer à Desi, enfin, sur le foulard, quel que soit le nom que vous donnez au truc noué autour de son cou. Son ADN devait se trouver dessus.

J'entrevois enfin ce qui se trouve de l'autre côté, à la manière d'une brume qui s'éclaircirait soudain. Le petit Desi, avec ses traits anguleux et son regard bleu hypnotique.

— Et en fin de compte, c'était bien son ADN...

Il n'y a pas meilleur pêcheur que Carrie. Elle connaît parfaitement la tactique. Elle sait comment patienter puis ramener la ligne. Le poisson est ferré.

— Vous voyez où je veux en venir ? demande Marino.

L'écho de la pluie s'est transformé en un rugissement, tandis que me revient ce que Lucy m'a raconté de la grossesse de Natalie.

Natalie a eu recours à un donneur de sperme et à une mère porteuse qu'elle avait soigneusement sélectionnée. Cependant, la procédure a pu être manipulée.

Un jeu d'enfant pour une Carrie. Par ailleurs, Natalie n'avait aucune raison de découvrir la vérité à propos de l'ADN de Desi. Il aurait fallu que celui-ci soit introduit dans une base de données criminelle pour faire remonter la connexion avec ses parents biologiques. Très improbable. Carrie a ensuite forcé la situation jusqu'à sa conclusion, conclusion que je n'aurais jamais anticipée.

— Elle a dû conserver le sperme de Temple Gault, le congeler, ou un truc de ce genre, suggère Marino alors qu'une rafale de vent balaie la pluie de son visage. Vous savez, comme font ces femmes de militaires quand leur mari part au front... ?

— Je sais ce qu'elle a dû faire, et je l'imagine très bien. Avez-vous pu confirmer tout cela à l'aide de l'ADN de Desi ? A-t-on réalisé un prélèvement sur lui, à fin d'exclusion ?

— Ouais, c'est confirmé. Desi est le fils de Carrie et de Gault.

— D'un point de vue génétique. Uniquement !

Une rafale de vent propulse un rideau de pluie à travers le jardin. Le grand flic poursuit :

— Elle allait s'en emparer, Doc. Carrie s'apprêtait à l'élever pour en faire le prochain monstre. Un hybride de Gault et d'elle. Bordel ! Quelle chance elle a eu que Natalie décède. Du coup, elle a mis son plan en branle, poursuit Marino, qui paraît convaincu d'avoir tout élucidé. Elle se démerde pour créer un incident dans le Maryland, et Lucy, Benton et vous, allez vous trimbaler jusque là-bas. Elle s'est dit que vous alliez filer, en laissant seuls Dorothy, Janet et Desi. Seulement, vous avez contrecarré ses plans en restant ici, et elle a alors dû lancer son attaque, chez vous...

— Je n'ai pas la moindre idée de ce qui était planifié, ni pour quelles raisons. Je ne sais qu'une chose, tout est terminé et nous sommes sains et saufs.

— Sauf pour Desi. Qu'est-ce qu'on va dire à Lucy et à Janet ?

— La vérité. Desi n'est pas responsable de l'identité de ses parents génétiques. S'il avait été adopté et que nous n'ayons aucune idée de qui sont ses géniteurs, cela ne ferait aucune différence. On ne dispose pas de garantie sur l'avenir, Marino, pas même lorsqu'il s'agit de votre enfant biologique.

— Et s'il était comme eux ? Je veux dire, vraiment ? Réfléchissez. Il est là, avec nous. Et s'il leur ressemble en grandissant ? Aussi génial qu'il puisse être comme gamin ? Et si... ?

— C'est nous qui allons l'élever, pas eux. Maintenant, rentrons. Allons servir le brunch. J'avais dans l'idée de préparer une carafe de mon bloody mary.

Une fois dans la maison, nous retirons nos vêtements de pluie, et l'eau dégouline sur le paillasson et le plancher de bois dur. Je retire d'un coup de pied mes chaussons trempés, et pénètre dans un cabinet de toilette.

— Je crois que j'ai ce qu'il faut ici pour cuisiner une tarte au beurre de cacahouète, dis-je en lui lançant une serviette de toilette.

— Et depuis quand est-ce que vous faites ce genre de desserts ? interroge Marino.

Le grand flic a la tête du monsieur qui vient de voir un fantôme. Et ce n'est pas tout à fait faux !

— Le jour me paraît bien choisi pour ça, avec Dorothy à la maison, qui adore le chocolat et le beurre de cacahouète. Elle a un faible pour le sucre, j'ajoute en reconnectant le système d'alarme. Vous devez, sans doute le savoir, j'insinue alors que nous regagnons la cuisine.

Grimpé sur un tabouret, Desi sort des assiettes d'un placard, et je contemple sa silhouette mince dans le survêtement des Celtics que lui a offert Marino. Desi ne sera jamais ni très grand ni très baraqué. En revanche, il est déjà souple et élégant, et ses muscles se sont développés. Les bras chargés d'assiettes, il descend du tabouret et pose sur moi ses grands yeux bleus. Je ne lui ai pas encore véritablement parlé depuis les événements. Je récupère les assiettes.

— Je crois que tu sais où sont les serviettes.

— Oui, m'dame.

— Tu peux aller les chercher, s'il te plaît, et je t'aiderai à dresser la table ?

— J'ai déjà mis les sets, j'espère que j'ai pris les bons, déclare-t-il en me prenant la main.

— Ce qui compte, c'est qu'ils soient assortis.

Main dans la main, nous quittons la cuisine pour bifurquer vers la première porte à gauche, qui ouvre sur la salle à manger.

— Comment as-tu appris à pêcher, Kay-Kay ?

C'est ainsi qu'il m'a baptisée.

— Pourquoi cette question ? dis-je en allumant le lustre d'albâtre.

— Je me demandais pourquoi tu avais pensé à ma canne à pêche quand la méchante dame a essayé de nous faire du mal avec le drone.

J'écarte les double-rideaux pour contempler la pluie qui s'abat sur le jardin, zébrant le brouillard matinal. Le vent secoue les épicéas et les rhododendrons, et la pluie fouette les vitres par intermittence.

— Moi, j'ai pas eu l'idée, déclare le petit garçon avant que j'aie eu le temps de lui répondre. Quand elle essayait de me faire faire des choses, j'ai pas pensé à ce que tu as fait, toi. J'aurais dû attraper le drone avec ma canne à pêche et l'écrabouiller à coups de pied.

— Ç'aurait été très dangereux de le piétiner.

— J'aurais pu taper dessus avec ma batte de base-ball.

— Il ne faut pas approcher ces choses-là d'aussi près. Imagine que ce soit une énorme vessie de mer que tu découvres sur la plage avec ses longs tentacules. Qu'est-ce que tu fais ?

— J'approche pas !

— Voilà, exactement.

Il me suit autour de la table, et dispose une serviette à la gauche de chaque assiette que je place sur les sets.

— Mais qu'est-ce qui t'a fait penser à ma canne à pêche ? insiste-t-il, et il est évident qu'il ne me laissera pas éluder la question.

— Tu veux savoir la vérité ? Eh bien, il ne m'est rien venu d'autre à l'esprit.

J'ouvre un tiroir du vaisselier, et nous sortons les couverts dans le tintement de l'argenterie.

— Quand j'ai vu ce qu'elle faisait, j'ai été obligée d'agir. J'ai eu de la chance.

— Pourquoi cette dame voulait-elle nous faire du mal ? poursuit Desi.

— Le plus grand bonheur de certaines personnes consiste à faire du mal aux autres.

— Je sais, je sais. Mes mamans me répètent ça tout le temps.

Depuis quelque temps, il s'est mis à appeler Lucy et Janet ses mamans. Plus particulièrement Maman et M'man, cette dernière étant Lucy.

— Pourquoi elle est venue ici ? Pourquoi elle voulait que je fasse du mal à quelqu'un ?

Je marque une pause et le regarde avant d'affirmer :

— L'important, c'est que tu n'as pas obéi. Tu lui as dit non, tu n'as pas fait ce qu'elle voulait. Ce qui fait de toi un garçon bon et fort.

— Ouais... peut-être, déclare-t-il avant de détaler.

J'entends s'ouvrir la porte qui mène au sous-sol, et son pas rapide dans l'escalier. Lorsque je regagne la cuisine, il se tient l'air très sérieux près de la table du petit déjeuner avec une canne à pêche. Il ne s'agit pas de la sienne, que la police a emportée comme pièce à conviction. Il est allé récupérer la mienne au sous-sol. Je reconnais le vieux moulinet et la canne télescopique noire graphite, le tout recouvert d'une couche de poussière.

— Tu veux bien me montrer comment tu as fait ? demande-t-il en me tendant la canne.

— Je ne suis pas experte, et on ne peut vraiment pas faire ça à l'intérieur de la maison.

Néanmoins, du majeur et de l'annulaire de ma main gauche, je tiens la canne par le pied du moulinet, et j'explique :

— Je laisse filer à peu près quinze centimètres de ligne depuis le scion de la canne, et je la tends sous mon index, calmement.

J'exécute le mouvement pour lui montrer, et le moulinet cliquette.

— Je maintiens et j'ouvre l'arceau. Et tu sais ce qui est le plus important après ça ?

— Quoi ?

— Tu vises en pointant la canne là où tu veux que ton lancer atterrise. Tu vises ta cible, et tu dois la connaître. Ensuite, tu relèves ta canne et tu montes la ligne à l'aide du coude et du poignet, puis tu la laisses filer. Tout est une question de timing, comme beaucoup de choses dans la vie.

— Et il est temps de préparer à boire, annonce Marino en pénétrant dans la pièce, Benton et Lucy sur les talons.

— Vodka Tito's, jus de tomate V8 et citrons verts frais. Qui vient m'aider ? je lance en marchant droit sur Benton pour l'étreindre et l'embrasser.

— Moi ! s'exclame Desi en fonçant vers l'office où nous conservons l'alcool.

— J'ai le V8 et les citrons verts, annonce Janet en ouvrant un réfrigérateur.

— Où sont rangés les carafes et les verres ? demande Dorothy en fouillant les placards.

— Je suis si heureuse que vous soyez tous les deux de retour ici, en sécurité, par ce temps effroyable.

J'embrasse Lucy dans la foulée, incapable de deviner si elle est au courant pour Desi.

Je n'ai aucune intention d'en discuter maintenant. La chose ne doit revêtir aucune importance. S'il s'avère un jour que ce n'est pas le cas, nous trouverons une solution.

— Sauce Worcestershire, Tabasco, mon assaisonnement habituel ? Qui me donne un coup de main ?

Je prends la bouteille de vodka des mains de Desi et lui propose de m'aider à laver le céleri dans l'évier. Il s'installe à côté de moi sur un tabouret et je lui montre comment faire.

— Je casse les branches de cette façon. Maintenant, on les rince sous l'eau froide, et on enlève les nervures parce qu'elles sont dures et que personne ne veut manger ça.

— On dirait du fil dentaire.

— Et on les enlève toutes. Très bien. Tu les mets dans le broyeur à déchets.

— Comme ça ? demande-t-il, les mains jointes aux miennes tandis que nous rinçons une branche de céleri sous l'eau du robinet.

— Parfait, je commente tandis que nous lavons ensemble le céleri pour éliminer toute trace de terre.

Composition : Nord Compo
Achevé d'imprimer par CPI – Brodard et Taupin
N° édition : 01
Dépôt Légal : février 2017
N° d'impression : 3021819
Imprimé en France